소설 금강경

백금남 장편소설

피플워치

● 일러두기

*〈대당서역기〉가 도움이 되었음을 밝혀둔다.

예; 국명, 전설 등….

*앞서 발표한 〈붓다 평전〉에서 삽화 몇 곳을 가져다 쓴 곳이 있다. 본시 이곳의 삽화였으나 평전의 속성상, 필요에 의한 차입이었다. 수정 보완하여 본래대로 되돌려 놓았음을 밝힌다.

예; 십대제자, 비루다카 문제 등….

*인명이나 지명 기타의 문장 등에 범어와 힌디어, 빠알리어, 한어를 병행한 곳이 있다.

*불조 생존 시 대승불교의 상징인 보살의 개념이 있었을 리 없다는 주장이 있으나 이것은 불교 역사의 앞뒤를 살펴보건대 그러하다는 증언적 차원이지 불조 생존 시 보살의 개념이 없었다는 증거는 아니다. 오히려 불조 생존 시 보살의 개념이 존재했다는 증거적 자료는 차고 넘친다. 본 고에서는 개의치 않고 썼다.

차례

꽃무릇 일어서다

붓다(Sakyamuni Buddha)를 시해하기로 결심하던 날 데바(Devadatta)는 이상스런 꿈자리에 시달렸다. 분명 일전에 본 광경이었다, 입승 소임을 맡은 문수사리가 도량 한가운데 서서 시퍼렇게 눈을 치뜨고 붓다를 노려보고 있었다. 마침 붓다는 오백이나 되는 보살을 모아 놓고 죄를 지으면 어떻게 지옥보를 받는가를 설법하고 있었다. 보살들이 자세한 붓다의 설법에 하나 같이 겁먹은 표정이었다.

문수사리가 지켜보고 있다가 더는 못 참겠다는 표정을 지으며 법의의 오른쪽 소매를 걷어 올렸다. 어느 사이에 그의 손에는 시퍼런 장검이 쥐어져 있었다. 위아래를 막론하고 법도에 어긋나면 칼질을 서슴지 않는 사람이 문수사리였다.

그가 바람 같이 붓다를 향해 몸을 날렸다. 칼끝이 일직선으로 붓다를 향해 흘렀다. 보살들이 비명을 지르고, 차를 준비해 들고 가던 시자가 덜덜 떨다가 주저앉았다.

칼날이 붓다의 정수리 앞에서 멎었다.

붓다가 동요 없이 칼을 들이댄 문수사리를 쳐다보았다.

-중생을 괴롭힌다면 붓다라 할지라도 용서할 수 없다.

문수사리가 소리쳤다.

칼끝 앞에 앉은 붓다가 희미하게 웃었다.

-여래를 죽일 수 있겠는가?

-중생을 괴롭힌다면 여래가 아니다.

-네가 죽이려는 것은 이상이냐, 일상이냐, 무상이냐?

-분별을 내세우는 마구니다!

-여래는 여여한 것. 너는 나를 죽일 수 없다.

문수사리가 칼끝을 밀었으나 칼끝이 움직이지 않았다.

-고로 여래는 무상이다.

여래의 말이 끝나기가 무섭게 문수사리의 손에서 칼이 떨어졌다. 문수사리가 힘없이 그 자리에 무너졌다.

장엄당사라림으로 사라지는 문수사리를 바라보다 말고 잠을 깨었는데 꿈이었다. 일전에 보았던 광경이 그대로 꿈으로 나타났다는 생각이 들었다.

문수사리도 시역(弑逆)하지 못한 붓다를 시살(弑殺)할 수 있다고?

그러나 이제 그때의 데바가 아니다. 붓다의 교단을 떠나 신통의 경지를 뛰어넘었다. 붓다가 문수사리의 칼날에 당하지 않은 것은 문수사리가 그의 신통에 눌렸기 때문이다. 붓다와 같은 신통을 얻었다면 능히 그를 시살할 수 있다.

그렇게 생각하면서도 데바는 이상스런 갈등에 겨워 눈을 붉혔다. 날이 밝으면 붓다와의 마지막 일전을 위해 소나마르크 (Srinagar)로 떠나야 한다. 아자따삿투(Ajātasattu) 왕 때문이 아니었다. 이 한목숨 부지하기 위해 붓다를 시해하려는 것이 아니었다. 중생을 위해 위없는 불법의 위엄을 보이고 위선에 찬 그를 처없애 불국토를 이루겠다는 보살심에서다.

먼 길이었다. 소나마르크로 가려면 며칠을 걸어야 할지 모른다.

붓다가 가 있다는 소나마르크가 어딘가?

소나마르크는 히말라야산맥에 가까운 산간 지역이다. 아자따삿투 왕에게 쫓기기 전 함께 생활하던 삼문과 몇몇 제자들이 가서 머무는 곳이다. 그들은 소나마르크 와호마 호수 주위에 살고 있는데 마침 붓다가 그곳에 가 있다고 했다.

자식의 죽음을 건져주지 못하는 왕사는 마땅히 목을 내놓아야 한다는 아자따삿투왕을 피해 여기까지 오긴 했지만 그렇지 않아도 그리로 갈 참이었는데 잘됐다 싶었다.

어제 가르빈가를 만났다. 가르빈가는 비루다카(Viḍūḍabha) 왕과는 외사촌 되는 비구였다. 숯장사 하는 외조부 밑에서 자라다가 출가했는데 데바가 기초교육을 맡았었다. 데바가 출교했어도 그는 그대로 교단에 남아 있었다. 그가 그랬다. 이곳으로 오기 전

법회가 있었는데 수부티(Subhuti)가 붓다에게 물었다고 하였다.

　-붓다시여, 수시로 흔들리는 마음을 어떻게 항복 받아야 하겠습니까?

　수부티는 붓다의 십대제자 중 공사상으로 제일가는 사람이다. 사위국의 장자 집안에서 태어난 사람. 그가 태어나던 날 맑은 빛이 전 집안에 가득 찼다고 한다. 사람들은 하나같이 예사로운 일이 아니라고 수군거렸다. 그의 아버지는 바로 마가다국(Magadha) 기타 태자(빔비사라 왕의 맏아들)가 가지고 있던 동산을 사 붓다에게 기증했던 수닷다(sudatta) 장자의 아우 아나타핀티가 장자였다.

　기타 태자의 동산에다 정사를 지어 기증하겠다고 하자 붓다는 직접 제자들을 데리고 기원정사로 갔었다.

　수부티는 그날 붓다를 처음 보았다. 소문으로만 듣던 붓다. 그가 모습을 나타내었을 때 수부티는 두 손으로 가슴을 안았다. 비록 낡은 분소의를 걸치긴 하였지만 참으로 아름답고 거룩한 모습이었다.

　그길로 수부티는 붓다의 제자가 되었다. 제자가 된 수부티는 어느 날 마가다국을 찾았다. 마가다국의 빔비사라(Bimbisara) 왕은 그 옛날의 수부티가 어엿한 붓다의 불제자가 되어 찾아오자 그를 반갑게 맞았다.

　그는 아랫사람을 시켜 오두막을 한 채 지어 그에게 공양하려 하였다. 그런데 아랫사람들이 지붕을 올리지 않고 노임만 받아 채고 줄행랑을 놓아 버렸다. 빔비사라 왕이 안다면 불벼락이 떨어질 일이었지만 왕은 사실을 모르고 있었다. 수부티는 말이 없었다. 지붕 없는 오두막을 기꺼이 받았다.

다행히 비는 내리지 않았다. 계속해서 비가 내리지 않자 그러잖아도 가뭄을 걱정하던 사람들은 뒤늦게야 수부티의 움막에 지붕이 없다는 사실을 깨달았다.

그제야 빔비사라 왕에게 그 말이 들어갔다. 왕이 달려왔다. 왕은 수부티에게 백배사죄하고 지붕을 덮어 주었다. 비로소 비가 내렸다. 비를 관장하는 천신도 지붕이 없으면 없는 대로 살아가려는 수부티의 세상살이에 감동했던 것이다.

데바는 그 말을 들으면서 소문의 함정은 거기에 있을지 모른다고 생각했다.

수부티에게 감동하여 천신이 비를 내리지 않았다니. 설령 그랬다 하더라도 수부티는 수부티고 세상은 세상이다. 마땅히 비가 필요하다면 천신은 비를 내려야 한다. 그래야 세상이 존재한다. 공사상을 설명하려다 보니 이런 억지 설화가 생겨나는 것이다. 공의 세계와 현상세계는 하나라는 사실을 인식하지 않고서는 공은 그냥 공염불일 뿐이다. 공은 창조되지 않고 스스로 존재하는 세계다. 그 사실을 깨치지 않고서는 영원히 우주의 미물이다. 현상세계와 공의 세계가 하나가 되지 않는다면 현상세계로부터의 해방은 가능하지 않다. 인간은 이미 공의 상태에 있지만 그것을 의식하지 못하고 있으므로 자유롭지 못한 것이다. 형태가 공이고 공이 곧 형태다. 공을 깨달으면 붓다가 되고 깨닫지 못하면 인간으로 머무를 뿐이다.

어느 날 붓다는 여래의 참모습을 본 이는 바로 수부티라고 말했다. 그는 그렇게 무쟁삼매를 얻어 언제나 중생을 불쌍히 여겨 남과 다투는 법이 없다는 사실이 바로 그 증거라고 했다.

그러나 데바는 그런 수부티를 보면서 과연 그가 모든 현상은 실체가 아니라는 사실을 깨달았을까 하고 생각했다.

가르빈가의 말에 의하면 붓다는 날까지 택해 수부티에게 금강의 설법을 해주었다고 하였다.

-붓다시여. 붓다께서는 공부하려는 사람들에게 모르는 것을 잘 가르쳐주시는데 수시로 흔들리는 마음을 어떻게 항복 받아야 하겠습니까?

수부티는 그렇게 물었고 붓다는 이렇게 대답했다고 하였다.

-모두 붓다를 만들겠다고 하여라. 다 만들고 나면 제도할 이가 없을 것이니라.

그렇게 말한 후 다음과 같은 말을 덧붙였다고 하였다.

-만약에 보살이 나라는 생각(我相)을 가지고 있거나 남이라는 생

각(人相)을 가지고 있거나 무식한 마음(衆生相)이 있거나 경험이 많아야 잘 안다는 마음(壽者相)이 있다면 그 사람은 보살이 아니니라.

이게 무슨 말인가? 붓다의 세계는 나도 없고 너도 없는 여여한 세계라는 말이다. 그 세계는 너와 나라는 세계로 이루어진 것도 아니며 무식한 마음이 만들어낸 세계도 아니며 앎이 만들어낸 세계도 아니라는 말이다.

이 말을 뒤집어 보면 붓다가 되려고 하면 붓다에게 다 바치라는 말이 된다. 바치고 바치고 바치다 보면 어느 사이에 붓다가 되어 있을 것이라는 말이다.

잘 생각해 보면 그럴 듯은 하다. 캄캄한 곳을 밝게 만들겠다고 궁리하고 밝게 만들면 어둠은 사라진다. 그럼 어둠이 사라졌으니 궁리도 사라진다. 궁리의 주체가 무엇인가? 생각이다. 알음알이다. 부정이다. 긍정이다. 그 원흉이 사라진다 그 말이다. 그것이 붓다의 경지다 그 말이다.

그런데 이 말을 다시 생각해 보면 이렇게도 설명할 수도 있다. 나를 믿어라. 그럼 너도 내가 될 것이다. 그럼 너도 나와 같은 사람이 될 것이다. 그러므로 모든 것을 다 바쳐라. 너의 재산, 너의 생각, 너의 몸뚱이까지도 다 바쳐라. 그럼 너는 구원 받을 것이다.

쿨쿨 웃음이 나왔다. 역시 붓다는 난 사람이었다. 이제 신도들의 주머니를 털어먹다 못해 다 바쳐 내 품속으로 들어오라고 하고 있었다. 그리하여 자신과 같은 사람이 되라고 하고 있었다.

그렇지 않아도 죽이려고 했는데 죽여 마땅하다는 생각이 들었다. 가르빈가에게 그다음 말을 물어볼 것도 없었다. 그런데 그만 묻고 말았다.

-그다음 붓다는 뭐라고 하더냐?

-머무르는 바 없이 주는 마음을 연습하라고 하시더군요.

-완벽한 보시가 이루어진다면 성(性)이 성(聖)으로 승화된다 그 말이로다.

-맞습니다.

역시 스승님은 다르군요 하는 표정을 지으며 가르빈가가 대답했다.

-그럴 듯은 하구나.

가르빈가가 고개를 주억거렸다.

-그렇습니다. 항복심 보다도 더 어렵다는 생각이 들더군요.

-너는 붓다의 첫성을 마음의 항복심으로 보았다?

-그렇지 않습니까. 마음을 항복 받지 않고 붓다에게 어떻게 모든 것을 바칠 수가 있겠습니까?

-그래서 머무르는 바 없이 주는 마음을 연습하라?

-주는 마음을 연습하지 않고 자기를 비울 수 있겠습니까?

이젠 가르빈가도 예전의 행자가 아니었다. 너도 많이 컸구나 하는 말 대신 데바는 이렇게 말하였다.

-하하하, 역시 그럴 듯은 하다. 대단한 양반이야. 주는 마음을 연습하라. 무엇을?

이상하게 보면 자꾸 이상해지는 것이 인간의 본성이다. 하지만 아니었다. 이상하게 봐서가 아니라 붓다는 아주 신도들의 재산을 모두 털어먹을 욕심을 내고 있었다. 주는 마음을 연습하라고?

참으로 어이없는 일이었다. 더 이상 두고 봐서는 안 된다는 생각이 들었다.

하루에도 수천 번 일어나는 마음을 조복 받으라는 말인데 그럼 나의 조복 상대는 누구인가? 중생인가? 아니다. 끊임없이 나를 흔들고 있는 나의 마음이다. 내 마음이 곧 붓다다. 그럼 중생을 괴롭히는 붓다를 조복 받아야 한다. 그 길이 내 마음을 조복 받는 것이 될 것이니까.

| 2 |

붓다가 머물고 있다는 소나마르코로 떠나기 위해 데바는 떠날

준비를 하다 말고 멍하니 밖을 내다보았다. 문득 아버지의 모습이 떠올랐다.

아버지는 언제나 어린 그에게 말했다.

-언젠가 너는 카필라(Kapilavastu)의 성군이 되어야 한다. 이제 싯달타마저 출가해 버리고 그의 이복동생인 난타마저 손타라의 미모에 빠져 헤어나지 못하고 있으니 이 나라가 어찌 되겠느냐?

아마 그때 아버지는 꿈꾸고 있었을 것이다. 큰아버지 숫도다나(Suddhodana) 왕을 시해할 기회는 얼마든지 있었다. 그리고 왕위를 이어받을 싯달타의 동생들을 하나같이 처치해 버릴 기회는 얼마든지 있었다.

그러나 아버지는 끝내 천륜을 저버리지 않았다. 비록 싯달타는 조카였지만 그것은 그에 대한 폐북은 될지언정 그에 대한 승리는 아니라고 생각했기 때문이었다. 사랑하던 아내 야소다라를 버리고 십 년 만에 낳은 아들에게 자신의 앞길을 막는 장애자라고 해서 라훌라란 이름을 지어주고 떠나버렸을 때 그때 아버지는 자신으로서는 도저히 미칠 수 없는 한 사내의 깊디깊은 심연을 보았을 것이었다. 그 무엇에도 비교할 수 없는 고상함을 보았을 것이었다. 그래서인지 아버지는 온통 그에게 희망을 걸었었다. 그때 동생 아난의 나이 7살이었고 그의 나이 겨우 13살이었다.

붓다가 깨달음을 이루고 고국으로 돌아와 자신을 거두었을 때 그때의 감동을 데바는 지금도 기억하고 있었다. 붓다의 모습은 빛이었다. 빛줄기였다. 그 빛줄기는 아버지에게 말하고 있었다.

-데바와 아난을 출가시키십시오. 그들은 나중 교단의 실질적 주인이 될 것입니다.

아들들이 왕위를 계승하기를 바랐던 큰아버지 숫도다나왕으로서는 청천벽력이었을 것이었다.

그러나 이미 붓다와의 인연은 정해진 것이었다. 붓다는 아버지에게 다시 이런 말을 하였다.

-데바와 아난이 출가하면 내가 입멸한 후 데바는 내 뒤를 이어 교단을 이끌 것이고 아난은 내 법을 후세에 전하게 될 것입니다.

아버지는 두 아들을 붓다께 보내면서 눈물을 훔치며 이런 말을 하였다.

-그렇게 위대한 분의 법을 계승할 수 있다면 일개 나라를 다스리는 제왕이 문제겠느냐. 그분 또한 전륜성왕이 될 지위에 있었으나 이제는 세상을 다스리는 붓다가 되셨으니 너희들도 그 분의법을 받들어 이 가문을 구하고, 이 나라를 구하고, 미혹에 찬 세상을 구하는 성인이 되어다오. 분명히 붓다께서 말씀하셨느니라. 자신의 입멸 후 데바는 붓다의 뒤를 이어 교단을 이끌어나가게 될 것이고, 아난은 그 분의 법을 전하게 될 것이라고.

-명심하겠습니다. 아버님.

그렇게 하여 붓다의 제자가 되어 교단으로 들어갔을 때 붓다는 두 아이를 데리고 갠지스 강으로 나갔었다.

-저기 강이 보이느냐?

-네.

-이 세상 어딘가에 한 뿌리이면서 잎과 꽃이 서로 만나지 못하는 꽃이 있다(花葉不相見). 바로 꽃무릇이라는 상사화다. 꽃 중에서 가장 독성이 강하고 아름답지만 꽃과 잎이 만나면 금강화(金剛花)가 되리니 너희들이 이곳으로 온 것은 바로 그 꽃을 찾기 위함이니라. 저 강은 그 꽃을 피우는 젖줄이란다. 부지런히 그 꽃을 찾아내야 할 것이다.

그때부터 세상에서 가장 아름답고 강하다는 금강화를 찾는 작업은 시작되었다. 참으로 견디기 힘들었던 수행의 나날들. 무엇 하나 생소하지 않은 게 없었다. 출가자의 교단생활이란 것이 그렇게 만만한 것이 아니었다. 더욱이 궁에서 남부러울 것 없이 자라던 어린 그들로서는 모든 것이 낯설었고 생소하기만 하여 이겨내기가 힘들었다. 그것은 한 해 먼저 출가한 붓다의 독생자인 라후라도 마찬가지였다.

라후라는 붓다가 아버지이다 보니 출가하고서도 철없는 짓을 많이 했다. 그러나 붓다는 그가 피붙이라고 해서 조금이라도 살갑게 대해 준 적은 없는 사람이었다. 그는 오히려 그에게 더 엄했고 비정했다.

붓다가 코삼비이 바다리키 사원에 있을 때 늦은 밤 법회가 끝나고 대중이 잠자리에 들었는데 고약한 잠버릇을 가진 사람들 때문에 한동안 소동이 벌어졌다.

그때 붓다가 그들에게 일렀다.

-앞으로 출가한 수행승과 비구계를 받지 않은 자와는 동침하지 말라.

그 규정이 정해진 날 밤에 라후라는 갈 곳이 없었다. 그는 최초의 사미였고 비구가 되기 이전이었다. 그는 하룻밤 신세를 질 곳을 찾아 다녀보았지만, 붓다의 아들이라고 해서 누구 하나 규정을 어기고 그를 재워주려는 비구가 있을 리 없었다. 하는 수 없이 그는 변소에 들어가 잠을 청하였다.

다음 날 붓다가 변소에 가 보니 아들이 웅크리고 자고 있었다. 라후라를 깨워 사정 얘기를 들어본 붓다는 웃으며 비구들에게 일렀다.

-너희들이 계율에 대한 태도가 자칫 본의를 잃을까 걱정되지만, 아직도 계를 받지 못한 사람이 잠잘 곳이 없다면 되겠느냐. 비구계를 받지 않은 사람은 이틀까지 비구의 방에 재우고 사흘째 되는 날까지 거처를 찾아주도록 하여라.

그로 인해 새로운 규정은 생겨났지만, 그 후로도 라후라는 붓다의 독생자라고 하여 특별히 대접받는 일이 없었다.

그렇게 세월이 흘렀다. 같이 출가했던 이들도 하나둘 아라한의 반열에 오르고 데바나 아난 그리고 라후라의 나이도 어느새 스물을 넘겼다.

그들의 수행이 깊어갈수록 붓다는 이상스럽게 데바에게 혹독했다. 다른 이들에게는 그냥 넘어가는 일도 데바나 아난에게 만은 용서가 없었다. 대중들은 오히려 그런 그들을 향해 입을 비죽거렸다. 붓다가 그들에게 특별히 관심을 두는 것은 그들에게 앞으로 교단을 맡기기 위함인데 그들이 너무 영특했으므로 그 영특함으로 인해 오히려 견성이 늦어질 것을 걱정하기 때문이라는 것이다.

사실 붓다의 법이 다문에 있지 않다는 것은 상식이었다. 많은 것을 안다는 것은 깨달음에 걸림돌이 되었으면 되었지, 득이 될 게 없었다. 붓다의 설법은 대기설법이어서 그릇에 맞게 하는 것이었으므로 많은 설법을 듣다 보면 자기식의 해석이 나오기 마련이고 그러다 보면 정도(正道)에 대한 판단력을 상실하기 때문이었다.

하지만 아난이나 데바의 지식욕은 무서울 정도였다. 그들은 언제나 붓다 곁에서 떠나려고 하지 않았다. 붓다는 그것을 나무라곤 하였다. 그러나 아난이나 데바는 붓다가 설법을 시작하기만 하면 어느 구석으로든 숨어들었다. 그래서인지 같이 출가한 이들은 아라한의 경지에 올랐지만, 그들은 아는 것은 많은데 자기 아집에 사로잡혀 있었다.

자기 아집이란 게 별다른 게 아니었다. 자기식의 사상을 만들어 내고 자기식대로 불법을 호도하고 논쟁하기를 좋아하는 것이었다. 그들 역시 원체 머리가 영리하다 보니 이것저것 어깨너머로 들은 선지식을 이용해 도반들과 논쟁하기를 좋아했다.

특히 데바가 더 심했는데 도반들은 그의 폭넓은 지식에 혀를 내둘렀다.

그럴 때마다 붓다는 데바를 불러 호되게 나무랐다.

-내 일찍이 일렀거늘 논쟁하지 말라고 하지 않았느냐.

붓다는 논쟁을 싫어하는 사람이었다. 그는 언제나 제자들에게 이렇게 가르치고 있었다.

-세상의 사상가들은 그들만의 견해에 머물고 있어서 편집된 논쟁을 계속하지만 지자(智者)는 알고 있다. 진리를 아는 이는 결코 논쟁하는 일이 없다. 논쟁하는 사람은 아직 완전자가 아니다 자기의 견해에 탐닉해서 더러움에 젖어 있기 때문이다. 밑바닥이 얕은 개울물은 소리를 내고 흐르지만, 대하의 물은 소리를 내며 흐르지 않는다. 세간의 집착을 넘어서지 못하고 욕심에 끌리고 바람에 구애되는 자가 어떻게 자신의 견해를 넘을 수 있겠는가. 그것은 그들이 이법(理法)을 모르기 때문이다.

데바는 붓다의 나무람이 얼마나 호되었던지 그때마다 눈물을 흘렸다.

-데바야, 너는 너 자신을 깨달아 무아의 이치를 깨달아 얻어라. 그렇지 않으면 차라리 속가에 내려가 복을 짓느니만 못 하리라.

꾸중을 듣고 상심한 데바는 그 길로 인적이 끊어진 암자로 들어가 수행하기를 게을리하지 않았다.

어느 날 코티칸나라는 비구가 그를 찾아왔다. 고행으로 일그러진 그를 보면서 그가 걱정스러움을 나타내었다.

-왜 그렇게 자신을 학대하고 있습니까?

-깨침을 얻으려 함이오.

그가 머리를 내저었다. 그리고는 자기 발을 손으로 가리켰다.

-내 발을 보십시오.

데바가 그의 발을 보자 그의 발은 성한 곳이 없었다. 부드럽던 발은 상처나고 부어터지고 피가 맺혀 참으로 눈 뜨고 볼 수 없는 형상이었다.

-그대의 발이 왜 그렇게 되었소?

데바가 물었다.

그가 대답했다.

-저도 본시 부유한 집안의 아들로서 땅을 밟지 않을 정도로 귀하게 자란 사람입니다. 하지만 붓다에게 귀의한 후 수행이 깊어지다 보니 이렇게 되었습니다. 하루는 붓다께서 저를 찾으셨습니다.

그리곤 이렇게 말씀하셨지요. '칸나야, 너는 집에서 무엇을 잘했느냐?' 그래서 저는 대답했습니다. '붓다시여, 저는 비나(인도의 거문고)를 잘 탔습니다.' '그러하냐. 그러면 비나를 탈 때 비나의 줄이 너무 늘어지면 소리가 잘 나더냐?' '잘 나지 않습니다.' '너무 조이면?' '너무 조여도 잘 나지 않습니다.' '그렇다. 너무 조여도 안 되고 너무 늘려도 안 된다. 수행도 이와 같다. 생각이 너무 급하면 초조한 마음이 생기고 느리면 해이해진다. 만일 중도(中道)를 정행하면 머지않아 속세의 미혹을 벗고 법의 실상을 얻을 것이니라.'

붓다는 그때 중도의 실상에 대해서 가르치고 있었는데 중도의 실상은 막연한 노력과 철저한 지식으로 얻어지는 것이 아니었다. 지혜의 눈이 뜨여야 얻어지는 것이었다. 하지만 그때까지도 브라흐만 승려들의 전통인 고행 주의를 신봉하고 있던 데바는 그 참뜻을 이해할 수 없었다. 칸나는 중도의 실상에 대한 붓다의 가르침을 그대로 전하고 있었지만, 진리를 얻으려면 고행하지 않고는 범속함을 탈피할 수 없다고 데바는 오히려 반박했다.

어느 날 모진 마음을 먹고 데바는 붓다가 있는 향실의 문을 밀고 들어갔다. 붓다는 척추를 곧게 펴고 명상에 들어 있었다.

그의 앞에 마주 정좌하고 말했다.

-금강화를 찾아왔습니다.

그의 말에 붓다가 눈을 떴다.

-어떻게 찾았느냐?

-피안에 있더이다. 고행이 극에 이르자 스스로 그 모습을 드러내더이다.

붓다가 손바닥을 내밀었다.

-금강화를 여기 놓아라.

데바는 금강화를 붓다의 손바닥 위로 올려놓았다.

-너의 신통이 제법이구나.

어느 사이에 그렇게 배웠느냐는 듯이 붓다가 말했다.

-고행의 힘으로 이루었습니다.

-그러나 금강의 본체는 보지 못했다. 찾으면 무엇할 것인가. 잎이 꽃을 만났으니 촉(觸)이요, 꽃과 잎이 서로 보지 못하였으니 상사(相思)다. 아직도 하나가 되지 못하였다. 찾아도 찾은 것이 아니다. 꽃이 잎이 되고 잎이 꽃이 되지 못한다면 금강화가 아니다. 꽃무릇(相思花)일 뿐이니 다시 찾아오너라.

-무엇을 찾아야 한다는 것. 그것은 집착이 아닙니까? 붓다께서는 금강화를 찾으려면 집착을 버려야 할 것이라고 했습니다.

-배가 필요하면 타고, 강을 건넜으면 배는 버린다. 나가거라.

데바는 돌아와 울었다.

내가 붓다를 싫어했던 것이 바로 그것이었다. 미꾸라지처럼 빠져 나가는 바로 그것. 이것도 아니고 저것도 아니고.... 그 점이 싫어 그는 붓다의 곁을 떠나리라 결심했다.

칸나는 마음의 눈을 뜨지 못하고 마음 밖에 진리가 있다고 생각하는 데바를 뒤로하고 돌아섰는데 그들의 인연은 그 정도였다.

데바는 그 길로 자신을 따르던 삼문과 몇몇 도반들을 데리고 붓다를 떠나고 말았기 때문이었다.

| 3 |

붓다가 있는 곳으로 가기 위해 막 문을 나서려다 말고 데바는 아시몬 학자가 그렸다는 소나마르크로 가는 지도를 펼쳐보았다. 그곳으로 가는 길을 그림으로 잘도 나타내었다. 나무껍질을 벗겨 마름한 솜씨가 보통이 아니다. 분명히 솥 밑바닥에서 긁어낸 숯 검불을 나무 꼬챙이에 찍어 그린 그림이었다. 먼저 캐상나국을 지나 도카라국을 지나고 그렇게 몇 나라를 지나가서야 소나마르크에 닿을 수 있을 것이었다. 가르빈가에 의하면 붓다는 시자 아난을 데리고 소나마르크 와호마 호수로 갔다고 하였다. 선지자 로몽가르가 죽으면서 유언했다는 것이다.

-내 죽어 다시 환생하리라. 나의 환생을 보려면 소나마르크 와호마 호수로 오너라.

그렇게 말하고 움막으로 들어가 열반했는데 사람들이 들어가 보니 손톱과 발톱 머리카락만 남아 있었다고 하였다.

붓다는 그 환생의 모습을 보기 위해 소나마르크 와호마 연못으로 가 머물고 있다는 것이다.

지도를 접어 품속에 넣고 발걸음을 옮겨 놓으려고 하는데 뒤에서 누군가 부르는 소리가 들려왔다.

-데바닷다?

뒤를 돌아보니 뜻밖에도 수부티가 서서 자신을 바라보고 있었다.

-사형!

-여기 있었구나.

말에 반가움이 가득 묻어났다.

-아니 여기 사형이 어쩐 일이요?

-전도 나간 부루나 사형을 찾아왔다가 이 모양이 되었구나.

부루나.

부루나는 붓다의 십대제자 중에서 전도 제일로 유명한 사람이다. 도나미투라 사람이었다. 그의 직업은 어부였는데 붓다의 설법을 듣고 출가한 후 방방곡곡을 떠돌며 전도에 힘썼다.

-부루나 사형의 부친이 이곳에서 돌아가셨다고 해서 말일세. 붓다도 길이 멀지만 가 봐야 하지 않겠느냐고 하시는 바람에….

부루나 사형의 아버지 부하바는 대단한 부호였다는 말을 언젠가 들은 적이 있었다. 이곳은 히말라야 끝자락이라고 해도 과언이 아니다. 시킴. 양옆으로 네팔과 부탄이 자리하고 있고 알루나찰 푸라데시가 있다. 알루나찰 푸라데시도 인도와 중국의 접경 지역이다. 서쪽으로는 인도가 펼쳐져 있고 동쪽으로는 미얀마와 중국이 펼쳐져 있다.

부루나 사형을 낳기 전 그의 아버지는 포악하게 변해 가는 병에 걸렸다고 하였다. 얼마나 포악했던지 아내가 병자 곁에서 떠나 버릴 정도였다. 막상 아내가 집을 나가 버리자 하녀가 살림을 꾸렸다. 그러자 그의 포악스러운 성질이 가라앉았다. 두 사람은 맺어지게 되었고 그들 사이에서 생명이 태어났다. 그가 바로 부루나 사형이었다.

비천한 하녀의 아들로 태어났으나 부루나는 씩씩하였고 어느 날 병이 든 나무장수를 구해 주고 그에게서 약제로 쓰이는 우두전단(牛頭栴檀:향나무의 일종)을 얻었다. 그는 그것을 비싸게 팔아 밑천으로 장사를 시작하였고 많은 돈을 벌었는데 하녀인 어머니의 고향이 이곳 칭하우라샤였다.

-그리고 보니 부루나 사형에게 이곳 어디가 어머니의 고향이라

는 말을 들었던 것 같군요. 그래서 부루나 사형의 모습이 중국인을 닮았었나?

-그러게. 사형의 아버지가 말년에 부인이 있는 이곳 시킴으로 와 생을 마쳤던 모양이야.

-그럼 만나 보셨겠군요?

-전도에 미친 양반이니…. 장례식장이 쓸쓸하더구만.

-그럼 올라가시는 길입니까?

-올라가다 보니 자네 생각이 나지 않겠나. 여기 어디 있다는 말을 들었거든.

-대단하군요. 그러고 보니 생각이 나네요. 마가다의 수도 라자그리하를 떠나 스나파란타로 가서 수행하게 해 달라고 채근하던 부루나 사형이요.

-대단하지. 5백 인의 비구를 귀의시키기가 그렇게 쉬운 일인가.

그날 부루나 사형이 채근하자 그의 됨됨이를 알고 있던 붓다가 물었다.

-부르나야, 수나파란타 사람들은 성질이 거칠고 흉악하다고 들었다. 만약 그 지방 사람들이 네게 행패를 부린다면 너는 어떡하겠느냐?

-붓다시여. 그들이 그렇게 한다면 저는 이렇게 생각할 것입니다. 이 지방 사람들은 그만큼 착하구나. 나를 주먹으로 때리지는

않으니.

　-그럼 너를 주먹으로 때린다면 어떡하겠느냐?

　-그러면 이렇게 생각할 것입니다. 이 지방 사람들은 착하구나. 나를 막대기로 때리지는 않으니.

　-막대기로 너를 때린다면 어떡하겠느냐?

　-이렇게 생각할 것입니다. 이 지방 사람들은 참으로 착하구나. 나를 칼로 베지는 않으니.

　-칼로 베면 어떡하겠느냐?

　-붓다시여. 그때는 이렇게 생각할 것입니다. 이 지방 사람들은 참으로 착하구나. 나를 칼로 죽이지는 않으니.

　-칼로 너를 죽이면 어떡하겠느냐?

　-붓다시여. 붓다께서는 인생 자체가 고의 연속이라 하셨습니다. 그렇기에 스스로 자신의 생명을 끊는 이도 있고 누군가 자신을 죽여주기를 원하는 이도 있습니다. 그들이 나를 죽이면 그렇게 원하는 죽음을 저에게 베풀어준다고 생각할 것입니다.

　그제야 붓다가 고개를 끄덕였다.

　-장하구나. 부루나여. 그와 같은 마음으로 그곳으로 떠난다면 좋은 결과가 있으리라. 그곳으로 가서 법을 펼치도록 하여라. 다만 그들의 이해를 구하려 한다면 그 근기에 맞게 하여야 한다.

　부루나는 그길로 동지들을 규합하고 그곳으로 가 사람들을 제도

한다는 말을 데바는 들었다. 제도 되지 않을 자를 제도하고, 슬픈 자를 즐겁게 하고, 불편한 자를 편안케 하고, 열반에 들지 못한 자를 열반에 들게 한다는 것이다.

그가 떠나던 날 붓다의 말이 지금도 귀에 생생하다.

-홍법을 하면서도 어떻게 나란 존재를 파악할 수 있을까 하고 늘 생각하여라.

잠시 생각에 잠겨 있던 데바는 수부티를 향해 다시 시선을 들었다.

-스나파란타에서 돌아와 중국으로 전도를 나서겠다고 하더니 이곳까지 왔군요?

-그런가 봐. 중국으로 들어가기가 쉽지 않았을 것이고 보면, 여기가 접경 지역 아닌가.

-맞습니다. 나도 어쩌다 보니 여기까지 오게 됐는데….

-아자따삿투 왕 때문에?

-들어가십시다.

낭패한 말이 길어질 것 같아 데바가 돌아서서 문을 열었다.

-어디 가려던 참이었나?

데바의 심중을 알아챈 수부티가 더 묻지 않고 말을 돌렸다.

-예.

-이를 어째? 잘못 찾아온 것이 아닌가!

-걱정하지 마세요. 천천히 가지요.

안으로 들어 데바가 밥상을 내오자 수부티는 허겁지겁 먹어 치웠다.

-아이고 이제야 좀 살겠네. 이틀을 꼬박 굶었지 뭔가. 이곳 인심 사납더구먼.

-하나 같이 살기가 어려워서요. 어제도 먹을 게 없어 새끼를 잡아먹었다는 말이 있습니다. 등에 업고 있다가 눈이 뒤집혀 솥에다 넣어 삶았다는 겁니다. 먹고 나서야 정신이 돌아왔다고 해요.

-허허 사는 것이 무엇인지 모르겠네.

데바는 수부티를 깊숙이 쳐다보았다.

-그보다 하나 물어볼 것이 있습니다.

-내게?

수부티가 눈을 크게 뜨고 뜨악하게 쳐다보았다.

-그러고 보니 붓다 곁을 떠나온지도 벌써 수삼 년이 지나갑니다. 그동안에 여러 일들이 있었지요.

-연장자인 사리풋다 사형이 열반했다네. 붓다의 상심이 컸었지. 붓다보다 연장자가 아니었나.

-그렇군요. 그런데 가르빈가의 말을 들으니 얼마 전에 금강경을 설하셨다면서요.

수부티가 고개를 끄덕였다.

-그랬지. 내가 주관했다네. 사위국 기수급고독원에서였는데 비구가 천이백오십이나 모였지.

-대단했던 모양이군요.

수부티가 데바를 멀거니 쳐다보았다. 데바의 말에 약간의 비양기가 느껴졌기 때문이었다.

그의 눈길을 의식하며 데바는 출가할 당시 금강화에 대하여 말해주던 붓다를 떠올렸다. 그날 붓다는 이 세상에서 가장 강하고 아름다운 꽃이 금강화라고 했다. 출가는 그 꽃을 찾는 작업이라고 했다. 반야도 아니고 굳이 금강경이라 이름 붙였다면 그 꽃과 동떨어진 설법은 아니었을 것이었다.

그런 생각이 들자 붓다의 밑을 떠나올 때가 생각났다.

붓다의 곁을 떠나 제도해 줄 스승을 찾아다녔던 세월이 있었다. 한동안 천축을 떠돌던 세월이었다. 천축의 비렁뱅이라고 사람들이 손가락질했다. 그 당시 두타행을 잘하고 오통(五通)이 청철(淸徹)한 수라다라는 비구를 만난 것을 그 무렵이었다. 수라다는 같은 왕족 출신으로 붓다와는 함께 자란 사이였다. 그는 시기심이 강했고 그 시기심으로 인해 붓다를 거역하고 독자적으로 수행해 신의 경지까지 오른 인물이었다.

데바는 그에게 모든 상황을 설명하고 자신을 거두어줄 것을 원했다.

그를 향해 수라다 비구는 이렇게 말했다.

-구담(붓다)의 중도 사상 위에 신통이 있다. 오로지 진리는 신통으로만이 나타낼 수 있다.

그때까지도 수라다는 신통의 참뜻도 올바로 이해하지 못하는 신통 주의자라는 붓다의 나무람에 분노하고 있었다.

그런 수라다에게 데바는 이렇게 말했다.

-수라다 비구여, 언젠가 오랫동안 비가 내리지 않아 생물이 말라 죽고 그로 인해 비구들이 탁발을 못 해 아사지경에 이르기까지 되었는데 뛰어난 비구들은 이상하게 곳곳에서 탁발해 허기를 메우는 터라 나는 그러지 못해 신통력이 없기 때문이라 생각하고 붓다에게 신통력을 얻는 길을 가르쳐 달라고 하였습니다.

-그랬더니 그가 무어라고 했던가?

-이렇게 말했습니다. 신통력을 얻고자 하기보다는 무상과 고, 공, 무아의 도리를 염하라 하고 말입니다.

수라다 비구가 머리를 내저었다.

-소문에는 구담이 대단한 신통력의 소유자라고 하지만 그는 허깨비요 위선자요. 말만 잘하는 앵무새에 지나지 않는다. 이미 먼 옛날로부터 전해져 오는 진리의 말씀을 자기식으로 풀이해서 옮기는데 천재적인 소질이 있는 사람이다. 중생들은 그 말에 현혹되어 그를 따르는 것이다. 도대체가 말이 되지 않는다. 주위를 둘러보

라. 민생은 도탄에 빠져 굶주리고 있다. 그들을 구할 교단은 중생이 내민 빵으로 배를 채우며 수도라는 명목하에 무사안일에 빠져 있다. 구담에게 꼬여 그를 따르는 사람은 천인들이 아니다. 대부분 귀족이며 그들 중심으로 교단은 운영되고 있다. 그들은 출가하면서 한 푼의 재산도 굶주리고 핍박받는 백성들에게 돌려주지 않고 있다. 그들은 구담의 신망을 얻기 위해 법회 때마다 가진 재물을 헌납하고 있다. 그런데도 구담은 제자들을 시켜 탁발이란 이름으로 없는 자들의 빵을 갈취하고 있다. 말이야 좋지. 누군가가 왜 그대들은 스스로 쟁기로 밭을 갈아 농사를 지어먹지 않는가 하고 물으면, 그대가 대지를 갈아 옥답을 만들 듯 나는 인간의 미망을 갈아 그대들에게 깨달음의 꽃을 피우게 합니다 하고 대답하지. 말하자면 그들의 신심을 탁발이라는 명목 아래 바리때에 실어 깨달음의 세계로 안내하겠다는 말인데 그러다 보니 어떻게 되어가고 있는가. 무사안일에 빠져 있질 않은가.

그렇게 말하고 수라다는 다시 이런 말을 덧붙였다.

-무소유는 말뿐이다. 구담이란 인물은 이미 수행할 때 고행에서 실패한 인물이고 출가한 귀족들이 바친 재산으로 남모르게 엄청난 부를 축적하고 있다. 그래서 우리는 신통으로 그를 응징해야 한다.

-그렇다면 제게 신통력을 가르쳐주십시오.

-수행자는 누구에게나 지켜야 할 덕목이 있다. 첫째 수행자는

고행 주의자가 되어야 한다. 구담은 고행으로 몸과 마음을 상하게 하는 것은 올바른 수행 방법이 아니라고 했지만, 고행은 바로 브라흐만의 승려들이 지켜 왔던 정신적인 의지처였으며 전통이었다. 즉 깨달음으로 가기 위한 정도인 것이다. 그런데 그 고귀한 전통을 그는 단숨에 부정해 버렸다. 어떻게 인간이 고행하지 않고 범속함을 탈피할 수 있겠는가. 구담은 고행이 아닌 고행이라고 했지만, 그것은 교묘하게 고행을 피하려는 속임수에 지나지 않는다. 어차피 깨달음에 이르려면 고행을 통해야 하고, 고행에 고행을 거듭할 때 육체의 갖가지 집착이 떨어져 나갈 것이다.

수라다 비구는 데바에게 고행으로 얻어진 신통력을 직접 보여주었다.

그때 그들 주위에는 수라다 비구의 신통력으로 수많은 병자가 몰려들어 있었는데 수라다 비구는 그중에서 앉은뱅이를 단숨에 일어나게 했다.

그의 신통력은 붓다의 참뜻을 이해할 수 없는 데바에게는 참으로 엄청난 충격일 수밖에 없었다.

자연히 데바는 수라다 비구를 더 믿게 되었고 수라다 비구의 가르침을 그대로 받아들였다. 철저한 금욕과 고행이 뒤따르는 수행이었다. 데바는 그렇게 고행승이 되어 시체와 인골이 흩어져 있는 공동묘지에서 수행을 감행하였다. 밤낮을 가리지 않고 파리와 모기가 달려들어 피를 빨았다.

가끔 동료 수행승들이 말라비틀어진 대추나 혹은 날콩이나 쌀이나 보리 같은 걸 가져다주었다. 데바는 하루에 단 한 끼만 먹었다. 어떤 땐 이틀에 한 끼 먹을 때도 있었고 어떤 땐 사흘에 한 끼 먹을 때도 있었다.

계속해서 세월이 흘렀다. 수라다 밑으로 들어간 지도 6년이란 세월이 흘렀다.

드디어 데바는 오신통을 얻을 수 있었다.

그는 오신통을 얻은 후 수라정사에 머무는 수라다 비구를 찾았다.

수라다가 그를 반가이 맞았다.

-그대 드디어 신통을 얻었구려. 그렇다면 그대는 먼저 내게 그대의 신통력을 증명해 보여라.

데바는 머리를 내저었다. 그리고는 혼온한 음성으로 어리석은 스승에게 이렇게 말하였다.

-미안하게도 내 신통의 모습을 보여 드릴 수가 없군요.

-그게 무슨 말인가?

수라다가 상기한 한 얼굴로 물었다.

그 얼굴을 쳐다보다가 데바는 발길을 돌려 그대로 그곳을 떠나 버렸다.

신통은 마음의 그림자였다. 신통을 얻었다고 해서 신통이 언제나 열려 있는 것은 아니다. 신통을 부리려면 신통을 열어야 한다. 신통이 열리면 그의 생각이 온 우주를 감싼다. 호랑이를 생각하면 호랑이가 된다. 용을 생각하면 용이 된다. 그것이 신통이다. 그 정도 되면 신통을 열지 않아도 범부가 보지 못하는 세계를 볼 수 있다. 가령 범부에게는 용이 보이지 않지만 신통을 얻은 이에게는 용이 보인다. 이것을 예비 정기(精氣)라고 한다. 범부는 용이 허공을 날며 포효하면 천둥이 친다고 한다. 범부에게 호수의 용은 전설이다. 그러나 신통을 얻은 사람의 눈에는 호수에 사는 용이 보인다. 전설이 아닌 것이다. 하늘에서 천자가 책을 들고 혹은 칼을 들고 내려와도 범부는 보지 못한다. 물론 소리를 정확하게 들을 수도 없다. 몸을 용으로 바꾸어 으르렁거려도 내일 비가 오려고 하늘이 운다고 한다. 그것이 범부가 가지지 못하는 신통의 예비 정기다. 데바가 신통을 얻어 먼저 연 것은 무엇이든 볼 수 있는 천안통이었다. 천안을 통해 처음 본 것은 세상의 중첩이었다. 하나의 세계가 아니라 두 세계가 중첩되어 있었다.

이게 무슨 일인가? 우리가 사는 세상에 또 하나의 세상이 있었다. 하나는 육신을 가진 사람들의 세상인가? 그럼 또 하나의 세계는 정신? 아니었다. 역시 똑같은 세상이었다. 두 세계 다 정신과 육신을 가진 세상이었다. 이해가 되지 않았다. 어떻게 두 세상이 중첩되어 있는가? 하나는 산 사람의 세상이고 하나는 귀신의 세상이라고 하면 모른다. 그래도 이상할 터인데 두 세계가 중첩되어 돌아가고 있었다. 그런데 두 세계의 사람들은 다른 세계를 의식하지 못하고 불편 없이 살고 있었다.

언젠가 붓다가 하던 말이 생각났다.

-저기 보려므나. 한곳은 황룡이 날며 포효하고 한곳은 천둥이 치고 비가 오고 있지 않느냐.

느닷없이 그런 말을 했는데 아무리 봐도 황룡은 날고 있지 않았다. 천둥이 치고 비가 오고 있을 뿐이었다. 붓다가 한 곳이라고 했어도 서로 다른 곳이겠지 했는데, 더러 붓다의 경지에 이른 분들이 몰려와서는 이상한 문답을 뱉어내거나 나누는 것을 보았다.

북산의 갈매기가 산봉우리에 알을 낳고 남산의 사슴이 큰 바다에서 풀을 뜯누나.

무슨 문답이 이래 싶었다. 이게 말이야 뭐야 싶었다.

어느 날 히말라야에서 수행하고 있다는 선지자가 오더니 이렇게 말했다.

-범부는 두 세계의 중첩을 볼 수 없다. 이 지구는 하나의 씨앗이 한 구멍을 통해 이루어진 것이 아니다. 세계를 품은 하나의 입자가 한 구멍을 통할 때 두 세계로 나누어졌기 때문이다. 그래서 두 세계가 존재한다. 그 세계가 현상세계이고 생물의 두 마음이다. 선지

자는 그 세계를 본다.

그러니까 그들의 문답은 전혀 오류가 아니라는 말이었다. 선지자만이 뱉을 수 있는 말이라는 것이다.

그때 이런 생각이 들었다. 언어의 불완전성을 그렇게 비꼬고 있는 것인가? 그 불완전성을 제거하고 자유와 독립을 얻자는 말인가? 그럴까? 그렇게 모든 것으로부터 떠나 버린 사고의 구술을 그렇게 굴리고 있는 것인가? 진리를 문자로 세운다면 진리가 아니기에 논리의 단절이 가져다주는 실제적인 자유를 그렇게 노래하고 있다면 대답은 확실해진다. 진리를 버리지 않고는 진리를 볼 수 없다는 사실.

현상세계에서 보면 이것은 분명 모순이다. 그런데 그 모순이 진리다?

너무 이상하여 붓다에게 물었다.

그때 붓다의 대답이 묘했다. 선지자의 말이 옳다 그르다의 대답을 원했는데 붓다는 선지자의 말을 묘하게 비틀었다.

-인공성이 개입될 수 없는 무위자연의 심리적 상태에 이르면 두 마리의 까마귀 모습이 분명하게 보인다. 이리로 가자고 하면 저리로 가자고 하는 놈들이다. 한 놈이 저리로 가자고 하면 한 놈은 이리로 가자던 놈들이다. 그 까마귀를 항복 받는 일. 그것이 수행이다. 그 마음의 조복. 그 조복이 수행의 끝이며 그때 우리는 우주를

하나로 안을 수 있다.

데바는 그때 붓다의 말을 들으며 그럴까? 하는 생각을 했는데 정작 그는 모르고 있었다.

붓다는 멀리서 데바가 신통을 얻는 모습을 지켜보고 있었는데 그 모습을 보면서 고개를 내저었다. 신통은 외도들도 얻을 수 있는 것이다. 세상을 올바르게 안으려면 신통을 얻고 난 후 오히려 닫아야 한다. 얻은 신통을 닫고 일어나는 신통. 그것이 누진통이다. 신통을 얻었다면 마땅히 신통을 닫아야 한다. 신통 중에서 가장 높은 단계의 누진통은 지혜의 신통이다. 지혜를 완성하려면 천신만고 끝에 얻어낸 오신통을 닫아야 한다. 그래야 지혜의 누진통이 빛을 발할 수 있다. 붓다는 신통을 닫음으로써 지혜의 붓다가 될 수 있었다. 그것을 모르니 신통이 깨침의 최종단계라고 생각한다. 그럼 그것은 붓다의 경지가 아니다. 여여한 경지가 아닌 신통술이나 부리는 술사의 경지인 것이다.

오신통을 얻은 데바는 당시 최대의 군사력을 자랑하는 마가다국으로 발걸음을 옮겼다. 그가 마가다국으로 들어간 것은 코살라(Kosala)국의 왕 비루다카가 자신의 조국인 카필라를 치기 위해 칼을 갈고 있다는 사실을 알고 있었기 때문이었다. 먼저 구해야 할 것은 교단보다도 조국이었다.

그만큼 비루다카에게는 카필라를 넘볼만한 이유가 있다는 것을 그는 알고 있었다.

코살라의 국왕 비루다카는 붓다와는 피붙이 관계였다. 그러면서도 그의 증오로 카필라가 멸망할 수밖에 없는 운명적인 짐을 지고 있었다.

아마도 붓다는 비루다카만 생각하면 가슴 아팠을 것이었다. 그에 의해 데바나, 붓다나, 문수가 겪어야 할 시련보다는 한 인간의 설움과 슬픔 그리고 증오가 얼마나 무서운 것인지를 실감할 수가 있었을 것이기 때문이었다.

비루다카. 코살라에 들를 때면 붓다를 스승처럼 따랐던 비루다카. 석가족의 피를 받았기에 더욱더 그를 따랐던 비루다카.

그 아름다웠던 비루다카가 앞으로 겪어 갈 세월을 데바는 그때 알고 있었다.

카필라 주위를 싸고 있는 14 나라. 그중에서도 비루다카가 통치하고 있는 코살라. 코살라의 국왕 비루다카에게는 분명히 카필라를 쳐 없애야 하는 이유가 주어져 있었다. 코살라의 국왕 비사익 왕은 유서 깊은 종족으로 소문난 석가족을 흠모하였는데 나중 카필라국의 태자 싯다르타가 붓다가 되자 붓다를 자주 찾아뵈었다. 그에게는 일백이십 살이 된 할머니가 있었는데 노환으로 기력을 회복하지 못하자 붓다에게 부탁하였다.

ー어머니처럼 나를 돌봐 주던 할머니가 계십니다. 부디 은혜를 배푸시어 할머니를 살려주십시오. 그러면 모든 노력을 다하겠습니다.

-왕이여, 근심하지 마십시오. 모든 존재들은 죽습니다. 도공에 의해 만들어진 그릇들은 잘 구워졌든 잘 구워지지 않았든 언젠가는 깨어지게 되어 있습니다.

그렇게 관계가 깊었는데 코살라 왕은 친분을 더욱 두텁게 하려고 석가족에게 청혼하였다. 석가족은 강대국의 청혼을 거절할 수가 없었다. 석가족은 코살라국 사람들을 천하게 여기고 있었으므로 왕족을 그곳으로 시집보낼 수가 없었다.

생각다 못해 그들은 숫도다나 왕의 4형제 중 막내 마하남(Mahānāma) 왕의 노예인 나가문다의 딸 말리라는 소녀를 왕실 소생이라 속이고 코살라국으로 시집보냈다. 나가문다는 부처님과 친척이었다. 그의 조상들이 숯 가게를 했다는 소문이 있었는데 종의 핏줄인 줄도 모르고 코살라국은 그녀를 모후로 삼았다. 바로 거기서 태어난 태자가 비루다카였다.

비루다카는 그 사실도 모른 채 자랐다. 그는 커 나가면서 모후의 고향인 카필라를 동경했다. 모후 바사바라라는 자신이 왕실 신분이 아니라는 것이 탄로 날까 두려워 태자의 앞을 가로막았다.

어미의 뜻을 알 길 없는 태자는 기어이 시종 하나를 데리고 카필라국으로 넘어갔다.

그는 카필라국으로 들어가 이곳 저곳을 돌아다녔다. 어머니의 나라라는 생각 때문인지 낯설지 않았다. 그런데 이상한 것은 그가 카필라성을 방문한다는 사실을 알렸는데도 누구 하나 정중히 나와 맞아주는 사람이 없었다.

그는 아랫사람과 함께 궁을 향해 가다가 어느 제당 앞에서 여장을 풀었다. 이런저런 말을 나누며 한숨 돌리는데 그들 주위로 사람들이 모여들었다. 그들에게서 비루다카는 이상한 느낌을 받았다. 그들은 물이 담긴 그릇을 들고 서 있었는데 그가 일어나기가 무섭게 그 자리에 물벼락을 쏟아붓는 것이었다. 그때까지도 사람들이 자신을 흘끔거리는 것이 제 어미의 나라를 찾아온 태자에 대한 흠모의 눈길이라 생각 했었다. 그런데 그게 아닌 것 같았다. 그들은 그가 앉았던 자리에 물벼락을 퍼부은 다음 걸레를 가져와 깨끗이 닦기 시작하는 것이었다.

-왜 내가 앉았던 자리를 그렇게 닦고 있는가?

이상해서 그가 물었다.

자리를 닦던 사람이 흥하고 콧방귀를 뀌며 쌀쌀맞게 돌아서 버렸다.

태자는 다른 이에게 다시 물었다.

팔목을 잡힌 사람이 화를 내며 고함질렀다.

-보시오, 이곳이 어떤 곳이오?

-어떤 곳이라니?

-여기는 선조를 모신 제당이오.

-제당? 그런데?

-이런 곳에 당신 같은 사람이 와서 앉다니….

-아니 나 같은 사람이라니? 그대 나를 알고 있는가?

-내 어찌 그대를 모르겠소. 그대는 비루다카 태자가 아니시오.

-그렇다. 나는 비루다카 태자다. 그런데 어머니의 나라를 찾아온 나를 이렇게 대할 수 있는가?

-여러 말 말고 어서 여기서 물러나시오. 여기는 당신 같은 천인이 서 있을 자리가 아니오.

-무슨 소리인가?

대답할 필요도 없다는 듯이 그는 쌀쌀맞게 돌아서 버렸다.

화가 난 태자는 왕궁을 향해 발길을 재촉했다.

그가 왕궁 가까이 다가갔을 때 이번에는 그들을 야유하는 노골적인 고함과 함께 돌팔매가 날라왔다.

-천한 노예의 자식이 감히 어디를 들어가려고 하느냐!

그는 영문을 몰라 돌팔매질을 하는 사람들을 멀거니 바라보았다. 아랫것이 겁에 질려 소리쳤다.

-태자님 피해야 하겠습니다.

-대체 저 사람들이 왜 저러는지 모르겠구나?

-뭔가 심상치 않습니다. 태자님이 앉았던 자리를 물로 씻는 것이나 돌팔매질을 하는 것이나….

-저들이 지금 나더러 천한 노예의 자식이라고 하질 않느냐?

-그렇습니다.

-대체 무슨 영문인지 모르겠구나?

돌멩이 하나가 태자의 이마에 와 떨어졌다. 금세 피가 손바닥을 적시며 흘러내렸다.

-안 되겠습니다.

아랫것이 황급히 골목길로 태자를 부축해 이끌었다. 골목 귀퉁이에서 손바닥의 피를 내려다보던 태자가 돌멩이를 던지고 있는 사람들을 향해 고함을 질렀다.

-왜들 이러는가?

-이놈아 너의 근본을 몰라서 하는 소리냐?

돌을 던지려던 사람이 태자에게 맞고함을 쳤다.

-나는 이웃 나라의 비루다카 태자다. 여기는 내 어머니의 나라이거늘 그 나라를 찾아온 한 나라의 태자를 이렇게 대하는 법이 어디 있는가?

-흥, 태자! 태자면 다 태자냐. 넌 종의 자식이야.

-무슨 소린가? 종의 자식이라니?

-네 어미가 말해주지 않았던가 보군. 이놈아 네놈의 어미는 이

나라의 천한 종년이었어. 천한 나라 자식이 어디 감히 들어와 태자 행세하려고 드느냐. 이놈아 네 나라로 썩 돌아가.

그제야 자초지종을 안 비루다카는 격노하여 자기 나라로 돌아갔다. 피투성이가 되어 돌아온 태자의 모습에 나라는 벌컥 뒤집혔다. 그의 아버지 비사익왕이 물었다.

-어떻게 된 것이냐 태자?

속이 깊었던 태자는 아무 대답도 하지 않았다. 왕은 계속 태자를 추궁했으나 태자는 어머니의 나라를 여행하다 돌아오는 길에 도둑 떼를 만나 다쳤을 뿐이라며 속마음을 숨겼다.

그날 밤 태자는 어머니의 한 서린 눈물을 보았다. 종으로 살다 한나라의 왕비가 될 수밖에 없었던 어머니의 눈물겨운 말을 들으며 태자는 이를 갈았다.

날이 밝기가 무섭게 왕이 그들 모자를 찾았다. 그들이 왕 앞으로 나아갔을 때 이미 왕은 얼굴에 살기를 띠고 있었다. 태자가 어머니의 나라로 들어가 당한 수모를 부왕은 이미 알고 있었다.

-그대의 출신이 카필라의 종이었다니 이 무슨 해괴한 소린가?

왕은 화가 난 음성으로 왕비에게 물었다.

눈을 내리깔고 있던 왕비가 모든 것을 체념하고 실토했다. 어질고 착한 그녀의 눈에 눈물이 고였다.

-용서하십시오. 본의는 아니었습니다.

-본의가 아니었다? 그렇다면 모든 것이 사실이란 말이지 않은가?

-제가 종의 자식이었던 것만은 사실입니다.

-그런데도 본의가 아니었다?

왕이 피를 내뱉듯 고함쳤다.

-왕이시여, 그 책임은 카필라에만 있는 게 아님을 알고 계시지 않습니까.

-무엄하다. 그러고도 나를 능멸하려 들다니!

그 길로 모자는 감옥에 갇히고 말았다. 아내와 아들을 함께 옥에 가둔 왕은 그래도 성이 풀리지 않아 복수를 결심했다.

-오냐, 잘난 네놈들의 피로 내 왕관을 씻으리라!

왕은 군사를 모으고 결전의 날을 기다렸다. 왕은 결전의 날을 기다리면서 매일 술로 나날을 보냈다. 생각하면 생각할수록 분통이 터지는 일이었다. 카필라가 예로부터 고상한 종족이란 사실 때문에 침략을 핑계 삼아 그 나라 여성을 원했던 건 사실이었다. 하지만 마가다를 위시한 열네 나라 중에서도 가장 약소한 나라가 카필라였다.

그는 아내를 얻은 후로 한 번도 카필라를 업신여겨 본 적이 없었다. 그는 고상한 종족의 아내를 얻은 것을 은근히 자랑스러워했고 그것이 자랑스러운 만큼 카필라를 사랑했고 다른 나라로부터 지켜

주었다.

그런데 그 나라의 왕족이었을 줄 알았던 왕비가 종이었다니 이 기막힌 사실 앞에서 왕은 이를 갈았다.

얼마나 업신여겼기에 평민도 아닌 종년을 왕족이라 속여 자신에게 보내었단 말인가.

그는 결전의 날을 기다리며 칼을 갈고 또 갈았다.

그러나 술이 과해 어느 날 그만 화병을 얻고 말았다. 심장이 터져 죽어가면서 그는 태자를 찾았다.

-태자를 데려 오라! 태자를!

피는 물보다 확실히 진했다. 죽음 앞에서 왕은 아들의 손을 잡았다.

-태자야, 약속해다오. 카필라를 쳐 내 발밑에 두겠다고?

비루다카는 어렸지만 강하게 자란 사내아이였다. 아버지는 아들을 알고 있었다. 어머니의 나라라고 해서 섣부른 감상으로 카필라를 용서할 아들이 아니었다.

아들이 아버지의 손을 잡고 눈물을 흘렸다.

-걱정하지 마십시오. 아버님, 내 비록 카필라의 피를 받았지만, 카필라를 내 발밑에 두어 그들의 왕이 되겠습니다.

-숫도나나와 그 일가족들의 목을 내 영전에 바치겠다고 약속하여다오.

-그러겠습니다. 그들의 목을 베어 아버지 앞에 바치겠습니다.

그렇게 대업을 이어받은 비루다카는 이제 아버지 대신 자신이 카필라를 치기 위해 복수의 칼을 갈기 시작했다.

그걸 안 붓다가 어느 날 피붙이나 다름없는 비루다카를 불렀다. 그가 카필라를 공격한다면 모든 것은 끝장이었다. 나라는 물론이고 백성은 그들의 종이 될 것이었다.

붓다의 부름을 받고 온 비루다카를 보자 살기가 감돌았다. 붓다는 자초지종을 묻고 타일렀으나 비루다카는 눈물만 흘렸다. 존경하는 분에게 그가 보일 수 있는 마지막 눈물이었다. 그 후 비루다카는 붓다를 다시 찾지 않았다.

이 소문은 이내 데바의 귀에 들어갔다. 데바는 비루다카가 붓다에게마저 등을 돌렸다는 사실을 알고는 마가다국의 아자따샷투 왕을 찾아갔다. 그는 생각하고 있었다.

그렇다면 비루다카와 맞설 수 있는 사람이 누구인가. 카필라는 자신의 조국이었다. 차라리 조국을 비루다카에게 내어주느니 비루다카와 아자따샷투를 맞붙이는 게 나을 것 같았다. 코살라국과 대등한 위치에 놓여 있는 나라는 마가다국뿐이었다.

만약 아자따샷투의 마음만 돌려놓을 수 있다면 비루다카가 카필라를 치기 전에 코살라를 칠 수 있을 것이었다. 마가다의 국왕 아자따샷투에게도 카필라는 욕심나는 땅일 것이었다. 그렇게만 된다

면 마가다국을 카필라와 합병함으로써 명실공히 카필라를 통일국
으로 만들 날이 올 것이었다.

  -카필라를 어떻게 생각하십니까?

  젊은 왕을 만난 데바는 먼저 이렇게 물었다.

  젊은 왕은 뜻밖에도 의아한 표정을 지었다.

  -카필라를 어떻게 생각하다니요?

  -코살라를 위시한 주위의 강대국들이 호시탐탐 침략의 기회를
노리고 있는데 카필라는 흔들리고 있으니 말입니다.

  젊은 왕이 껄껄거리며 웃었다.

  -카필라가 문제가 아닙니다. 이 세계가 문제이지요.

  -이 세계?

  -그렇소. 사내대장부라면 코딱지만 한 카필라 하나를 가지고 흔
들리겠소. 저 성안에서 민중을 다스린다고 해서 민중의 왕일 수는
없지요.

  -그렇습니다. 진정한 왕이란 민중 속에 있으면서 그 민중과 아
픔을 함께 나누는 사람이어야 할 것입니다.

  -그대들은 참으로 모를 사람들이오. 높은 도를 닦아 자유자재로
신통력을 부릴 수 있다고 하면서 왜 제 나라 하나 못 지켜서 안달
들인지. 붓다만 해도 그렇소. 신통력으로 세상을 구할 수 있다고
하면서 왜 비루다카에게 눈물겨운 호소를 해야 하는지…. 혹시 도

력들이 모자라서 그런 것은 아니오?

　-그것은 차차 알게 될 것입니다.

　-차차 알게 된다? 그렇다면 그대는 어떻소? 그대의 신통력으로
나라를 구하면 될 것이 아니오.

　-저에게는 그만한 힘이 없습니다.

　젊은 왕의 입가에 미소가 흘렀다.

　-겸손인지는 모르겠소만 그러나 그런 식으로 나를 설득할 수는
없을 것이오. 나에게는 카필라는 그렇게 중요하지 않기 때문이오.
문제는 복수에 불타고 있는 비루다카요.

　-그렇습니다. 그는 지금 근거 없는 복수심에 불타고 있습니다.
그것이 오히려 그의 함정이 될 수도 있지 않겠습니까?

　-그것이 함정이 될 수가 있다?

　젊은 왕이 눈을 빛내며 물었다.

　-생각해 보십시오. 이 세상이 누구로 인하여 존재하는 것이겠습
니까? 그 임자는 바로 백성인 것입니다. 나라의 주인이 백성인데
그 주인이 천한 것이라면 그 나라가 천한 나라가 아니겠습니까?

　-!

　-어느 나라든 고귀한 신분은 있기 마련입니다. 그러나 그 고귀
한 신분이 누구에 의해 지켜지는 것입니까? 바로 그들이 손가락질
하는 천한 백성들에 의해 지켜지는 것입니다. 지금 비루다카는 그

것을 망각하고 지독한 열등감에 휩싸여 있는 것입니다. 그의 아비는 못나게도 그 열등감으로 인해 죽음을 맞았구요.

-그런데?

비로소 말뜻을 조금 알아들은 젊은 왕이 솔깃한 표정으로 그의 말을 받았다.

-이 세상에 열등감만큼 사람을 저질스럽게 만드는 것도 없습니다. 그는 그 열등감을 회복하기 위해 천한 백성들의 엉덩이를 걷어찰 것입니다. 그러나 억만 번을 걷어찬다고 해도 그는 역시 천한 백성의 자식인 것입니다. 그는 그것을 알고 있습니다. 그것을 알고 있기에 더욱 괴로운 것이지요.

말뜻을 알아들은 젊은 왕이 머리를 끄덕였다.

-그러나 코살라를 치기에는 세월이 너무 짧지 않소?

-짧다니요? 카필라를 비루다카의 손에 넘겨준다는 것은 천하통일을 포기하는 것이나 마찬가지입니다. 하루속히 코살라를 쳐 비루다카를 제거하고 카필라를 손에 넣어야 할 것입니다.

데바의 말을 들으며 젊은 왕은 넌지시 그를 쳐다보았다.

-그대는 카필라 사람이 아닌가. 내 생각에는 차라리 비루다카가 카필라를 친 다음에 우리가 비루다카를 친다면 그게 오히려 나을 것 같은데…?

-맞는 말입니다. 비루다카가 카필라를 치게 되면 아무리 힘없는

약소국가라 할지라도 전쟁의 결과는 엄청날 것입니다. 병사는 지치게 마련일 테고 군비는 바닥날 테지요. 그때 비루다카를 친다면 전력 면에서 마가다국이 우위에 설 수 있다는 건 생각하나 마납니다. 하지만 모르는 게 한가지 계십니다.

-그게 무엇이오?

-우선 카필라는 오늘날까지 코살라국의 지배 아래에 있었다는 사실입니다. 엄밀히 따지고 보면 코살라가 전쟁을 일으킬 만한 상대가 되지 않습니다. 사카족의 마지막 왕이 될 마하남 왕은 이미 전력을 상실한 지 오래입니다. 만약 전쟁도 하기 전에 마하남 왕이 코살라에 투항해 버린다면 코살라는 이제 넘보지 못할 국가로 변해 있을 것입니다.

듣고 있던 젊은 왕이 깊은 생각이 잠겼다가 고개를 끄덕였다.

-듣고 보니 일리가 없는 말은 아니오. 그러나 문제는 그게 아니니까 이러고 있는 것이오.

-도대체 그 문제란 게 무엇입니까?

데바가 물었다.

-나도 한때는 노예를 사랑했고 지금도 그녀를 사랑하고 있소. 어쩌면 그래서 나는 비루다카를 더 이해하고 있는 것인지도 모르오. 사람들은 이 나라가 고귀한 신분의 사람들로 채워져 있는 줄 알고 있지만 생각해 보시오. 그들의 수는 전체 인구의 십 분의 일

에도 해당하지 않소. 이 나라의 절반이 노예라는 말이오.

-그렇습니다. 바로 그것입니다!

-물론이요. 그걸 모르는 바가 아니요. 나는 그들의 천국을 만들어 주고 싶소. 내 나라의 백성들만이 아니라 어느 나라 백성이든 말이오. 그런데….

-그런데 무엇입니까?

-며칠 전 나는 고타마를 만났소.

-붓다를요?

너무도 뜻밖의 소리에 데바가 놀라며 물었다.

-그렇소. 나는 부왕을 옥에 가둔 패륜아이지만 그에게 솔직히 내 영혼의 구원을 부탁드렸소. 그래도 그는 부왕의 오랜 친구이지 않소. 내 영혼을 구해 준다면 내가 그대의 조국인 카필라를 구해 주겠다고 했소. 비루다카를 내가 제거하겠다고 했단 말이오.

-그런데요?

-그런데 그분은 머리를 내저었소.

-머리를 내저어요?

-그렇소.

-왜요?

-그래서 나는 더 답답한 것이오.

-도대체 그분이 무어라 했기에요?

-가만히 놔두라는 거요.

-가만히 놔두어요?

-그렇소. 내 조국이 멸망해도 좋으니 싸우지 말라는 거요.

말귀를 알아들은 데바가 할 말을 잃고 시선을 떨구었다.

-나는 물었소. 당신도 인간이냐고. 어떻게 조국이 바람 앞의 등불인데 그런 말을 할 수 있느냐고. 그랬더니 그분이 그러는 거요.

-무엇이라고?

-시작이 있으면 결과가 있는 법이라고. 카필라가 비루다카로부터 멸망할 수밖에 없는 것이라면 그것은 결과론적인 것이 아니냐고.

-업의 사상을 설파하고 있었군요.

-그렇소. 도대체 그 업이라는 게 무엇이오? 현생에 지은 업은 내생으로 그대로 이어져 그 보를 다한다? 그것이 업이란 것이오?

- !

- 그날 이후 고타마가 신통력을 쓰지 않는다는 사실이 그 때문이 아닌가 생각해 볼 때도 있었지만 아무튼 나로서도 딱한 일이었소. 이것은 분명 국가의 존망이 달린 문제 아니오?

그 말을 들으면서 데바는 눈을 감았다. 한때 자신도 이 젊은 왕처럼 안타까울 때가 있었다.

데바는 그 길로 붓다를 찾아갔다. 붓다의 사상이나 그 수행에 불만을 품고 교단을 뛰쳐나가긴 했지만, 데바는 감회가 새로웠다.

더욱이 붓다는 뜻밖에 따뜻하게 맞아주었다. 그런 그가 이상했으나 이제 그도 늙었구나 하는 생각이 들었다. 노쇠할 대로 노쇠해져서 교단을 이끌어나가기도 힘들어 보였다.

그제야 안 사실이었지만 교단에는 이상스런 소문이 퍼져 있었다.

그 소문의 실체는 이러했다.

교단을 뛰쳐나간 데바는 요승 수라다를 만나 신통을 얻었으며 그 신통력으로 아자따샷투 태자를 꼬드겨 부왕을 죽이려 하고 있다.

소문의 속성은 언제나 부풀러 지기 마련이다. 부풀려진 소문의 진상은 이러했다.

데바는 신통력으로 삼십 삼천에 올라 우발연화(優鉢蓮華)와 구니두화(拘尼頭華) 등 갖가지 꽃을 꺾어 아자따샷투 태자에게 바쳤다. 왜냐면 천축의 모든 교단을 지배하기 위해서 우선 천축을 지배하고 있는 왕족들의 도움이 필요하다고 생각했기 때문이다.

데바는 천상의 꽃들을 바치면서 이렇게 말하였다.

-태자님, 이 꽃은 삼십 삼천에서만 피는 꽃입니다. 제석천이 제게 보내온 것을 태자님에게 바칩니다.

태자는 아름다운 꽃을 받으면서도 그의 말을 믿지 않았다.

-이보시오. 이런 꽃을 아직 본 적은 없소. 하지만 이 꽃이 천상의 꽃이란 걸 내가 어떻게 알 수 있겠소?

-제 말을 믿지 못하시는군요. 그럼 저의 신통을 보여드리겠습니다.

데바는 자기 모습을 숨기고 아이의 몸이 되어 태자의 무릎 위로 올라앉았다.

태자가 깜짝 놀라며 아이를 향해 물었다.

-너는 사람이냐? 귀신이냐? 천인이냐?

그러자 데바가 다시 제 몸으로 돌아왔다.

그제야 왕자는 그만 할 말을 잃고 말았다. 지금까지 살아오면서 수많은 현자를 만나보았지만 그런 신통력의 소유자는 처음이었다.

태자는 스스로 자신의 왕사가 되어 달라고 하였다. 그는 마지못한 듯 승낙한 다음 태자가 지어준 승원에서 날마다 실어 보내는 옷과 음식과 공양을 받았다.

태자가 데바에게 미쳐 있다는 말을 들은 부왕 빔비사라는 어느 날 태자를 불렀다. 빔비사라는 붓다의 친구였고 그가 붓다가 되고 난 후 왕사로 모시고 있는 터였다. 그런 마당에 태자가 붓다를 배척한 데바를 왕사로 모시고 있다고 하자 실망스럽지 않을 수 없었다.

태자가 어전으로 들어오자 왕은 호통부터 질렀다.

-태자, 부끄럽지 않은가? 붓다를 배척하다니…. 당장 궁에서 데바를 내쫓도록 하여라!

-아버님 제 말을 들어보십시오.

-시끄럽다. 어디라고 감히 말대답인가? 붓다가 이 사실을 알아보아라. 얼마나 상심하시겠는가. 도대체 붓다가 누구시더냐. 짐이 어릴 때부터 피를 나눈 형제 이상으로 대해왔던 분이다. 그런데 그분을 무시하고 이교도를 끌어들여, 에에이 못난 것.

태자는 할 말을 잃고 그대로 어전을 물러 나오고 말았다.

이 사실이 데바에게 전해졌다. 데바는 직접 아자따삿투 태자를 만나려 했으나 태자가 그를 만나주지 않았다.

안 되겠다는 생각에 데바는 다시 아주 예쁜 어린아이의 몸으로 바꾸어 태자의 무릎 위로 올라앉았다.

태자가 눈을 떠보니 예쁜 아이가 무릎에 올라앉아 있었다.

그는 그만 아이의 입에 자신의 입을 맞추고 말았다. 이때 태자의 침이 아이의 입으로 들어갔다. 태자의 몸이 데바와 하나가 되는 순간이었다.

그 후 데바는 태자에게 부왕을 죽이고 나라를 찬탈해야 한다고 꼬드겼다.

아버지를 배척할 수 없는 태자의 고민은 말이 아니었다.

데바는 하는 수 없이 자신이 신통력으로 알아낸 비밀을 태자에게 일러주었다.

-태자님, 태자님의 그 손가락 말입니다.

데바는 손가락이 끊어져 항상 숨기고 다니는 태자의 아픈 곳을 송곳처럼 찔러 들어갔다. 그날 그가 태자에게 한 말은 이랬다.

빔비사라 왕은 맏아들 기타 태자를 얻고 난 후 후사가 없어 고민하던 중 하루는 점술가를 불렀다. 왕 앞으로 불려 나온 점술가는 어느 성자가 죽어 태자(아자따삿투)로 태어날 것이라고 예언했다.

왕은 그 성자를 알고 있었다. 성자는 고매한 인격을 가진 사문이었다.

왕이 성자를 만나 보니 아주 건강했다. 그가 죽기에는 너무나 오랜 세월을 기다려야 할 것 같았다.

-언제 이 사람이 죽어 내 아들이 된단 말인가!

맏아들 기타 태자는 여리고 감상적이어서 제왕으로서의 재목감이 아니었다. 후사를 맡기려면 하루빨리 전륜성왕이 될 아들을 얻어야만 하였다.

왕은 하는 수 없이 자객을 시켜 그 성자를 은밀히 죽였다. 달빛을 의지하고 명상에 잠겨 있던 성자는 자객의 푸른 칼날에 목이 잘려 넘겨졌다. 그가 넘어진 풀밭에 시뻘건 피가 흘러내려 땅속으로 숨어들었다. 늑대와 살쾡이들이 몰려와 성자의 몸을 뜯어먹었다. 독수리 떼들이 날라 내려와 썩어 가는 그의 내장을 쪼았다.

성자가 죽던 그날 밤 왕비 베데히(韋提希)는 임신했다.

점술사의 말대로 열 달 후 태자가 태어났다.

이번에는 다른 점술가가 와서 왕에게 일렀다. 태어난 태자는 성자의 원한을 품고 있다고 했다. 그 때문에 후환이 두렵다고 했다.

그제야 정신이 번쩍 든 왕은 아내와 의논하여 높은 다락으로 올라가 태자를 던져 버렸다. 아들을 죽이고자 했던 것이다. 그러나 태자는 손가락만 잘리고 목숨을 건졌다.

왕은 다시 아들을 죽이려 했으나 이번에는 아내가 말을 듣지 않았다. 후환이 두렵다고 해서 아들을 버릴 수는 없다는 모성이 뒤늦게야 발동한 것이다. 아들은 손가락이 잘린 채 자랐다. 그래서 그의 별명은 바라루티(折指)였다.

어린 생명 아자따삿투 태자는 자라면서 노예의 딸을 사랑했다. 그로 인해 점차 제 아버지의 신망을 잃어갔는데 데바가 자신의 신통술로 그것을 알아낸 것이었다.

데바에게 그 사실을 안 태자는 손가락이 잘린 손을 내려다보며 눈물짓다가 왕을 향해 달려갔다. 그는 아버지에게 그 사실을 확인하려 들었다. 아버지는 그 사실을 어떻게 알았느냐고 물었다.

사실을 확인하고 돌아온 태자의 눈에 이슬이 고였다.

그날부터 방종의 나날이 시작되었다. 태자는 노골적으로 노예 처녀를 끌어들였다. 제 아비가 데리고 놀던 기녀 암바팔리 기녀를 넘보기도 하였다.

기회를 놓치지 않고 데바가 태자를 들쑤셨다. 대권을 아버지로부터 뺏어 이 나라를 더 부강하게 만들어야 한다고 부추겼다.

-태자께서는 왕위를 찬탈하십시오. 나는 교단을 내 수중에 넣겠습니다. 그리하여 힘을 합친다면 이 세계는 우리들의 수중에 들어올 것입니다.

참으로 그럴듯한 말이었다.

데바에게 설복당한 태자는 붓다가 지나는 길목의 산 위에 병사들을 매복시켰다. 붓다가 지나가기를 기다려 돌을 굴려 죽이라고 명령했다.

붓다가 탁발을 마치고 돌아오는 걸 본 군사들이 돌을 굴렸다. 붓다를 향해 일직선으로 돌을 굴렸는데 돌은 붓다를 피해 달아났다. 돌 조각이 튀어 발가락을 다쳤는데 그 발가락에서 피가 흘렀다. 피를 본 태자가 그제야 안도의 한숨을 내쉬었다. 비록 그를 죽이지는 못했지만, 붓다도 인간이라는 사실을 확인하는 순간이었다. 그럴만도 했다. 술 취한 코끼리를 풀어 붓다를 죽이려 했을 때 그 코끼리가 붓다 앞에서 무릎을 꿇어버리는 것을 직접 목격했기 때문이었다.

붓다가 신이 아니라 그저 인간이었을 뿐이라는 사실에 고무된 태자는 기회를 노리다가 칼을 들고 아비의 어전으로 들어갔다. 비가 쏟아지는 밤이었다. 천둥이 치고 번갯불이 몰아쳤다.

칼을 들고 비바람 속을 뚫고 어전으로 들어서는 태자를 막 잠자리에 들려던 왕이 눈을 부릅뜨고 노려보았다.

-태자, 무슨 짓이냐?

-부왕이시여, 용서하옵소서.

-네 이놈! 감히 여기가 어디라고 칼을 들고 들어선단 말이냐!

칼을 들고선 태자의 눈에서 시퍼런 불길이 쏟아졌다.

-이제는 더 참지 못하겠습니다. 아버님은 형님에게 이 나라를 넘기실 생각이시지만 생각해 보십시오. 이 나라는 큰 나라 중에서도 가장 큰 나라입니다. 이 큰 나라를 영원히 존속시키기 위해서는 더 강한 군대를 만들어 나가야 할 것입니다. 이미 아버님이나 왕위를 계승할 형님은 그런 면에서 이 나라와 백성들을 저버리고 기만했습니다.

-그래서 네놈이 칼을 들고 일어났단 말이냐?

-그러합니다. 아버님과 형님을 베어서라도 나는 그녀를 내 아내로 맞을 것이며 데바님과 함께 이 나라를 반석 위에 올려놓을 것입니다. 그것이 곧 백성을 기쁘게 하는 일일 것입니다. 그리고 노예라고 하여 기녀라고 하여 귀족과 결혼하지 못하는 이 나라의 어리석은 계급 제도를 쳐부수는 계기가 될 것입니다.

-배은망덕도 분수가 있지. 붓다 님에게 반역하고 도망쳐 온 데

바의 신통술에 속아 네놈이 이제는 아주 실성했구나.

　-부왕이시여, 데바 님을 욕하지 마십시오. 그는 이미 이 나라의 왕사로 내정된 몸입니다.

　-왕사? 왕사라고? 이놈아 이 나라의 진정한 왕사는 붓다 한 분밖에 계시지 않아.

　-그는 사기꾼입니다. 입으로만 주절대는 앵무새에 불과합니다. 제 나라가 지금 풍전등화인데 보고만 앉은 그가 무슨 붓다입니까. 중생을 어여삐 여겨라. 불쌍히 여겨라. 입으로만 떠들면서 정작은 시주 물이나 걷어 먹는 사기꾼이란 말입니다.

　-이놈 그 거룩하신 붓다를 욕보이다니….

　-흥, 그래서 생불(生佛)의 몸에서 피가 흘렀군요.

　-뭐라구! 아니 그럼 네놈이 벌써 그분을 해쳤단 말이냐?

　-그렇습니다. 언젠가는 데바 왕사 앞에 무릎을 꿇을 것입니다. 이것은 데바 왕사의 신통력이 나를 돌보았기 때문입니다.

　-이놈들! 이 무간지옥에 떨어질 놈들!

　왕은 너무나 흥분한 나머지 그 자리에서 기절하고 말았다. 침상 모서리로 나동그라지는 부왕을 보면서 태자는 입꼬리를 째고 악마처럼 웃었다.

　부왕이 기절해 버리자 태자는 칼을 쳐들고 부왕 가까이 다가갔다. 그는 부왕을 걸터앉고 두 손으로 칼을 쳐들어 부왕의 심장을 겨누었다.

　그때 문이 열리며 그의 어머니와 지바카가 뛰어들었다. 지바카는 나라의 대소사를 맡아 살림하는 총무 대신이었다.

　-안된다! 아들아!

　어머니가 다급하게 소리쳤다.

　아들이 칼을 쳐든 채 그의 어머니를 시퍼런 눈길로 돌아보았다.

　-안 됩니다. 태자님!

　이번에는 지바카가 말렸다.

　-물러가라! 물러가!

　태자가 입꼬리를 비틀며 소리쳤다.

　-태자님, 부왕을 죽여 후세에 천륜을 어긴 왕으로 기억되고 싶으십니까? 만약 그렇다면 그 누구도 태자님을 따르지 않을 것입니다.

　그제야 태자가 든 칼날이 흔들렸다. 칼날이 흔들리고 있었지만, 태자는 칼을 더 높이 쳐들었다. 눈을 뒤집고 태자는 아비의 심장을 노려보았다. 그는 울부짖으며 그 심장에다 칼날을 꽂았다.

　그 순간 어미가 넋을 놓고 넘어졌다.

　지바카가 태자 곁으로 달려갔을 때 칼날은 심장을 비켜 부왕의 어깨 옆에 박혀 있었다.

　그 길로 태자는 병사들을 시켜 아비를 벽이 일곱 겹으로 둘러싸인 옥에다 가두어 버렸다. 음식도 주지 않았다. 그런 다음 그는 형인 기타 태자를 찾았으나 이미 몸을 숨겨 버린 다음이었다.

빔비사라 왕은 감옥에 갇혀서 붓다만을 찾았다. 그것을 알고 붓다는 빔비사라 왕을 도우려 했으나 도울 수가 없었다. 데바와 태자는 자신을 죽이기에 혈안이 되어 있었다.

태자는 스스로 왕위에 올랐다. 노예 처녀를 데려다 왕비로 삼았다. 하루아침에 왕비로 둔갑한 거리의 노예는 기다렸다는 듯이 새 생명을 잉태했다.

젊은 왕은 왕사성의 왕궁 안에서 여러 나라의 사신들을 접견하였다. 부왕의 아내 베데이는 아들에게 아버지에게 음식이라도 가져다주어야 하지 않겠느냐고 간청하다가 안 되자 온몸에 꿀과 보릿가루를 발라 은밀하게 옥으로 가 제 남편을 만나곤 하였다.

아내는 옷을 벗어 분노와 허기에 지쳐 쓰러진 왕에게 자기 몸을 핥게 하였다.

아내의 몸에서 간신히 음식물을 취하고 난 왕은 치를 떨었다.

-그놈은 인간이 아니야! 악마야! 악마!

-조금만 참으세요. 그 애가 다시 마음을 고쳐먹을 겝니다.

-천하에 배은망덕한 놈. 제 놈이 이 세상에 어떻게 태어났기로….

-모두가 인과응보입니다.

-짐도 조금 전까지 그 생각을 하고 있었소. 그래 기타 태자는 어떻게 되었소?

-소식이 없습니다.

-붓다가 우리를 도우셔야 할 텐데….

그들이 그러고 있는 사이 데바는 붓다와의 마지막 일전을 위해 붓다의 교단으로 쳐들어갈 것을 마음먹고 있었다. 그리하여 노골적으로 붓다를 배척하고 나서리라 생각하고 있었다.

이것이 교단 주위에 퍼진 소문의 진상이었다. 누가 그런 소문을 퍼뜨렸는지는 모르겠으나 데바는 개의하지 않았다. 붓다 역시 개의하지 않는 눈치였다. 왜냐면 붓다가 그런 소문을 믿을 만큼 어리석은 사람도 아니었거니와 데바 역시 비루다카나 아자따삿투 왕을 만난 것은 순전히 카필라를 걱정했기 때문이었다. 분명히 아자따삿투 왕에게는 남모르는 야심이 있었다. 주위의 강대국들은 아직 남아 있는 공화국들을 합병하고자 하고 있었다. 그런 와중에 붓다에게 미쳐 비폭력적으로 변해 가는 부왕을 더 보고만 있을 수는 없었다. 더욱이 그에게는 부왕에 대한 엄청난 증오가 있었다. 그의 증오심을 키운 것은 데바가 아니라 부왕에게 미움을 받은 총무 총감이었다. 그가 손가락이 잘릴 수밖에 없는 사연을 들려주며 부왕을 시해할 것을 총무 총감은 사주했고 그 원한과 권력욕이 결국은 부왕을 쓰러뜨린 것이었다. 소문에는 그가 부왕을 쓰러뜨려 권력을 잡으면 데바는 붓다의 교단을 쓰러뜨리겠다고 약속했다지만 그것은 순전히 아자따삿투가 부왕을 제거하기에 앞서 실질적으로 부왕의 힘이 되는 붓다를 제거하기 위한 수단이었다. 그리고 그때쯤 그는 붓다의 고국인 카필라를 정복하려 하고 있었다. 민중의 세력을 등에 지고 있는 붓다를 먼저 쳐 없앨 수밖에 없었던 것이다. 그렇기에 그는 궁사들을 풀었으나 궁사들은 붓다에게 활을 쏘기를 거부했고 달아나 버렸으므로 살해 시도는 실패했던 것이다.

　사실이 그러한데 소문은 너무나 엉뚱하게 나 있었다. 살해 음모를 교사한 사람이 자신인 양 취급되다 못해 나중에는 그 옛날 궁정 반란의 책임이 자신에게 있었다는 소문이 다시 나돌기도 했다. 있을 수도 없는 일이어서 웃고 말았지만 아마도 붓다의 종형제로서 언젠가는 돌아와 교단을 이어받을지도 모른다는 사실을 염려한 교단 내의 몇몇 장로들에 의해 퍼뜨려진 소문이 아닐까 싶었다. 아난 동생에게 은밀히 알게 된 것이지만 붓다는 가끔 그를 그리워했다고 하였다. 교단을 이어받을 이는 데바밖에 없다는 말을 붓다는 자주 했다는 것이다.

　하기야 데바 자신이 생각해 봐도 자신에게 죄가 있다면 붓다의 사상이나 수행내용에 불만을 품고 곁을 떠나 나름대로 수행에 전념한 죄밖에 없었다. 남이 버린 옷가지를 주워 입으며 가난한 민중의 주머니에서 빵조각을 빼앗아 배를 불린 일이 없었다. 생명 있는 것을 죽여보지도 않았고 그렇다고 붓다처럼 정사를 가져보지도 않았다. 오로지 가난한 방랑자가 되어 금욕과 고행으로 일관된 생활을 해왔으며, 깨달은 지금에도 그것을 실천 이념으로 삼고 있었다.

데바는 붓다의 사랑과 아난의 보살핌과 장로들의 눈총 속에서 그런대로 평안한 날들이 흘렀다. 교단은 하나도 변한 게 없었다. 여전히 식생활은 걸식에 의지하고 있었고, 의복은 공양물에 의지하고 있었으며, 붓다의 난해한 교설 때문에 중생은 죄의식을 일으켜 고통받고 있었다. 물론 데바는 붓다의 뜻을 이해하지 못하는 것은 아니었다. 하지만 신통력으로 중생의 모든 고통을 한순간에 치유해버릴 수도 있을 것 아닌가. 그렇다면 붓다 스스로 잘못을 저지르고 있다. 붓다는 수행자의 고행을 인정치 않는 사람이었다. 그런데 중생들에게 고언을 주고 모진 고통을 감내케 하고 있었다. 고통을 감내케 함으로써 진실한 붓다가 되리라고 생각하고 있다면 무언가 많이 잘못되어 있다. 더욱이 붓다는 끝없이 자아 완성을 표방하면서도 부단히 인간의 길에서 벗어나고 있다는 사실이다. 그때나 지금이나 사념의 정복 문제에 대해서 그는 확실한 밑줄을 긋지 않고 있었다. 사념을 자신이 어떻게 정복했고 어떻게 정복해야 한다고 역설하면서도 붓다는 끝없이 정신의 이원론에 밑줄을 긋고 있었다. 그 합일점을 더 적극적으로 찾아주지 않는 이상 그로 인해 생겨나는 것은 중생의 죄의식뿐이었다. 아마 문수가 붓다가 중생을 괴롭힌다고 하여 칼을 든 것도 이 때문일 것이었다.

그의 수행내용이나 사상 내용에 다시 불만을 품은 데바는 어느 날 여러 대중이 모인 자리에서 자신의 속마음을 드러내었다.

-붓다시여, 이제 저에게 교단을 맡기시고 편히 쉬시는 게 어떻겠습니까?

붓다가 기다렸다는 듯이 고개를 끄덕였다.

-그래. 나도 이제 많이 늙었느니라. 하지만 데바야, 아직은 아니니라.

-붓다시여!

-네가 나를 모르는데 내가 어찌 이 교단을 너에게 맡길 수 있겠느냐. 아직은 아니니라.

그렇게 말하고 붓다는 눈을 감았다. 결코 설득할 수 없는 인간 앞에서 그는 말이 없었다. 제자들이 안타깝게 붓다를 지켜보았다.

그날 끝내 붓다는 아무 말도 하지 않았다.

교단의 오백 비구가 데바에게 감명받아 그의 뒤를 따라나섰다.

그래도 붓다는 그대로 침묵하고만 있었다.

이 소문은 삽시간에 전국으로 퍼져나갔다. 불꽃을 토하는 듯한 데바의 말에 붓다는 말 한마디 하지 못하고 침묵으로 일관했다는 것이었다.

사람들은 그때부터 데바를 더 칭송하기 시작했다. 진짜 붓다는 데바이지 붓다가 아니라는 것이었다.

하지만 일장춘몽이었다. 데바의 행동에 앙심을 품은 붓다의 제자 사리풋다와 신통제일의 못가라나가 데바를 찾은 것이다.

사리풋다와 못가라나가 그를 찾아왔다고 하자 진의도 모르고 데바는 귀의하러 온 것인 줄 알고 반가이 맞았다.

－어서 오시오 그대들이여, 그대들이 이제야 나를 인정한 모양이구려. 내 마침 설법하고 있던 참이었는데 그대들이 나를 대신하여 한 말씀 해주시오. 그럼 대중들도 더욱 큰 신심을 낼 것입니다.

본심을 숨긴 두 사람이 그러마 하고 사리풋다가 먼저 설법하기 시작했다. 그사이에 방심한 데바를 신통으로 못가라나가 잠들게 해버렸다.

붓다의 마음은 붓다만이 아는 것이었다. 언제나 데바는 남의 마음을 읽는 타심통을 열어놓고 있었는데 붓다 교단의 장로가 둘이나 귀의한다는 바람에 너무나 기뻐 정신을 놓는 사이 못가라나가 정신을 집중하여 그와의 교감을 막아버렸던 것이다. 유불여불이라 서로가 엇비슷한 경지에서는 맞대놓고 주문을 외우면서 정신 통일을 이루지 않으면 결코 타심통은 통하지 않는다. 하물며 데바는 그들을 의심하고 있지 않았으므로 그들의 마음을 읽을 기회가 없었다.

결과는 너무나 참혹했다. 못가라나의 신통력에 의해 데바는 이내 잠에 떨어졌고 그 틈을 타 사리풋다의 설법과 못가라나의 신통력에 의해 오백의 비구들은 다시 붓다의 교단으로 귀의했다.

피가 마르는 나날이 흘렀다. 데바는 다시 붓다를 찾아가 이번에는 완전히 그의 교단을 없애 버리리라 마음먹다가 비루다카가 일어서고 있다는 걸 알고는 회심의 미소를 지었다.

비루다카가 카필라를 치기 위해 출전하기 전날. 데바는 남은 제자들을 거느리고 카필라를 향해 떠났다. 이미 그는 붓다가 길을 떠났다는 것을 알고 있었다.

그러면 그렇지 싶었다. 그도 인간인데 어찌 제 씨족들이 죽어 가는 꼴을 보고만 있을 것인가. 분명히 신통력으로 비루다카를 제거하리란 생각이었다.

데바가 제자들과 카필라성 가까이 다가갔을 때 붓다는 카필라성이 곧바로 올려다보이는 벌판의 한 기슭에 다다라 말라 죽어 가고 있는 니그로다 나무 밑에 정좌하고 있었다. 데바는 걸음을 멈추고 붓다를 지켜보았다.

그때까지도 데바는 붓다의 뜻을 헤아리지 못하고 있었다.

-붓다여, 볕이 너무 뜨겁습니다. 건강을 해칠까 염려됩니다.

아난의 말에 붓다는 아무 반응이 없이 그냥 그곳에 앉아 있었다.

한나절이 지났을까.

-비루다카가 오고 있습니다.

붓다가 시선을 들어 멀리 바라보았다. 검은 구름장이 먼 벌판으로부터 밀려오고 있었다. 모든 전쟁 준비를 끝내고 카필라성을 향해 진군하고 있는 비루다카의 군대였다.

제자들이 붓다의 앞을 막아섰다.

-물러서거라.

붓다가 제자들에게 일렀다.

제자들이 물러섰다.

비루다카의 군대가 붓다 앞에서 멎었다.

마상에 높이 앉은 비루다카는 자신의 앞을 바라보았다. 앞을 가로막고 있는 늙은 거지가 붓다라는 걸 비루다카는 한눈에 알아보았다.

그는 마상에서 내려 붓다에게 다가갔다. 그에게 있어 붓다 쪽은 모두가 복수의 대상이었지만 붓다는 자신의 스승이요 혈연이었기에 끝까지 예의는 차리고 있었다.

가까이 다가오는 비루다카를 붓다는 눈이 부신 듯 바라보았다.

데바는 정신을 집중해 그들의 대화를 들어보았다.

비루다카가 먼저 입을 열었다.

-붓다시여, 햇빛이 이렇게 따가운데 무성한 나무숲 그늘을 놔두시고 말라 죽어 가는 나무 밑에 계시니 어인 일이십니까?

비루다카는 붓다 앞에 공순히 예를 표한 후 그렇게 물었다.

비루다카의 넉살에 붓다가 조용히 미소 지었다.

-비루다카여, 나무 그늘이 제아무리 짙어도 내 어찌 그곳으로 가 그늘진 내 마음마저 덮어 버릴 수 있겠는가.

-알겠습니다. 붓다시여,

비루다카는 그 길로 퇴군을 명령하고 돌아서고 있었다.

데바는 비루다카가 참으로 엉뚱하다는 생각이 들었다. 그러나 그가 침략을 포기한 것은 아니라는 생각이 들었다.

붓다도 그런 생각이 들었는지 몇 날 며칠이고 그 자리에 앉아 있었다.

역시 예상했던 대로 며칠 후 비루다카가 군대를 이끌고 나타났다. 아마도 그는 붓다가 돌아갔을 것으로 생각했던 모양이었다.

-아니 아직도….

멀리서 붓다임을 한눈에 알아본 비루다카는 망설이다가 다시 돌아갔다.

데바는 비루다카가 다시 돌아가자 이해할 수 없다는 생각이 들었다.

저런 나약한 자가 어떻게….

그러나 비루다카는 다시 돌아올 것이라는 생각이 들었다.

데바는 끝까지 기다려보기로 했다.

다시 며칠이 지났다. 생각했던 대로 비루다카는 다시 진격해 왔다.

붓다는 예의 그 길목을 지키고 있었다.

비루다카는 더 참지 못하고 붓다 앞으로 나아갔다.

-붓다시여, 이러신다고 해서 저의 결심이 변하지는 않습니다.

붓다가 조용히 그를 바라보았다. 조금의 흔들림도 없는 눈빛이었다.

-그렇습니다. 저는 지금도 그대를 처음 뵈었을 때의 감동은 잊지 않고 있습니다. 그대는 그때 저의 인사를 받았을 뿐 말이 없었지만, 저를 쳐다보는 그대의 눈매에서 형언할 수 없는 따뜻함을 느낄 수 있었기 때문입니다. 그리고 그대가 저의 혈연이라는 사실이 그럴 수 없이 자랑스러웠습니다. 하지만 이제는 아닙니다. 석가족은 이미 그대도 버렸고 나 또한 버린 지 오래이기 때문입니다. 오로지 증오의 대상일 뿐이라는 말입니다.

-바유리야, 네가 모르는 게 하나 있구나.

비로소 붓다가 입을 열었다. 바람이 거세지더니 빗방울이 후두둑 떨어졌다.

아난이 얼른 자기 옷을 벗어 붓다의 머리 위를 가렸다.

비루다카의 얼굴에 싸늘한 미소가 흘렀다.

-무엇입니까? 그게?

비루다카의 음성이 그 미소만큼이나 찼다.

-나는 카필라를 버리지 않았다. 구하고자 해서 버린 것이다. 그러나 너는 카필라를 증오하기 때문에 버리려고 하는 것이다.

비루다카의 얼굴이 점점 일그러졌다.

-그렇다면 카필라를 향한 그대의 사랑보다 저의 증오를 사랑해주십시오. 이제 어떤 말로도 저의 마음을 돌려놓지는 못할 것입니다.

-그렇다. 나 역시 그걸 알고 있느니라.

-그렇다면 물러나십시오.

-그럴 것 없다. 나는 여기에 있겠다. 그리하여 네 칼날에 무너지는 내 조국을 끝까지 보아두겠다. 그것이 카필라의 운명이요 나의 사랑 법이다. 나를 개의치 말고 너는 너의 길을 가거라!

-붓다시여, 저를 용서하십시오.

비루다카의 눈에서 눈물이 흘러내렸다. 뒤이어 돌아선 그의 입에서 무서운 고함이 터져 나왔다.

-진격!

붓다를 외면하고 병사들이 카필라를 향해 진격하기 시작했다.

코살라의 말발굽 아래 카필라는 무너져갔다.

계속해서 비루다카의 한 서린 고함이 터져 나왔다.

-한 놈도 남기지 말라! 모조리 목을 베어라!

붓다는 눈을 뜬 채 자기 백성들이 코살라의 말발굽 아래 무너지는 모습을 바라보고 있었다.

곁에서 보다 못한 신통 제일 못가라나가 일어났다.

-붓다시여, 이럴 수는 없습니다. 붓다가 신통력으로 나라를 구하지 않겠다면 저라도 이 나라를 구하겠습니다.

붓다가 머릴 내저었다.

-아니다. 나서지 말라.

-붓다시여, 모두가 죽어가고 있습니다. 보고만 있으실 것입니까? 저의 신통력으로 카필라를 쇠 울타리로 덮어 버리겠습니다. 그러면 비루다카라 해도 저의 신통력에 감복하고 돌아설 것입니다.

붓다가 머리를 내저었다.

-그만두어라.

-붓다시여!

애타게 못가라나가 매달렸다.

-아직도 모르겠느냐?

-그러합니다. 붓다시여

-나서지 말라. 나는 이날이 올 것을 알고 있었다. 이것은 석가족의 숙연(宿緣)이다. 이제 그 과보를 받는 것이다.

-하지만 붓다시여, 그냥 보고만 있을 수는 없는 일 아닙니까?

-이는 석가족 전체가 과거세로부터 쌓은 업이다. 내가 오늘날까지 너희들에게 가르쳐 온 것이 무엇이었더냐. 모든 것은 원인이 있고 그 원인에 의하여 생하고 멸하는 것을 가르치지 않았느냐. 이제 그 원인이 멸망을 불러온 것이다. 이것이 연기의 이법이니라.

이때 아난이 더 참지 못하고 끼어들었다.

-붓다시여, 그렇다면 신통력을 얻은 깨달음이 무슨 소용이겠습니까?

붓다가 따가운 햇볕 속에 앉은 채 아직도 철없는 아난을 응시하다가 제자들을 둘러보았다.

-비구들이여 들어라. 모든 기적은 지혜를 여는 힘에 의해 이루어진다. 나는 그 문제를 너희들에게 누누이 가르쳤다. 여기 병든 병자가 있다고 하자, 특히 못가라나야, 너는 어찌하겠느냐? 너의 신통력을 열어 기적을 베풀겠느냐? 아니면 누진통을 열어 그 지혜로 병의 원인을 알아내고 그 결과에 따라 처방하겠느냐? 분명히 말해 두건대 불교란 기적을 행하는 종교가 아닌 것이다. 세상엔 깨달은 사람이 많으나 이 누진통을 얻기는 힘들다. 이 누진통으로 인해 불법은 존재하는 것이다. 불교는 그렇게 지혜의 종교이지 기적의 종교가 아닌 것이다. 원인이 있으면 결과가 있는 법, 그 결과를 예측하는 것이 깨달음의 지혜인 것이다. 비록 오늘 석가 족이 멸망했다 하나 서러워해서는 안 된다. 원인으로 인해 그 보를 다했기

때문이다.

제 나라가 쓰러지고 제 피붙이가 피를 흘리고 있는데도 붓다는 두 눈 형형하게 뜨고 그렇게 가르침을 잊지 않고 있었다.

붓다가 가르침에 있어 주먹손을 쥐지 않는 사이 카필라는 멸망하고 있었다. 비루다카는 석가족 사람들을 남김없이 죽였다. 노소를 막론하고 칼날에 피를 묻혔다. 그 피로 그는 자기가 앉았던 의자를 씻고 돌아갔다.

그때 데바는 보았다. 붓다의 얼굴에 오히려 증오보다는 번져 가는 연민, 그 연민을 쳐다보면서 데바는 몸서리를 쳤다.

그 길로 돌아온 데바는 며칠이고 병상에서 일어나지 못했다. 눈만 감으면 붓다의 그 연민 어린 미소가 떠올랐고 그 미소가 칼이되어 가슴을 찔렀다.

그는 머리를 내저었다.

카필라가 멸망하지 않고 붓다의 목에 칼날이 파고들었다면 어떻게 되었을까? 그래도 그는 신통을 쓰지 않았을까?

무서운 일이었다. 자신이 그런 생각을 하고 있다는 사실이 스스로 생각해도 무서운 일이었다.

그를 죽이지 않으면 안 되겠다는 생각이 들었다. 그를 죽이지 않고는 그의 침묵도 처단할 수 없으며 그에서 벗어날 수도 없었다. 모든 중생은 고행을 저버리고 무사안일에 빠져 허우적대고 있었다. 그의 고언에 죄의식만 심어가고 있었다. 카필라 전체가 피바다로 변해 버린 것이 바로 그것의 증명이었다.

그가 그런 생각을 하는 사이 아자따삿투 왕은 부왕이 먹을 것을 주지 않아도 죽지 않자 이를 이상히 여겨 부하에게 은밀히 뒤를 파 보라고 지시했다.

증거가 드러났다. 어미가 아비를 위해 몸에다 음식물을 발라 들어가 먹이고 있다는 사실이 드러났다.

젊은 왕은 그 어미마저 유폐시켜 버렸다.

그래도 부왕은 죽지 않았다. 그는 붓다가 있는 영축산을 향해 기도하고 있었고 그 기도로 인해 마음에 환희가 생겨났기 때문이었다.

창으로부터 흘러드는 이상한 빛을 본 젊은 왕은 부하들을 향해 소리쳤다.

-칼을 가져오라! 칼을!

부하가 칼을 가져오자 그는 빛이 들이치는 창문을 막고 왕의 발을 찔러 일어서지 못하게 하였다.

빔비사라 왕은 계속해서 붓다에게 구원을 요청하였다.

-이보게. 나를 구해 주게. 그대와 나는 어릴 때부터 같이 자라온 친구가 아닌가. 이제 붓다가 되었으니 그 신통력으로 나를 구해 줄 수도 있지 않겠는가?

빔비사라 왕의 간절한 기도 소리를 들으면서도 붓다는 아무런 반응도 내보이지 않았다.

빔비사라 왕이 그렇게 절망적인 데 비해 감옥 밖에서는 경사스러운 일들이 일어나고 있었다. 그것은 젊은 왕의 아들이 태어났기 때문이었다. 나라 안팎은 온통 축제 분위기였다.

그러나 며칠 안 가 아들은 이상한 피부병에 걸려 고통받기 시작했다. 젊은 왕은 자식이 사랑스러운 나머지 환부를 제 손으로 비비다 못해 자기 입으로 피고름을 빨아내었다. 그의 입은 순식간에 피고름으로 가득 찼고 그는 그것을 바닥에다 내뱉었다. 신하들이 말렸지만, 그는 막무가내였다.

이 소식은 감옥 안까지 전해졌다.

-이 배은망덕한 놈! 네놈이 어떻게 자랐기로. 이놈아 네놈도 어릴 때 그와 똑같은 병에 걸렸었어. 그때 네 아비가 아니었다면 네놈이 지금쯤 살아 있을 것 같으냐. 네놈은 그 피고름을 바닥에다 내뱉었다지만 아비는 피고름을 삼키고 있었느니라!

어미 베데히가 고함치는 소리를 마침 옥에 들렀던 젊은 왕이 들었다. 젊은 왕은 그제야 뉘우치는 마음이 생겼다. 그는 급히 부왕이 유폐된 곳으로 달려갔다.

그러나 빔비사라 왕은 아들이 자신을 괴롭히러 오는 줄 알고 스스로 자신의 생을 마감해 버렸다.

아들은 아비 앞에 비통하게 무너졌다.

저주나 받은 듯 아들의 병은 더욱 깊어졌다.

그는 데바를 찾았다.

-그대는 이 나라의 왕사가 아니오. 신통력으로 내 아들을 살려주시오.

데바는 머리를 내저었다.

-결코 신통술로 아이를 살릴 수는 없습니다.

-왜인가?

-만약 내가 태자를 살려낸다면 나는 영생해야 할 것입니다. 왜냐면 아이들이 아플 때마다 내가 있어야 할 테니까요. 하지만 의사를 불러와 그 병의 원인을 알고 처방받는다면 다시 아이가 아파도 의사를 부르면 될 것입니다.

이것은 어느 날 아들이 병이 들어 죽어가자 노파가 붓다에게 아들을 살려달라고 했을 때 붓다가 한 말이었다. 자신도 모르게 붓다의 흉내를 내고 있다는 사실이 기이하게 생각되었지만 아무튼 데바는 그렇게 말하고 말았다.

젊은 왕이 어이없다는 표정을 지었다.

-어떤 의사도 이 아이의 병근을 모르고 있으니 하는 말이 아닌가?

설령 그렇다 하더라도 신통술로 그 아이를 살릴 수는 없습니다.

무너져가는 카필라를 지켜보며 꼼짝하지 않던 붓다를 생각하며 데바가 그렇게 말하자 젊은 왕의 눈에 불이 일었다.

-결국 그대도 신통술 하나 쓸 줄 모르는 돌팔이라는 말이로다.

-왕이시여!

-그렇다면 결국 너희들은 중생을 속이는 위선자들이 아닌가. 오냐 이제 너를 죽여 붓다에게로 보내 주마. 이미 네놈들의 이간질 때문에 내 아비는 죽었고, 내 아들은 사경을 헤매고 있다. 너라도 죽여서 내 아들을 살릴 수 있다면 그것이 너에게 교단을 가지는 것보다 더 큰 영광이 될 게다.

데바가 더 턱을 꼿꼿하게 쳐들었다.

-왕이시여, 참으로 허망하구려. 그대의 모든 것이 그 정도였다니. 나 역시 왕족으로 태어났으나 그대를 따랐었소. 그런데 이제와 그 책임을 전가하다니. 그래 저 험한 세상에 버려진 민중을 구하겠다던 열정은 어디 갔소? 어디가 버렸기에 인정에 목마른 감상적인 허깨비가 되어 내 앞에서 눈물을 보이고 있단 말이오.

그때 선지자 한 사람이 들어와 왕에게 귀엣말하였다. 그는 왕에게 아들이 병이 난 것은 아버지를 죽인 데 앙심을 품은 붓다가 신통력을 부렸기 때문이며 데바의 목을 치기 전에 붓다의 목을 가져오게 하면 나을 것이라고 하였다.

그 말을 들은 왕은 데바를 노려보았다. 뒤이어 내뱉는 왕의 음성은 매우 부드러워져 있었다.

　-데바여, 무례를 용서하시오. 그대의 진실을 몰랐음을 방금 선
지자한테서 들어 알았소. 그대가 오늘 붓다의 교단으로 가리라는
것을 내 어찌 알았겠소. 그렇소. 붓다를 처치해 주시오. 그는 부왕
이 있을 때부터 이 나라를 어지럽히던 인물이요. 그리고 그로 인해
내 아들이 저 지경이 된 게 아니겠소.

　왕의 말에 데바가 껄껄 웃었다.

　-우습구려. 그대의 어린 아들도 구하지 못하는 내게 붓다의 목
을 가져오라니.

　젊은 왕의 눈빛이 싸늘하게 빛났다.

　-데바, 내 명을 거역하지 마시오. 내 명을 거역한다면 그대의 목
도 성치 못할 것이오. 사흘을 주겠소. 사흘 안에 그의 목을 가져오
시오. 이미 그대의 신통력은 세상이 다 아는 바요.

　데바는 머리를 내저었다.

　-설령 내가 붓다에게 간다고 한들 나는 그대를 위해서 가는 것
이 아닐 것이외다. 그리고 나를 위해서거나 그대의 아이를 위해서
가 아니며 오로지 깨침의 세계를 향한 내 의지의 신심 때문인 것이
외다. 고통받는 중생 때문이라는 말이외다.

　그 길로 궁을 빠져나온 데바는 붓다도 찾아가지 않고 지내다가
아자따샷투에게 쫓기는 신세가 되고 말았다. 그렇다고 붓다를 죽

이겠다는 그의 신심이 변한 것은 아니었다. 중생을 위해서는 붓다를 제거해야만 한다고 생각하고 있었다. 그리하여 중생에게 정도를 가르쳐야 한다고 생각하고 있었다.

그렇게 이유는 분명했다. 깨침의 세계를 깨달음으로 이끄는 죄, 나아가 깨치지 못했으면서 깨쳤다고 하는 죄. 그리하여 중생을 현혹하는 죄. 이 죄는 부모를 죽인 죄보다 더 용서받을 수 없는 죄였다. 삿된 깨침이 세상에 퍼지면 결국 진자의 깨침을 사라지게 마련이고 거짓이 판치는 세상이 도래할 것이었다. 그렇다면 누군가 그 거짓을 제거해야 한다. 그리고 그의 진실과 거짓을 만천하에 알려야 한다. 그것은 그를 제거했을 때 참모습이 드러날 것이었다. 그가 내세우던 진리. 침묵으로 일관하던 진리. 그 진리가 피를 흘리며 제 모습을 드러낼 때 진리는 오로지 참모습을 나타낼 것이었다. 그 침묵을 처단해야 할 시점에 와 있었다. 분명히 진리는 그 침묵 너머에 있을 것이었다. 그것을 보기 위해서는 그를 처단해야만 할 것이었다.

그때 데바는 모르고 있었다. 삼문을 위시한 제자들이 스승의 거사를 돕기 위해 신통 제일 못가라나를 제거하기로 결의하고 있다는 것을. 그들은 데바가 붓다가 있는 교단으로 떠나기를 기다려 못가라나가 수행하고 있는 암굴로 달려갈 참이었다. 그렇게 마지막 일전이 소리 없이 다가오고 있었다.

| 4 |

-저는 붓다가 있는 소나마르크로 가려고 합니다. 사형도 정사로 돌아가셔야지요.

잠시 지나간 기억에 사로잡혀 있던 데바가 말을 하자 수부티 사형이 돌아보았다.

-정사로 돌아가야 하겠는데…. 자네가 붓다를 만난다고?

-네. 그동안 뵙지도 못했고….

사형이라고 내가 붓다 밑을 뛰쳐나갔다는 것을 모를까 싶었다.

데바가 슬쩍 보았더니 또 무슨 짓을 저지르려고 하는 기색이 수부티의 얼굴에 스쳤다.

-그럼 가십시다.

-아, 아닐세.

-네?

-나도 붓다를 뵈어야 할 것 같아. 소나마르크로 함께 가세.

아무래도 느낌이 좋지 않은 모양이었다. 붓다에게 몹쓸 짓을 저질렀으니 또 무슨 짓을 저지르면 어쩌나 하는 모양이었다.

속에서 웃음이 나왔다. 데바는 웃음을 참다가 말했다.

-그럼 나서시지요.

금강 언저리

　두 사람이 뜻밖에 붓다의 소식을 들은 것은 캐상나국에 이르렀을 때였다. 그곳의 한 사원에 들렀는데 붓다에게 봉사했던 제자를 만났다. 그가 아사무라 라는 이름을 가진 비구였다. 수부티는 그를 알고 있는 것 같았다. 붓다는 중생제도를 위해 이곳까지 내려와 전도하시다가 얼마 전에 이곳으로 와 머물렀고 소나마르크로 일이 있어 시자 아난을 데리고 먼저 떠났다고 하였다. 데바라는 인물이 찾아올 것이니 그를 데리고 소나마르크로 오라는 말만 남기고 떠났다는 말을 듣고 데바는 깜짝 놀랐다.

　-아니 내가 올 것이라고 했다고?

　-네. 분명히 그랬습니다.

　아사무라의 말을 들으며 데바는 멍하니 수부티를 쳐다보았다. 붓다의 신통을 모르는 바 아니나 가슴이 뜨끔했다.

　내가 자기를 죽이러 올 것을 알고 있다?

　그렇다면 보통 일이 아니었다.

　-붓다께서 소나마르크로 가신다고 했으니 쫓으면 만날 수 있지 않겠습니까?

　-뒤를 쫓기가 쉽지 않을 텐데?

지쳐서 더는 무리라는 듯이 수부티가 말했다.

-맞습니다. 이왕 여기까지 왔으니 쉬었다 가지요.

-붓다께서 얼마나 머물렀느냐?

수부티가 아사무라에게 물었다.

-한 열흘? 붓다께서 병을 고쳐주기 시작하자 이곳 사람들은 너나없이 존경심을 나타내었지요. 그리고 붓다임을 의심치 않았습니다. 물론 이곳 외도들과 설전이 잠시 없었던 것은 아니지만요.

-설전이라니요?

데바가 물었다.

아사무라는 더 말이 없었다. 차차 알게 될 것이라는 표정을 짓고는 돌아서 버렸다.

밤이 되자 이상한 기운이 몰아쳤다. 천둥과 번개가 몰아치더니 폭풍우가 한동안 온 산을 흔들었다.

-왜 갑자기 날이 이런지 모르겠군.

데바의 말에 아사무라가 말했다.

-이곳에는 악룡과 익룡이 살고 있다는 전설이 있습니다. 익룡의 이름은 선지(善摯)라고 하는데 언제나 이곳을 제집처럼 지켜온다고 하지요. 이 용은 주술에 능하여 악룡을 범접지 못하게 하고 호우를 막아 이곳을 평화롭게 했는데 이제 늙어 그 힘을 쓸 수 없으니 악룡이 이 지역을 차지하기 위해 선지가 사는 호수의 물을 허공

으로 날려버리고 있다는 것입니다. 그럼 호수의 바닥이 드러날 것이 아닙니까.

-그럼 큰일 아닌가.

데바의 말에 아사무라가 빙긋 웃었다. 그의 얼굴이 말하고 있었다. 전설이라니까요. 그 표정을 보자 데바는 아하 싶었다. 범부의 눈에는 용이 보일 리 없다. 신통이 열린 자에게만 보이는 우주의 그림자이다.

-참 전설이라고 했지.

데바의 말이 끝나기가 무섭게 용들의 비명이 들려왔다. 아마도 선지라는 용이 악룡을 당하지 못하는 모양이었다.

-천둥이 치는군요.

데바가 들을 때는 용의 비명이 아사무라에게는 천둥소리로 들리는 모양이었다.

계속 용들이 울어대자 아사무라가 겁먹은 표정을 지으며 말했다.

-하늘이 노했나 봅니다.

아사무라가 밖으로 뛰쳐나갔다. 데바와 수부티가 따라 나가보니 성안의 모든 사람이 나와 걱정스럽게 하늘을 올려다보고 있었다.

데바가 보니 악룡과 익룡이 싸우고 있었다. 두 용이 서로 목덜미를 물고 허공으로 치솟으며 몸을 엿가락처럼 꼬았다.

잠시 후 털버덕하고 선지가 물이 없는 호수로 떨어졌다. 쏜살같이 악룡이 선지를 향해 달려들었다.

-호수에 번개가 떨어졌습니다.

용을 빛으로 본 아사무라가 소리쳤다.

그 순간이었다. 어디서 날아왔는지 어마어마하게 큰 공작이 아름다운 날개를 퍼덕이며 위쪽에 있는 큰 호수에 앉았다. 공작은 그 큰 부리로 호수의 바위를 콕 하고 찍었다. 사방이 바위로 둘러싸인 호수가 쩍 하고 갈라지더니 엄청난 물줄기가 선지가 있는 호수로 쏟아졌다. 허공에서 쏜살같이 내리박히던 악룡이 물살의 힘을 이기지 못하고 허공으로 튕겨 버렸다. 이내 선지가 정신을 차리고는 정신을 차리지 못하는 악룡을 향해 달려들었다.

악룡이 선지의 입에 물려 버둥거렸다.

그 모습을 바라보던 공작이 변신을 꾀했다. 공작은 작은 수도승으로 변하였다. 아주 볼품없이 늙은 수도승이었다. 사람들이 이러다가는 호수의 둑이 터지겠다며 걱정스러워했다. 순식간에 수도승은 모습을 감추어 버렸다.

-이러다가는 마을이 물에 잠기겠어요.

아사무라가 혼잣말처럼 중얼거렸다.

-누군가? 저 사람이?

수부티가 물었다.

-아사무라가 무슨 소리냐는 듯이 수부티를 돌아보았다.

-무슨 말이에요?

데바가 듣고 있다가 나섰다. 데바가 숙명통을 어렵게 열어 전설의 속살을 뒤져보니 훤히 보였다. 붓다가 선지를 구하고 있었다.

-붓다가 저번에는 선지를 구했군요.

데바의 중얼거림에 수부티가 데바를 쳐다보았다.

-숙명통을 열었는가?

위험한 장난을 왜 해? 하는 낯빛이었다.

-괜찮습니다.

-저 용을 말하는 것이지?

-맞습니다. 그때 붓다가 세상에서 제일 큰 붕새가 되었네요.

-붕새?

-맞습니다. 한 번 날면 구만리를 난다는 붕새가 되어 용을 구하네요. 그 주위에는 하늘에서 내려온 가루라들이 호위하고 있네요.

-가루라라면 용을 잡아먹는다는 전설 속의 새 아닌가?

-하늘의 천사들이지요.

-그래?

-아무튼 붓다는 붕새가 되어 선지를 구하는데 이번에는 수도승이 공작이 되어 구하고 있군요.

데바의 말에 수부티가 고개를 끄덕이자 아사무라가 고개를 갸웃거렸다. 용들의 싸움을 볼 수 없는 그는 두 사람이 무슨 말을 하고 있나 하는 표정이었다. 그러다가 드디어 알겠다는 표정을 지으며 입을 열었다.

-어떻게 그렇게 잘 아세요? 아하 전설을 이미 알고 계셨군요? 맞아요. 전설에 그렇게 나와요. 붓다가 나타나자 기다렸다는 듯이 악룡이 선지를 공격했다고 해요. 그 사실을 안 붓다가 몸을 일으켜 그대로 허공으로 날아올라 붕새가 되었다고 하더군요. 그는 선지를 죽이려고 달려드는 악룡을 낚아채 던져 버렸는데 붕새를 호위하던 가루라들은 천사가 되어 하늘로 날아올라 갔다고 해요. 혼이 난 악룡은 그래서 한동안 나타나지 않았는데 다시 나타나고 있다는 겁니다. 물론 전설이지만요. 그런데 그런 붓다의 신통력에 감사하기는커녕 공작으로 변신을 꾀한 노승이 한마디 했다고 해요.

-뭐라고?

데바가 알면서도 물었다.

-그대는 인간의 아들이라고 하셨지요? 그렇게요. 그러자 붓다가 대답했다고 해요. '그러하오이다.' '그대의 신통력이 보통이 아니십니다. 그려.' 주어진 신통력도 아니고 인간으로서 어떻게 그런 신통력을 쓸 수 있느냐는 말에, '신통력?' 하고 붓다가 되뇌었다고 해요.

거기까지 듣다가 데바가 다시 아사무라가 말하는 전설 속을 들여다보니 노승이 붓다에게 다시 말하고 있었다.

-인간의 아들이 그 정도의 신통력을 지닌 것을 저는 아직 보지 못하였습니다.

-내가 인간으로 보이시오?

붓다가 느닷없이 물었다.

-아닌가요?

대답할 필요성을 느끼지 못하는지 붓다는 입을 다물었다.

-우리들의 스승은 명상을 통해 신통력을 얻을 수 있다고 하셨지요.

붓다는 역시 말이 없었다.

-하지만 그분은 신통력을 얻었으면서도 그 폐해를 심각하게 생각하여 지혜의 누진통만을 열어 결코 그대와 같은 짓은 하지 않았습니다.

-그대는 내가 신의 흉내를 내고 있다 그 말을 하는 것이오?

그제야 붓다가 물었다.

-그렇습니다. 성령을 빙자하여 기적을 행하고 있지 않다면 그럼 무엇인지 궁금하군요?

-방금 성령이라고 하셨소?

-그렇습니다. 성령.

-무슨 성령 말이오?

-이 우주를 주관하시는 하느님의 성령 말입니다.

-이 우주를 주관하는 신이 있기는 한 거요?

-왜 없겠습니까. 그분께서 자신의 독생자를 내려보내실 거라는 말도 있습니다.

-하느님의 아들이 이 세상으로 오신다 그 말입니까?

-그렇습니다.

-호오, 그러면 참 세상이 살기 좋아지겠구려. 그분은 성령을 듬뿍 받았을 터이니.

-그분으로 인해 세상이 구원받을 수 있다고 하나 같이 믿고 있습니다.

-허허허 다행한 일이구려. 하지만 분명히 해두지요. 나는 성령 같은 것을 모르는 사람이외다. 그러므로 신의 아들이 아니고. 나의 아버지는 내게 기적의 힘을 주지 않았으며 기적을 베풀라고 가르치지도 않았소. 그저 고통받는 인간이었을 뿐이었으니까요.

-그런데 기적을 일으켰다? 신의 힘을 보이고서도 끝까지 인간임을 포기하지 못하는 양반! 소문에 들으니 그런 양반이 또 있다고 하더군요. 제 나라가 쓰러지고 제 피붙이가 피를 흘리고 있는데도 그 사람은 신통력을 쓰지 않았다고 하더군요.

늙은 승의 비아냥거림에 붓다가 쓸쓸하게 웃었다. 그는 잠시 웃다가 정색하고 늙은 승이 말했다.

－성령의 힘이라는 건 없다오. 가장 인간적인 이상과 가장 신성적인 이상이 하나가 되어 발전해 갈 때 기적은 이루어지는 것이라오. 그것을 가장 인간적인 여여(如如)함이라고 하오.

붓다의 말이 끝나자 그제야 노승은 말없이 붓다의 경지를 알아보고는 합장하며 찬탄했다.

－호오, 그대는 인간의 아들이 틀림없구려.

아사무라와 헤어져 그들은 다시 걸었다. 캐싱나국을 지나자 지나국이 눈앞이었다. 그 두 나라를 잇는 육로로부터 그곳에는 힌두의 흐름이 짙게 흐르고 있었다. 산길은 험하고 계곡의 길도 위태로웠다. 그 길을 지나야 소나마르크로 갈 수 있었다. 그곳으로 가기 위해서는 지나국과 티베트에서는 둥랑이라고 부르는 도카라국을 지나가야 했다.

데바는 발걸음을 옮겨 놓으면서 수부티를 돌아보았다.

－사형, 붓다께서 성령을 부정하신 것 같은데 사형도 그렇게 생각합니까?

아사무라가 말하던 전설을 떠올리다 말고 데바가 그렇게 말하자 이내 말을 알아들은 수부티가 웃기부터 했다.

－허허허, 자네가 비뚤어지긴 많이 삐뚤어졌네. 붓다의 말씀을 그렇게 모르겠나? 성령은 우주 만물이 내뿜는 기운이라면 그 누가

그 기운의 자식이 아니겠느냐 나는 그렇게 생각되던데 어떡해서 그대에게는 부정적으로 들렸을까?

-그런가요?

-그래. 그러잖아도 일전에 금강경을 설하실 때 그 점을 지적하셨지. 붓다가 붓다라 인식하고 있다면 붓다가 아니라고.

-그 말에도 어폐가 있다고 생각합니다. 어떻게 붓다가 붓다 됨을 자인하지 않고 붓다라 할 수 있겠습니까?

-성령이라는 것이 무엇이겠는가? 믿는 자에게 그리고 한없이 사모하는 자에게 창조주로서의 한없는 은사가 아니겠는가. 그러므로 창조주 하느님을 믿고 따르는 것이 아니겠나. 그러나 붓다는 우상을 경계하셨네. 이것이 있으므로 저것이 있고 저것이 있으므로 이것이 있다는 연기법을 불법의 핵심으로 삼으신 이유가 거기 있는 것이지.

-그러고 보니 금강경을 설하실 때의 상황이 더욱 궁금합니다. 그때의 상황을 말씀해 주시지요.

-별다른 것은 없었다네. 매양 법회가 있을 때마다 하시듯이 공양 때가 되어 공양하신 후 발을 씻으신 뒤 자리를 펴고 법회를 주관하셨지.

-그래요?

-그날의 주제는 반야가 피안에 이르는 길을 금강에 비유한 것이

었다네. 공한지혜(空慧)로써 근본으로 삼고, 일체법무아(一切法無我)의 이치를 요지로 삼으셨지.

-공한 지혜로로써 근본을 삼고, 일체법무아(一切法無我)의 이치를 요지로 삼으셨다?

수부티가 잠시 생각하다가 고개를 주억거렸다.

-맞아. 공의 사상을 설하면서도 공이라는 말은 한 번도 쓰시지 않았다는 데 문제가 있었지.

그럴 수가 하는 표정으로 데바가 입을 벌렸다.

공을 설하면서 공이라는 말을 한 번도 쓰지 않았다? 궁금하군요.

-첫 성이 마음을 조복하라였는데 그 해답이 무서웠어.

-나를 믿으라고 했다면서요?

-그랬지.

-속이 뻔한 소리 아닙니까? 그게 신앙과 무엇이 달라요?

수부티가 왜 이러느냐는 표정을 지으며 마뜩잖은 얼굴로 쳐다보았다.

-아직도 붓다가 못마땅해하는가?

데바는 피식 웃으며 어깨를 으쓱했다.

-그러지 말게. 아사무라가 어떻게 전했을지 모르나 나는 일체중생을 열반에 들게 하라 하는 소리로 들렸으니까.

-열반요?

-맞아.

-그 말이나 그 말이나요.

-그런데 붓다는 이내 이렇게 말씀하셨다네. 여래가 열반을 얻었다 하나 열반을 얻은 바 없다. 또한 열반은 얻은 중생도 없다. 이게 무슨 말인가?

-열반을 얻으라 하시고는 열반을 얻은 중생이 없다?

-그래. 마음을 다스리려고 한다면 열반에 들어라 하시고는 열반을 얻은 중생이 없다고 하셨으니 아사무라 같은 사람은 오해할 만도 하지.

-오해가 아닌 거 같은데요. 그렇지 않습니까. 내가 여기 있다. 너를 다스리려고 한다. 그럼 나를 믿어라. 그럼 열반을 얻게 되리라. 그렇지 않고는 열반을 얻은 이가 없다 그게 무슨 말이겠어요.

-하하하, 이 사람아. 왜 그렇게 옹졸하게만 생각하는가. 이렇게 생각해 보자고. 자아(自我) 혹은 다른 사람과 구별되는 내가 있다면 상(相)이 있을 거 아닌가? 내가 있다는 생각 말일세. 중생이나 영혼이 있다는 상이 곧 고정관념이요 인식이 아닌가. 그것이 있으면 보살이 아니다. 그 말씀 아닌가.

-그런가요?

-이 사람 불신이 지나치구만. 자 다음 말을 들어보게. 여섯 가지 바깥 경계가 무엇인가?

-그야 6경이지요. 색, 성, 향, 미, 촉, 법.

-맞아. 붓다는 다시 말씀하셨다네. 그 상(相)에 마음을 두지 않고 보시해야 그것이 진정한 보시다. 무슨 말인지 모르겠는가?

-문제는 그 말의 뜻을 몇 사람이나 이해하겠느냐는 겁니다. 누구나 이렇게 생각하겠지요. 말 같은 소리를 하지 않으시는구만. 어떻게 인간이 6경을 떠난 보시를 할 수 있단 말인가? 속세의 사람들이 우리 같은 수행잡니까. 그들은 불(佛)에 불 자도 모르는 사람들입니다. 그럼 모르는 것이 당연하지요. 상에 잡힌다면 바로 그것이 아상이므로 진정한 보시가 될 수 없다. 그 말을 어떻게 이해해요. 그러니 그들에게는 궤변밖에 되지 않을 것입니다. 그러므로 이렇게 생각하겠지요. 역시 나는 무식하구나. 스승의 저 말씀을 이해할 수 없으니. 그렇게 한탄하다 곁을 떠나 버릴 것입니다. 그럼 진리가 무슨 소용입니까? 더 쉬운 말로 이해시켜야 했을 것입니다. 그의 설법이 어떤 설법입니까. 바로 대기설법 아닙니까. 그 양반 말대로 대기설법이란 중생들의 수준에 맞게 하는 설법이지요. 일자무식인 청소부에게 진리를 바로 설하기보다는 비를 쥐여주며 평생을 쓸게 하는, 그러다 보면 자연히 진리가 드러난다는 그거 아닙니까. 하지만 그렇지 않다는 데 문제가 있다 그 말입니다. 어려우면 시주물 싸서 들고 내게 배우러 오라. 그거 아닙니까?

수부티가 너무 어이가 없는지 허공을 향해 웃었다.

-이 사람, 꽤 영리한 줄 알았더니 인제 보니 영 바보가 아닌가.

-바보?

-아니면 멍청이든가.

-말이 심하시군요.

-억지 부리지 말고 가세. 왜 그러시는가? 뻔히 알면서. 이해 못
한다면 모르겠네. 그렇게 억지를 부릴 건 없지 않은가.

-억지가 아닙니다.

-가세 그만.

수부티가 그만하자는 듯이 앞서 걸음을 옮겨 놓았다.

데바는 그의 뒷모습을 멍하니 바라보다가 걸음을 옮겨 놓았다.

| 2 |

천신만고 끝에 도카라국에 닿은 것은 이틀 후였다.

도카라국은 큰 나라였다. 남쪽으로 대설산(大雪山)이 버티고 있
었다. 남북 1천여 리. 동서가 3천 여리. 동쪽은 파미르, 서쪽은 페
르시아에 접해 있었다. 타리아라는 대하가 나라 가운데로 흐르고
있다. 수부티가 보니 이곳은 하늘신을 믿고 있는 것 같았다.

태양신이 이 세상을 주관한다고 하였다. 곡식을 익게 하고 비를 내리게 하고…. 그들의 공부 방법이 특이했다. 족장이 제주였다. 주로 조용한 장소를 택해 머리를 땅에 대고 하는 기도가 다였다. 조용히 신을 찾는다고 하였다.

태양신을 믿지 않고 석가모니라는 분의 법을 공부한다고 하자 그들은 이해를 못 하는 눈치였다.

-인간으로 태어난 사람을 믿는다고요?

-그렇습니다. 그 사람이 이 우주의 이치를 깨달았기 때문입니다.

역시 수부티가 말했다. 곁의 데바는 영 시큰둥한 표정을 지었다. 불같은 성질이어서 영 마음에 들지 않는다는 표정이었다. 그들을 광신도들의 집단으로 보고 있는 것이 분명했다.

-우리도 태양신을 통해 우주의 이치를 깨달으려고 합니다.

그렇게 말했을 때 데바는 어쭈 하는 표정을 지으며 이렇게 이죽거렸다.

-광신도 주제에 꽤 세게 나오는데 그래.

수부티는 보다 못해 그를 밀쳐내고 앞으로 나섰다. 그들은 그런 수부티를 향해 인간 신을 믿는다는 게 이해가 되지 않는다는 표정을 지었다. 인간이 깨달으면 태양신의 경지에 이른다? 어떻게 태양과 같은 힘을 얻을 수 있지요?

-우주의 이치를 깨달으면 완전한 인간 즉 신적인 경지에 이르게 됩니다.

-그게 가능할까요? 우리는 태양신을 통해 우리가 왜 여기에 왔으며 왜 여기에 살고 있으며 왜 꽃이 피는지 그 이치를 알 수 있습니다.

그래서인지 그들에게는 철저하게 정해진 규칙이 있었다. 한번 기도에 들어가면 해제일까지는 어떤 일이 있어도 사원 밖으로 나갈 수 없었다. 만약 법을 어긴다면 곧바로 파문된다고 하였다. 수행의 엄격성도 그렇지만 안거에 들어 공부하는 방법이 자세했다. 이를 배우고 따르면 큰 이로움이 있을 것이라는 말을 했지만 정작 기도하는 방법은 가르쳐주지 않았다. 당신의 스승이나 찾아가 보라는 식이었다. 어떻게 해야 하나 하고 이곳저곳을 기웃거리고 다녔는데 역시 문물이 다르다 보니 외방 사람에 대한 인식이 그렇게 좋지 않았다. 붓다께서 앞서 수많은 일화를 남기고 계셨지만, 그들은 여전히 인간 신에 대해서 회의적이었다. 아무래도 붓다도 그들을 제도 하려다가 오히려 미움만 사신 것 같았다.

그래도 감히 수부티는 붓다의 가르침대로 어설프게나마 그들을 불법의 세계로 이끌어 보려 했는데 오히려 그들에게 비웃음만 사고 말았다. 그들은 오히려 이렇게 묻고 있었다.

-글쎄 그대가 말하려는 요지가 뭔가요?

-내 말은…….

-저 태양이 우리의 주인입니다. 저 빛이 없었다면 어떻게 이 세상에 우리가 올 수 있었겠습니까? 어떻게 만물이 생장할 수 있겠습니까? 그대의 스승 또한 태양의 자식인 것입니다.

-태양신의 아들이 아니라 인간의 아들입니다.

-그러니까요. 그분의 부모도 태양의 자식입니다. 그런데 어떻게 인간이 인간의 신이 될 수 있느냐는 말입니다. 오로지 신은 우리를 만든 태양신밖에 없습니다.

-신이 아니라 인간이라니까요.

수부티는 말이 딱 막혔다. 그들은 깨달음이라는 문제를 대단히 이상하게 생각하고 있는 것 같아 할 말이 없었다.

다시 한 사원에 들렀는데 붓다와 그곳의 태양신을 믿는 족장과의 논쟁이 있었다고 했다.

붓다는 이렇게 족장에게 물었다고 하였다.

-그대는 어떻게 하여 태양신을 볼 수 있었습니까?

-이 세상을 보면 태양신의 존재를 알 수 있습니다. 나는 떠오르는 태양신을 맨날 볼 수 있습니다.

-태양이 우주의 중심임은 틀림없습니다. 그것이 나를 생육하고 있다는 사실도 인정합니다. 그러나 태양이 내가 될 수는 없습니다. 나는 나이지요. 더 깊게 들어가면 나라고 하는 나도 없습니다.

-그럼 그대는 누구입니까?

-나는 그저 인간일 뿐이지요.

-그대가 인간임을 알게 하는 것이 있을 거 아닙니까?

-그것은 먼저 우주의 이치를 깨달은 붓다이십니다.

-그분도 인간이겠군요?

-그렇습니다. 신이 아닙니다.

-그럼 그분에 대해서 좀 더 말해 주십시오.

-그러지요.

그들은 그렇게 대화하며 차를 마셨고 계속해서 대화를 나누었다.

-그분은 명상을 통해 그 강을 건넜습니다. 우주의 이치를 깨달은 것입니다. 그렇다면 태양신만을 숭배할 것이 아니라 강을 건널 수 있는 방법을 찾아야 할 것입니다. 강을 건너는데 풍랑에 배가 뒤집혔다면 태양신이 그대를 구할 수 있을까요? 자신을 구할 수 있는 것은 자신밖에 없습니다.

-어떻게요?

-자신을 구하려면 헤엄을 배우면 되지 않겠습니까. 그럼 스승은 헤엄치는 방법을 가르칠 것입니다. 태양이 그 방법을 가르쳐주지는 않지요.

-하지만 우리는 숭배를 통해 그 낙원으로 갈 수 있습니다. 왜냐

면 믿음 없이는 그 무엇도 할 수 없고 찾아갈 수도 없기 때문입니다.

-자신에 대한 믿음이 없다면 그 또한 모든 것은 물거품이 될 것입니다.

-그럼 그대의 견해와 우리들의 견해가 다른 것이 무엇 때문이겠습니까?

-그대들은 믿음과 숭배를 강조하고 있고 우리는 늘 부정을 강조하고 있습니다. 그대들은 말합니다. 숭배하라. 숭배하는 자만이 태양신의 나라에 들 것이다. 그러나 우리들의 스승은 이렇게 말합니다. 생각하라. 나를 부정하라. 부정하고 또 부정하여 대 긍정으로 가라. 거기 본질이 있을 것이다. 무슨 말이냐 하면 그대는 긍정을 통해 진리에 이르겠다는 것이고 내 스승은 부정의 협곡을 넘어 대 긍정으로 가겠다는 것입니다.

-이미 진리는 우리 속에 있습니다.

-무서운 일이군요. 붓다도 자신이 깨달았을 때 일체 만물이 모두 깨달았다고 말했습니다. 그것은 곧 우리 속에 불성이 있다는 말입니다. 그 불성(佛性)이 바로 태양신이라고 말하고 계시는군요.

-그렇습니다. 바로 태양신이 있으신 천국입니다. 그런데 왜 부정이 필요하다는 말입니까?

-태양신을 부정하지 않는 자가 태양신을 어떻게 인정할 수 있겠

습니까? 당신이 태양신이요 하고 묻지 않는 자가 어떻게 태양신임을 알겠습니까?

-태양신은 그대로 존재하는 존재이기 때문입니다.

-그렇기에 잘못된 믿음은 인간을 나약하게 합니다. 광신의 길로 몰아갑니다. 그것은 그대의 가르침이 천편일률적으로 숭배만을 강조하고 있기 때문인 것입니다.

-현자여, 이제야 그대들의 견해와 나의 견해가 왜 틀리는가에 대하여 확실해졌습니다.

-부정이란 본래 인간이 가지고 있는 본성입니다. 부정하지 말라고 해도 부정하게 되어 있는 것이 인간입니다.

-나의 제자들이 그랬습니다. 그렇기에 태양신은 때로 재앙을 주어 인간을 시험할 것이라고. 그러므로 더욱 믿고 숭배해야 한다고. 우리 역시 그렇게 부정의 협곡을 건너온 것입니다. 그러나 이제는 오로지 긍정만이 있습니다.

-그렇습니다. 비로소 그대의 견해를 이해하겠군요. 부정의 협곡을 건너왔으면서도 다시는 부정하지 말라는 그대의 말씀을 이해하겠습니다. 그러나 내 스승 붓다는 진정한 인간이었기에 부정하라고 가르쳤습니다. 부정하지 않고는 인간은 강해질 수 없다는 것을 알고 계셨기 때문입니다.

-그렇습니다. 나는 믿음과 숭배를 강조하고 있지만 부정의 힘은

참으로 위대했습니다.

　-부정의 협곡을 건너와 이미 대긍정의 길에 들어선 이여, 그렇다고 하여 만약 그대가 나를 그냥 기적의 힘으로 저 언덕으로 건너가게 하겠다면 나는 차라리 지옥 보를 걸을 것입니다. 진리는 여기 있습니다. 이 자리. 바로 여기. 내가 느끼는 이 모든 것. 진리는 저기 피안에 있다고 믿게 해서는 안 됩니다. 진리는 어느 가방 속에 들었는지 진리 자신만이 아는 것입니다. 진리는 천국에 있는 것이 아닙니다. 진리는 지옥에 있는 것입니다.

　-내 태양신이 진리요 바로 내가 진리입니다.

　-참으로 놀라운 일입니다.

　붓다는 그제야 합장하고 허리를 굽혔다.

　-그대에게 내 오늘 깨달음을 얻었습니다.

　-오오. 슬기로운 자여, 태양신의 성령이 그대에게까지 미쳤군요.

　그 말을 듣고 나자 데바는 태양신의 사상이 조금은 이해가 되는 것 같았는데 그렇다고 완전히 그들의 말을 이해한 것은 아니었다.

　길은 갈수록 험했고 가는 곳마다 붓다의 흔적이 여기저기 산재해 있었다. 산을 넘고 들을 건너고 계곡을 넘어 어떻게 도카라라는 나라에 닿았다. 닿아보니 북쪽으로는 철문이 있었고 남쪽은 대설산이었다.

무정하게도 붓다는 거기 없었다. 그곳에서 며칠 머물렀는데 한 승려가 아마 지금쯤 붓다는 웃디야나라는 옛 도읍에 있을지도 모르겠다고 했다.

데바와 수부티는 다시 발길을 옮겼다. 그때까지도 데바는 영 탐탁잖은 표정을 짓고 있었다.

그랬다. 데바는 수부티가 태양신을 믿는다는 족장과 쓸데없는 말을 나누고 있는 모습이 어쩐지 안쓰러워 보였다.

붓다가 이곳에서 논쟁을 펼치다가 그들의 사상에 동조하고 갔다고?

그럼 그렇지 싶었다. 그 사람, 이익이 없으면 자기주장을 뺨을 맞더라도 굽힐 사람이 아니었다. 배가 고팠을지도 모르지. 적당히 논쟁하고 적당히 타협하고….

데바는 가끔 수부티를 돌아보고는 하였다.

-역시 나이는 못 속이는가 봅니다. 벌써 지치신 것 같은데….

데바의 말에 수부티가 허공을 올려다보았다.

-그대 걱정이나 하시게. 아직은 멀쩡하니.

-어서 오십시오. 걱정되어 하는 소립니다.

-앞서 길이나 잡으시게.

두 사람 앞에 펼쳐진 무수한 골짜기들, 그 골짜기를 지났다. 강을 거슬러 올랐다. 길은 겨우 사람 하나 다닐 정도로 나 있는 곳도 수없이 있었다. 날이 좋지 않았다. 비가 자주 내리고 그래서인지 거의 매일 이다시피 골짜기나 강이나 어두컴컴했다.

더욱이 웃디야나국의 옛 도읍으로 향하는 길목은 참으로 험난했다. 도읍으로 들어가는 입구부터가 그랬다. 이쪽 골짜기에서 저쪽 골짜기로 쇠다리가 놓여 있었다. 쇠 발판을 밟고 가다가 아래를 내려다보면 천 길 벼랑이었다. 우뚝우뚝 솟은 바위 사이로 혹은 숲 사이로 흐르는 물줄기도 보이지 않았다. 발길에 챈 가랑잎이 하늘거리며 깃털처럼 날리는데 언제쯤이나 바닥에 닿을지 싶다. 허공을 가로질러 이쪽 골짜기에서 건너온 쇠다리를 보면 아스라하기만 했다. 말뚝을 잡고 오르고 돌층계나 흙, 나무로 된 층계를 밟고 올랐다. 에워싸던 산이 열리면서 큰 개울이 나왔다. 울금향 냄새가 천지에 가득했다. 개울 입구 큰 바위에 다라다천이라는 이름이 음각된 게 보였다.

마침 양 떼를 몰고 오는 노인에게 이곳이 어디냐고 물었더니 웃디야나국의 옛 도읍이란다. 왜 붓다는 천축과 중국의 경계선까지 온 것인지 알 수가 없었다. 그리고 다시 천축으로 발길을 돌리고 있는 것인지 몰랐다. 웃디야나국은 사실 천축으로 들어가는 첫 번째 길목이라 해도 과언이 아니었다.

다라다천 안에 사원이 있었다.

-여기는 붓다를 믿는 곳인가 보군.

-흥, 붓다의 눈 감고 아웅 하는 방식이 통했군요.

사원의 돔을 올려다보던 데바가 저수지를 바라보고는 자신의 빈정거림을 인정하듯 수부티를 돌아보았다.

-저수지가 있는 것으로 보아 본디 힌두사원이었던 것 같군요.

사원이 자연 수역 근처에 있지 않으면 구내에 있기 마련이다. 담수 저장고가 세워져 있지 않으면 의식을 위해 사용되는 성수나 성전 바닥을 깨끗하게 마련할 수가 없다. 더욱이 거룩한 거처에 들어가기 위해서는 목욕은 필수다.

수부티는 아예 상대도 하지 않았다.

그러든 말든 데바는 주지승부터 찾았다. 수염을 잘 다듬었다고 생각되는 주지승이 나오더니 물을 것이 있으면 물어보라는 표정을 지었다.

-여긴 본시 힌두사원이었던 것 같은데요. 저 사원의 돔 하며 법당의 기도실 모습 하며 저수지도 그렇고....

-맞습니다. 석가모니 붓다의 법을 받아들이면서 가람이 되었지요.

-그럼 여기 있던 교인들은...?

-하나 같이 떠났지요. 저만 남아 있습니다.

-개종을 하셨군요.

그가 마지 못한 듯 웃었다.

-글쎄요? 맏아들이는 중이라고 할까요? 사실 처음에는 석가모니도 우리 신들 중 한 분으로 생각했는데 요즘들어 흐름이 그러니까...

운영상 가람으로 바꾸었다 그 말이었다.

힌두교는 아리안 계통의 브라만교, 그리고 인도 토착의 민간신앙과 융합한 종교라고 볼 수 있었다. 고대 브라만교는《베다》에 근거를 두는 종교였다. 희생제를 중심으로 신전, 신상(神像) 없이 자연신을 숭배한다. 반면 힌두교는 신전과 신상이 예배의 대상이다. 인격신(人格神)을 믿는다. 힌두교의 근본 경전은《베다》와《우파니샤드》,《브라마나》,《수트라》 등이다. 바로 이런 성전들이 인도의 종교적 사회적 이념 그 원천이었다. 그들이 베다를 절대적인 권위로 인정하는 것은 그만한 이유가 있다. 베다는 신이 만든 것도 인간이 만든 것도 아니라는 것이다. 세상을 지배하는 성선(聖仙)이 신비적 영감을 체험한 후 계시받아 만들었기 때문이라는 것이다. 베다는 본시 브라만교의 성전이었으므로 힌두교는 자연스럽게 브라만교로부터 신에 대한 관점과 신화를 계승하고 있었으므로 다신교로 오해받을 수도 있지만 신들의 배후에 유일한 최고신을 두고 있어서 교묘하게 일신교의 형태를 취하고 있었다.

옛날에는 신전이었을 법당으로 들어가 보니 힌두신들의 잔재가 그대로 남아 있었다. 창조신 브라흐마(Brahma), 시간을 관장하는 존재의 신 비슈누(Visnu), 파괴의 신 시바(Śiva), 인도인들이 열광하던 신들이 거기 있었다.

그런데 그 신 중에 붓다도 하나의 신으로 인정되다가 이제 이곳의 주인이 되었다는 것이다.

그 증거인 양 가람 옆에 나무로 조각한 미륵보살 상이 서 있었다. 방금 금칠했는지 번쩍번쩍했다. 높기도 했다. 그 높이를 가늠할 수가 없었다.

-아니 금강경 설하신 지가 언제인데 벌써 미륵상이 섰네. 그날 그랬다면서요? 미래에 미륵이 이 세상에 붓다로 와 구하리라고….

수부티도 적잖이 충격을 받은 모양이었다. 영 말이 없더니 고개를 주억거렸다.

-그건 그랬지.

-어지간히 팔아먹었군요.

-말하는 솜씨하고. 그래도 붓다는 한때 네놈의 스승이었다. 그전에도 붓다께서는 장차 미륵이 세상을 구할 것이라고 하셨어.

-그래도 그렇지. 이렇게까지….

역시 마을 사람들은 붓다께서 이곳에 들려 자기 제자인 미륵이 미래에 붓다가 될 것이라고 했다고 하였다. 그러자 하늘에서 엄청난 굉음이 들리더니 갑자기 미륵상이 섰다고 하였다.

-섰다니요?

이상하여 데바가 물었다.

-보세요. 이게 어디 사람이 세운 상인가.

그러고 보니 조각상은 분명히 사람이 만든 것이 아닌 것 같았다. 수부티가 보기에도 그래 보였다. 어떤 신통력으로 만든 것이 아니라면 사람의 힘으로 그렇게 크게 만들 수는 없을 것이라는 생각이 들었다. 아니 그곳의 주지승은 그렇다고 일러주었다. 한 수행승이 신통력으로 조각하는 사람을 데리고 도솔천이라는 곳으로 올라가 장래 붓다와 같은 붓다가 될 미륵보살을 뵈었다고 하였다.

-아니 도솔천까지 올라갔다고. 교단 내에 미륵이 있는데 왜 도솔천까지? 그러니까 미래의 미륵 붓다가 거기 있었다 그 말인가?

-붓다께서 그렇다고 하시기에⋯. 그래서 도솔천으로 올라 거기 계신 미륵 붓다의 관상을 세 번이나 본 뒤에 지상으로 내려와 그대로 그 모습을 조각하게 한 것입니다. 상을 조성하자 붓다가 그러시더군요.

-너희들이 믿는 불법이 동쪽으로 흘러갈 것이라고. 그러니까 이곳이 동쪽 불교의 발원지가 될 것이라고.

데바는 웃음이 나왔다.

-신통이 보통이 아닌 도사가 이곳을 꽉 잡고 있다 그 말이네. 그러니 바리바리 싸 들고 오라? 도솔천까지 올라가 미륵을 보고 왔으니 미혹한 중생이 어찌 환장들 하지 않고 배길 수 있을꼬. 도솔

천이 어느 집 안방 이름이야? 도솔천이 있기는 있었던가 보네. 난 아무리 눈 닦아도 안 보이더만. 정말 웃기는군. 갑시다.

두 사람은 다시 나아갔다. 그곳을 지나 한 정사에 들렸더니 그곳에서도 붓다의 흔적을 찾을 수 있었다. 붓다는 분명 이곳이 초행이 아니었을 텐데도 가는 곳마다 이곳 사람들과 논쟁한 흔적을 만날 수 있었다.

누누트스라고 하는 한 사원에서 사문을 만났는데 그는 사실 하늘신을 믿고 있었다. 노승은 바로 그곳의 장로였다. 장로는 붓다에게 이렇게 먼저 질문했다고 하였다.

-그대는 마음에 대하여 어떻게 생각합니까?

붓다는 가만히 생각하다가 이렇게 대답했다고 하였다.

-마음은 낙원입니다. 정신과는 또 다른 그 무엇입니다. 정신이 이성적이라면 마음은 감성적인 것입니다. 그 감성 위에 낙원이 있습니다. 괴로운 이들, 고통받는 이들, 가난한 이들을 낙원으로 이끌기 위해 올해도 이곳으로 온 것입니다.

-저도 이곳으로 온 지 얼마 되지 않습니다. 그런데 마음이 낙원이라는 사실 그것을 어떻게 얻을 수 있습니까?

-먼저 이렇게 묻지요. 그대는 하늘신을 어떻게 받아들입니까?

-믿음입니다. 오로지 믿음으로 인해 그분을 받아들입니다.

-현자여, 여기가 차안입니다. 그리고 저기가 피안(彼岸)입니다.

저 피안이 낙원입니다. 그대가 말하는 믿음의 배를 타고 낙원으로 가려고 합니다. 풍랑이 일어납니다. 오로지 믿음만으로 그 모든 고난을 이겨내고 저 피안으로 갈 수 있겠습니까?

　-그럼 믿음 없이 어떻게 저 피안으로 갈 수 있다는 말씀입니까?

　-믿음만으로 중생을 깨닫게 할 수는 없다는 사실입니다. 믿음만을 강요한다면 그것은 객관성에서 벗어나지 못할 것입니다. 진리의 본질은 주관성에 있다고 생각합니다. 내가 깨닫느냐, 깨닫지 못하느냐. 설령 믿음을 통해 깨달을 수 있다 하더라도 또 하나의 족쇄는 남아 있을 것입니다.

　-족쇄라고 하셨습니까?

　-그렇습니다. 바로 우리가 그들의 족쇄입니다. 믿음에 의하여 천상에 나는 것이 깨달음의 궁극적 목표라고 합시다. 그때 천상에 난 자의 마음은 저 심연처럼 아무 구속이 없어야 할 것입니다. 그대는 어떻습니까? 그대는 성령을 입은 자이기에 고통받는 선량한 이들을 저 하늘신의 나라로 데려가기 위해 오늘도 믿음의 종교를 설파하고 계십니다. 그렇다면 그대의 마음속에도 하늘신이라는 빗장대 하나가 걸려 있는 것입니다.

　-결국 내 아버지 하늘신마저 내몰지 않으면 안 된다는 말씀입니까?

　-그렇습니다. 백정식(白淨識)의 세계, 공, 절대공의 세계, 마음을

텅 비우지 않고는 그 마음은 자유로운 환희로 가득 채울 수 없는 것입니다.

　-그러니까 붓다께서 주장하는 것은 선(禪)이라는 말이 아니십니까?

　-선정(禪定)을 이해하고 계시는군요?

　-물론입니다. 선정이라는 과정을 거쳐 무화라는 공(空)의 세계에 도달한다는 사실쯤은 알고 있습니다.

　-그렇습니다. 진리란 없다 있다가 아닙니다. 분석적 이성이 아니라는 말이지요. 공이란 있는 그대로 받아들이는 자세, 그 해탈(解脫)을 향한 정진(精進)에 여래라도 방해가 된다면 여래를 죽이라는 게 공의 사상입니다.

　-그렇군요. 우리들의 문제는 바로 거기에 있는 것 같군요. 그래서 이해라는 말이 등장하게 된 것이 아닌가 싶습니다. 하지만 하느신의 아들인 제가 대립적 차원에서 내 아버지를 죽이면 어떻게 될까요?

　-그러나 죽여야 합니다. 진리를 만나면 진리를 죽이고 피안에 이르면 피안을 지워야 하고 그렇게 모든 것을 죽이는데 진리의 참뜻이 있는 것입니다.

　-부모와 처자식을 버리고 출가하는 수도승은 사실 부모를 죽이는 것이겠군요?

붓다가 고개를 주억거렸다.

-하지만….

붓다가 장로의 말을 기다리다가 심호흡을 한 번 하고 말을 이었다.

-그런 의미에서 이 문제는 정의된다고 생각합니다. 모든 것을 죽이라고 한 것은 무화의 과정 속에 들어앉는 그 무엇, 그것을 죽이라는 말이지 그 실제적인 대상을 죽이라는 말은 아닙니다. 그렇지 않고는 금강화를 만날 수 없을 테니까요. 꽃무릇은 그 독성에 의해 금강화가 됩니다. 무구(無垢)입니다.

-무구?

-때가 없다는 말이지요. 때를 벗으라는 말이지요. 그것이 제법무아(諸法無我)의 금강화가 필 것입니다. 그때 공은 자기긍정(自己肯定)을 물리치는 청정한 마음이 될 것입니다. 분명한 것은 사람은 자기긍정을 하지 못하면 가난해진다는 사실입니다. 그것이 공이라고 생각된다면 마음 비우기의 철학은 성립된다고 봅니다.

-갑자기 이상하다는 생각이 드는군요?

-네?

-그대의 말씀이 부정적으로 들리니 말입니다. 진실로 진리를 보려면 마음을 비우지 않고는 안 된다는 사실을 인정하면서도 그대는 자기긍정을 물리치려는 생각이 전혀 없어 보이니 말입니다.

-그것은 내 모든 것이 여여하기 때문입니다.

-그 여여라는 말씀. 그것은 내 스승의 성령으로 생각해도 될까요?

-내 말은 그 성령조차도 내몰아야 한다는 것입니다.

-성령을 내몰라구요?

-그래야 마음이 텅텅 비게 되고 청정해질 것입니다. 모든 것을 마음 밖으로 몰아내야 하는데 이 문제의 핵심이 있습니다. 모든 것을 죽여야 하지요. 신(神)마저도 죽여야 한다는 말입니다. 그때 진정한 무아(無我)의 경지가 되는 것입니다. 거기에는 신도 없습니다.

그 말을 들으면서 데바는 마음속으로 소리쳤다.

신성모독이다!

어떻게 하늘신을 죽이란 말인가? 메시아를 내몰다니?

어불성설이었다. 자기는 신보다도 위대한 인물이다. 그 말과 다를 것이 무엇인가. 이 세상은 신성으로 가득 차 있다. 그 신성에 의해 세상은 존재한다. 그런데 그 신성마저도 죽여야 한다? 신성을 죽인다고?

본질은 청정한 그 마음 위에 있다는 걸 모르는 바 아니다. 자기 긍정을 물리치는 그것을 공으로 정의한다면 공, 그것의 모가지마저 쳐 없애버려야 한다는 말인데 그렇다면 붓다라는 존재마저 쳐

없앨 존재라는 말이지 않은가. 진리는 공이라는 그것마저도 쳐 없애는 곳에 존재한다면 말이다.

아무리 생각해도 말이 안 된다는 생각이었다.

그런데 붓다는 한술 더 떠 이런 말을 했다고 하였다.

-현자여, 해탈(解脫)은 그때 오는 것입니다. 온갖 사슬이 풀어진다는 말입니다. 나를 죄고 있던 것. 그게 무엇이겠습니까. 바로 나인 것입니다. 나를 버려라. 어떻게? 여래는 한평생 그것만 생각했습니다. 그것을 생각하면 여래는 죽음의 길에서 비켜나 있었고, 그것을 놓으면 생의 길 위에 서 있었으니 말입니다. 여래는 그 문제를 풀기 위해 명상 속에서 끝없이 자신에게 물었습니다. 나는 누구인가. 그것은 나를 긍정해 보기 위한 시험이었습니다. 거꾸로 세워보려는 것이었다는 말입니다. 청정한 마음 위의 나 말입니다. 엄연히 나무와 숲은 존재합니다. 그 속에서 피어나는 한 송이 꽃. 그 꽃이 보고 싶었기 때문입니다. 그 꽃이 진정한 제법무아라는 것을 나를 놓아 버렸을 때야 깨달은 것입니다.

듣고 있던 장로가 조금의 흔들림도 없이 붓다를 쳐다보았다. 그도 여간내기가 아니었던 모양이었다.

-무엇을 오해하고 계신 것이 아닙니까? 오로지 내 아버지는 나라는 마음입니다. 그 마음이 곧 천국입니다. 이미 그 속에 존재하는 주인입니다.

-주인?

붓다가 되뇌었다.

-그렇습니다.

-그렇다면 그대의 신은 청정한 마음이요, 참으로 가난한 마음이요, 때가 끼지 않은 마음이 되어야 할 것입니다. 그것이 신입니다. 바로 그대가 말하는 진정한 공의 모습이요 그 형상인 꽃입니다.

-그런데 어째서 저를 오해한다고 생각하십니까?

-문제는 그대 안의 신이 존재 긍정의 함정에 빠질 때 오류가 생긴다는 사실입니다. 아니 이해가 생긴다는 것입니다. 생각해 보십시오. 이해하는 자. 그런 자가 가장 무지한 자인 것입니다. 교합(交合)하는 자인 것입니다. 만인의 이상을 추구하는 자인 것입니다. 진정한 진자는 느끼는 자입니다. 직관. 직관만이 존재하는 자, 그자가 해탈자인 것입니다.

-그렇다면 그대 안에 있는 신이 곧 그대 자신이라는 말씀이십니까?

-말을 분명히 할 필요가 있다고 생각합니다. 그대는 방금 그대 마음의 주인이 하늘신이요, 그가 사는 곳이 천국이라고 했습니다. 그러나 여래는 그러한 깨달음마저도 지워 버리는데 깨달음이 있다는 것을 알고 있습니다. 바로 열반(涅槃)의 흔적, 그 흔적마저 돌아보지 않을 때 여래가 되는 것입니다. 그대로 여여(如如)하기 때

문이지요. 천국의 여여함과 그대의 여여함. 현자여, 자아는 무아를 통해 부서지는 것이 아니라 무아를 체득함으로써 자아가 완성되어 가는 것입니다. 그때 해탈이 오는 것이지요. 곧 대자유입니다. 나도 없고 하늘신도 없는 세계의 여여함이 오는 것입니다.

　-무아를 통해 자아를 완성한다는 그대들의 주장은 참으로 황홀할 정도입니다. 그러나 분명한 것은 나를 주관하는 하늘신의 성령이 나를 존재케 한다는 것입니다.

　-그러나 분명한 것은 무아의 체득을 통한 자아의 완성이 아니라 자아의 완성을 통한 무아의 경지라는 사실입니다. 내가 하늘신 속으로 들어가는 것이 무아가 아닙니다. 내 세계가 내 본 모습이요 바로 그것이 무아입니다. 그것이 이 세상의 모습이요 곧 실상입니다. 그대가 믿는 성령 그 자체입니다. 그럼 그때 나를 버리는 세계가 없어집니다. 버리지 않고의 세계가 없어집니다. 그런 것이 어디 있겠습니까. 버릴 곳도 버리지 않을 곳도 없는 것입니다. 그대로 여여하기 때문입니다.

　논쟁하던 노승이 그제야 붓다의 진심을 깨닫고는 할 말을 잃었다. 그는 잠시 후에야 합장하며 다음과 같은 말을 탄식처럼 흘려놓았다.

　-아아, 그러고 보니 그대는 이미 무아를 완벽히 이해하고 있었군요!

논쟁하던 장로가 감탄하자 붓다는 머리를 내저었다.

-이해가 아닙니다. 그대로입니다. 여여함에 대한 우리의 견해가 그렇다면 더 이상 논쟁할 이유는 없다고 생각합니다. 그대가 가진 사상적 견해와 나의 견해가 같다는 것을 오늘 나 역시 비로소 깨달았으며 바로 이것이 인류의 등불이 될 것임을 믿어 의심치 않습니다.

데바는 자신도 모르게 고개를 숙였다. 그들의 논쟁을 듣고 나자 참으로 자신은 보잘것없다는 생각이 갑자기 들었다. 아니 데바의 마음에 어떤 깨우침 같은 것이 일어나는 것 같았다는 게 옳았다.

그렇게 데바는 조금씩 깨우치면서 계속해서 나아갔다.

그곳에 붓다가 있으리라 생각하고 가보면 이미 붓다는 그곳을 지나쳐 버렸고 소문만이 무성하였다. 어떤 수행승이 인더스강을 거슬러 올라갔다고 하였다. 데바가 머무는 나라와 인접한 바로라라는 나라를 지나 탁샤라라고 하는 나라에 머물고 있을지 모르겠다고 하였다.

데바와 수부티는 계속 나아갔다. 바로라국은 대설산 사이에 있었다. 콩이 많이 나고 금과 은이 많이 나는 부강한 나라였다.

그곳을 지나 탁샤실라국으로 들어서자 나라의 대도성은 그 주위가 어마어마했다. 이제는 이교도를 만나도 그렇게 낯설지 않았다. 여기저기 정사가 지어져 있었다.

수부티와 잠시 머문 탁샤실라국은 땅이 기름진 곳이었다. 꽃과 과일이 풍부했다. 기후는 온화했다. 대성 북쪽에 용왕이 사는 못이 있었다. 물은 맑았으며 연꽃이 아름다웠다. 가뭄이 들면 왕은 가끔 이곳으로 나와 기우제를 지낸다고 하였다. 누구도 용을 본 사람은 없지만 전설을 믿고 있다는 것이다.

데바와 수부티가 못으로 가보니 정말 용이 살고 있었다. 눈이 붉었다.

-내가 보이느냐?

-눈이 붉은 것이 성질깨나 있게 생겼구나.

-무엇 하는 놈이냐? 감히.

-지나가는 나그네다.

잠시 후 숫용이 굴속에서 나왔다.

-왜 이렇게 시끄러운 것이야?

-별 이상한 놈이 다 있네. 저놈은 보통 인간들 하고 달라보이네. 아니 우리가 보인다고 하잖소.

-뭐 인간이 우리를 볼 수 있다고?

숫용이 암용에게 그렇게 묻고 데바와 수부티를 번갈아 쳐다보았다.

-네놈들의 눈에 우리들이 보인다고?

-여기서 산 지 얼마나 되었느냐?

이번엔 수부티가 물었다. 그도 신통의 경계를 넘어선지 오래된 사람이다.

-어렵쇼. 정말일세. 정말 우리가 보이느냐?

숫용이 믿지 못하겠다는 듯 다시 물었다.

-그렇다.

수부티가 대답했다.

-내 여기서 오백 년을 살았어도 나를 보는 인간이 없었는데 신기하도다.

-그동안 인간들을 얼마나 괴롭혔느냐?

데바가 물었다.

-우리들의 수고를 모르는 것들이 인간들이다. 비가 필요하면 비를 오게 하고 곡식이 익을 철이면 구름을 쫓아 곡식을 익게 했다. 그런데 인간들은 너무 몰라. 일년에 한 번 마지못해 감사의 제나 올려주지.

-서로 도와가며 살아야 할 것이다.

성 밖 동남쪽, 남산 북쪽에 높이가 1백여 척이나 되는 하늘신의 수토파를 보고야 알았다. 이 수토파는 이곳의 짐만 왕이 세운 것이라고 하였다. 짐만 왕은 하늘신의 사상을 편 파듬리모리와 개조 열반 후 1백 년 후에 태어난 사람이라고 하였다. 즉위 10년 후 하늘신에 귀의하여 법에 따른 승리야말로 최상의 승리라는 신념으로 나라를 통치했다고 하였다.

　파듬리모리와 왕에게는 쿤달리라는 아들이 있었다. 정실의 황후가 낳은 쿤달리는 용모가 단아하고 자비심이 두터운 태자였다. 태자의 어머니가 죽자 계모가 들어왔다. 계모는 무척 방탕한 여자였다. 음기를 주체치 못해 그만 태자의 용모에 정신을 빼앗기고 말았다. 그는 은근히 태자에게 접근했다.

　태자가 응할 리 없었다. 생모는 아니지만, 엄연히 어머니가 아닌가.

　태자는 빌었다.

　-양어머니, 이러시면 안 됩니다. 어떻게 이러실 수 있습니까?

　양모는 무안하기도 하고 분하기도 해서 왕에게 가 태자를 음해하기 시작했다.

　-결코 왕위를 태자에게 넘겨서는 안 될 것입니다. 소문에 듣자하니 태자가 천한 여자를 가까이한다고 합니다. 이 나라가 어떤 나라입니까. 어떻게 천민의 딸을 국모로 받아들일 수가 있단 말입니까. 만약 왕위를 물러주신다면 세상의 물의가 있을 것입니다.

　그 말을 들은 왕은 태자를 불렀다.

　-양어머니의 말이 모두 사실인가?

　태자는 아무 말도 하지 못했다. 사실 그는 천하디천한 무녀의 딸을 사랑하고 있었기 때문이었다.

왕은 그 길로 둘 사이를 떼놓기 위해 태자에게 변경인 탁샤실라 국의 왕위를 물러주며 이런 말을 했다.

-탁샤실라국은 이 나라의 요지이다. 나는 조상의 뒤를 이어 백성의 손발이 되어 선왕의 뜻을 거스른 적이 없다. 나는 이제 너에게 이 나라를 지킬 것을 명한다. 국사는 중대하고 인정에는 잘못이 있기 마련이다. 진퇴(進退)에 소루(疏漏)함이 있어 국가의 대본을 그르치지 말라. 명령할 것이 있다면 내 치인(齒印)을 살펴라.

태자는 왕의 명령을 받아 탁샤실라로 가 그곳을 지켰다.

세월이 흘렀다.

양모는 태자를 그대로 놔두지 않았다. 늘 기회를 노리고 있던 양모는 왕이 없는 사이 거짓으로 명령서를 꾸며 왕이 돌아와 잠이 들자 슬쩍 왕의 치인을 박아 사람을 시켜 문책서를 보냈다.

문책서를 먼저 받아본 사자가 어쩔 줄 몰랐다.

-왜 그러느냐?

영문을 모르고 태자가 물었다.

-이러실 수는 없습니다.

그렇게 말하고 사자는 눈물을 감추지 못했다.

-왜 그렇게 슬퍼하느냐?

태자가 다시 물었다.

-대왕께서 이상한 명령을 내리셨습니다.

-이상한 명령이라니?

태자는 아버지의 치인이 박힌 문책서를 건네받아 읽었다. 그곳에는 이렇게 쓰여 있었다.

천하디천한 무녀의 딸을 만나지 말라 했거늘 국왕으로서 국법을 어겼다. 그러므로 명하노라. 너의 두 눈을 도려내어 산골짜기에다 버리고 궁을 떠나 네 죄를 반성하라.

-이럴 수가!

문책서를 읽어보고 난 태자가 넋을 놓으며 한탄했다. 그러자 사자가 나섰다.

-왕이시여, 비록 대왕의 치인이 박혔다고 하나 신용할 수 없습니다. 확인이 필요합니다.

잠시 생각에 잠겨 있던 태자가 고개를 내저었다.

-아니다. 이 치인은 아버지의 치인이 분명하다. 찬탈라를 불러라.

찬달라는 주살인, 즉 사람을 죽이는 임무를 맡은 가장 천한 계급의 사람이었다.

-칼을 가져오라.

찬탈라의 손에 칼이 쥐어졌다. 그는 부들부들 떨었다.

-짐의 눈을 파내라!

-왕이시여, 내가 만약 이 칼로 왕의 눈을 파낸다면 스스로 자결하고 말 것입니다.

-어서 파내지 못하겠느냐!

그러자 찬탈라는 그 자리에서 칼을 심장에 박고 죽었다.

피가 흘러내렸다.

-다른 찬탈라를 불러라.

왕이 명령했다.

다른 찬탈라가 왔다. 그 찬탈라 역시 거절하였다.

태자는 칼을 뺏어 찬탈라의 목을 쳤다. 그의 눈에서 눈물이 흘러내렸다. 그는 눈물을 흘리며 소리쳤다.

-다시 찬탈라를 불러라.

찬탈라가 오자 왕은 다시 소리쳤다.

-내 눈을 파내라. 너마저 거절한다면 내 손에 목을 베이리라.

찬달라가 손을 떨며 태자의 눈을 파냈다.

그 길로 태자는 모든 것을 버리고 천하디천한 무녀의 딸과 궁을 떠났다. 그들은 걸식하며 여기저기를 떠돌았다.

그 소식을 들은 왕은 상심하여 그들을 찾았으나 찾을 길이 없었다.

겨울이 왔다. 그들은 추위와 굶주림에 지쳐 하는 수없이 도성까지 갔다.

그는 아내를 기다리게 하고 홀로 궁 외양간으로 숨어들었다. 그는 부왕을 만날 수가 없었으므로 외양간에서 울면서 노래를 불렀다. 부왕이 그맘때가 되면 궁 밖으로 나와 산책한다는 사실을 알고 있었기 때문이었다.

부왕은 누각을 산책하다가 문득 옛날 태자가 잘 부르던 노랫소리를 들었다.

-저건 태자의 노래가 아니냐?

-그런 것 같사옵니다.

아랫사람이 귀를 기울여 보고는 아뢰었다.

-가보자.

그들은 노랫소리가 흘러나오는 외양간으로 갔다. 거기 눈먼 아들이 있었다.

부왕은 태자를 안고 눈물지었다.

-누가 너의 몸에 이런 상처를 내었단 말이냐. 너의 소식을 듣긴 했다 만 이런 줄도 모르고 나라를 다스렸다니. 내 덕이 쇠잔했구나.

마침 그곳을 지나던 걸승이 소식을 듣고는 왕을 찾았다.

왕이 보니 그는 예사 사문이 아니었다. 보리수 신전에서 수행하는 고샤 피아라한이라는 나한이었다. 그 나라에서도 성인으로 추앙 받는 이였는데 예사롭지 않다는 생각에 왕은 그에게 자초지종을 말하고 태자가 눈을 뜰 수 있게 해달라고 원했다.

피아라한은 왕의 소원을 받아들였다. 그는 스승인 붓다의 묘리를 설한 다음 왕에게 주문했다.

-가서 무녀의 딸을 데려오시오. 그들을 하나가 되게 하겠다면 내 그대의 소원을 들어주리다.

천하디천한 무녀의 딸이 왕 앞에 무릎을 꿇었다.

왕은 그들을 하나 되게 하고 양모의 목을 베었다.

파아라한은 왕에게 다음과 같은 부탁을 했다.

-태자를 눈 뜨게 하려면 온 나라 사람들의 눈물이 필요합니다.

왕은 백성들에게 눈물로 호소했다. 그대들의 눈물이 필요하다고. 뒤이어 성인이 붓다의 묘리를 설했다. 울지 않는 이가 없었다. 하나같이 눈물을 받아 왕에게 바쳤다. 파아라한은 그 눈물을 모두 모아 금으로 장식된 병에 넣고 서약하기를,

-붓다시여, 저는 진실로 불법의 이치를 설했나이다. 내 설법에 잘못이 있다면 모르되 그렇지 않다면 이 눈물로 저 소경의 눈을 뜨게 해주소서.

그렇게 서원하고는 눈물로 태자의 눈을 씻었다. 태자의 눈이 서서히 생성되기 시작했다.

모든 것을 듣고 난 데바가 물었다.

-그 성인의 이름이 분명 피아라한이 맞습니까?

듣고 있던 이가 고개를 주억거렸다.

-맞습니다. 그분이 이곳을 떠나면서 그러더군요. 누군가가 나를 찾아와 묻거든 내 이름은 피아라한이라고 하라.

-그런데요?

-그런데 그분이 가시는데 갑자기 이상한 현상이 일어나는 게 아니겠습니까.

-이상한 현상이라니요?

역시 데바가 물었다.

말하던 이가 두 갈래로 갈라진 길을 가르쳤다.

-저 길이 보이지요. 서쪽으로 가는 길은 보리수 정사로 가는 길이고 동쪽으로 난 길은 이웃 나라인 싱하프라국으로 가는 길이지요. 그 길목에서 갑자기 한 몸이 두 몸으로 분리되는 게 아니겠습니까. 내가 물었지요.

-지혜로운 선덕이시여, 이제 어디로 가시나이까? 그러자 그 걸승이 말했어요.

-?

-내 길 잃은 중생을 위해 너의 영성을 지금껏 살찌우고 있었느니라. 이제 너에게 자타의 숙세에 있어서의 존재 양태를 모두 가르쳤으니 내 갈 길로 가거라. 그렇게 말하고 가시면서 데바라는 제자

가 나를 만나러 올 것이다. 그에게 전하라. 카슈미르국을 거쳐 소나마르크로 오라고.

그렇다면 그 노승이 바로 붓다가 아닌가. 데바는 전신을 떨었다.

이럴 수가! 그 양반이 내가 올 것을 또 알고 있었다고?

데바가 절망하자 그때까지 침묵하던 수부티가 쿨쿨 웃었다.

-이제 정신이 드시는가!

-차라리 외도의 기적이 낫지 않습니까?

데바가 안간힘처럼 내뱉었다. 점점 붓다에게 동화되어가는 자신을 곧추세우듯이.

-자네의 눈에는 붓다는 아직도 외도지? 그래. 외도라고 하세. 외도가 여기서 그렇게 복을 짓고 있었다고 해. 그러나 그의 선근이 이생만 흘러갈 것 같은가. 금강경을 설하던 날 내 금강의 법이 오백 생을 흘러 흘러가리라고 하셨는데….

-아, 그리고 보니 생각이 나네요. 그날 6경에 잡히지 않고 덕을 베풀어야 그것이 진정한 베풂이다 그렇게 말했다지요?

-그러네. 붓다는 말씀하셨네. 후 오백 세에도 영원하리라고. 과거에 수많은 부처님께 선근을 심은 이는 내 금강의 법을 듣고 청정한 믿음을 내리라고. 그리하여 한없는 복덕을 얻게 되리라고. 그들은 마음에 상(相)이 없으므로 그들에게의 법은 뗏목과 같다고. 법이 아닌 것은 법에 대한 상도 버려야 한다고.

-하하하 역시 그렇군요. 잠시 흔들렸지 뭐야. 역시 그분다워요. 그러니까 강을 건넜으며 배를 버려야 한다는 말 같은 건하지 맙시다. 식상하니까.

-이 사람….

-가르빈가의 말을 들으니 금강경을 설하시던 날 붓다는 처음부터 마음을 항복 받으라 하셨고 하셨다는데. 중생을 제도함에 있어 내가 중생을 제도하였다는 관념이 없어야 하고, 아상(我相), 인상(人相), 중생상(衆生相), 수자상(壽者相)의 4상이 있는 이는 보살이 아니라고.

-그건 바로 보았군!

-그리고는 집착함 없이 베푸는 것이 무주상보시(無住相布施)를 하는 것이 진정한 보시라고 하셨다는 데 집착함 없이 베푸는 보시라? 그게 가능한가요? 가난한 이들을 보고 보시할 염을 일으키지 않고 어떻게 보시를 할 수 있단 말입니까?

수부티가 어이가 없어 웃었다.

-이 사람아 그게 무슨 말이겠는가? 보시하면서 생색내지 말라는 말이 아니겠는가. 생각해 보게. 가난한 이들도 똑같은 인격체네. 본래면목은 베푸는 이와 다를 것이 없는 사람들이다 그 말이야. 그걸 자각하면서 보시해야 한다 그 말씀이지. 자네도 언제 어느 때 그 사람으로부터 보시받게 될지도 모르지 않겠나.

-정말 그런 뜻에서 하신 말씀이다?

-그럼?

-내가 듣기엔 내게 시주한다고 생각한다면 그건 시주가 아니니라 그렇게 말씀하시는 것 같은데요.

-이 사람 지금 무슨 말을 하는 것이야.

-좋습니다. 그렇다고 하지요. 32상을 갖춘 부처의 육신에 관해서 설했다는데 그것은 그러니 너희들은 나를 믿어라. 존경하고 흠모하라 그 말 아닌가요?

수부티가 기가 차 또 허허 웃었다.

-이 사람 정말 안 될 사람이로구면. 가르빈가가 어떻게 전했을지 모르겠지만 붓다는 영원한 진리의 몸인 법신(法身)이 아님을 밝히셨다네. 참된 불신(佛身)은 무상(無相)이라고 말일세.

-그래서 미륵의 자랑을 그렇게 하시는구만요. 살아 있는 자의 동상을 세우게 하고…. 더욱이 그 말이 그 말 아닙니까?

-뭐가?

-꼬락서니가 무슨 관계냐. 그 말인 거 같은데요. 내가 잘났던 못났던 네게 갖다 바쳐라. 그 말 아니냐구요. 끼리끼리 해 먹으려고 아주 미륵이를 이제 내세우고 있으니.

-뭐 눈에 뭐만 보인다더니 왜 그러나? 무릇 있는바 상은 모두 허망한 것이다. 그 말씀인 것을.

-글쎄 그러니까 그 말 아니냐구요. 꼬라지를 따져 봐야 허망한 것이니 그냥 시줏물이나 갖다 바치면 된다 그 말 아니냐구요. 그러니 천상까지 힘을 뻗치셨지. 어리석은 자들은 역시 중생이라니까. 최면에 걸린 것도 모르고.

-최면? 붓다의 의중을 그렇게 모르겠는가. 만약 모든 상이 상이 아님을 보면 곧 여래를 보리라. 그 말 아닌가.

-문제는 만약이라는 그 말입니다.

-뭐?

-너희들 수준으로서는 결코 상이 상 아님을 보지 못한다 그 말 아닙니까? 그러니 중생이야 어떻게 상을 보겠습니까. 최면에 걸려 허상이나 찾아다닐 수밖에요.

-그만두세. 말이 통해야지 원.

수부티가 버럭 화를 내며 앞으로 나아갔다.

데바는 재미난 표정을 지으며 그를 지켜보다가 따라가며 이죽거렸다.

-내가 설하는 법이 취하거나 설명할 수 있는 것이 아니라고 했다는 데 그게 무슨 말이겠습니까? 너희들 짧은 소견으로 토 달지 마라 그 말 아닙니까? 화가 나 앞서 나아가던 수부티가 너무 기가 막혀 되돌아보았다.

-이 인간아, 그 뜻을 모르겠다고? 법도 아니요, 법 아닌 것도 아

니라는 그 뜻을 모르겠다고?

　-그러니까요. 붓다는 이어서 청정한 마음으로 외적인 대상에 집착함이 없이 마땅히 머무르는 바 없이 그 마음을 내라고 하셨다는데 이게 무슨 말이겠습니까? 어떤 놈도 믿지 마라. 집착하지 말고 나만 믿어라. 그 말 아닙니까?

　-어허, 이게 무슨 일인가? 천하의 데바가 이 정도밖에 안 된 인물이었다니. 아무리 불신이 깊어도 그렇지. 몹쓸 사람!

　-사형이 뭐라고 해도 여기 그 증명이 있습니다.

　-증명? 무슨 증명?

　-붓다는 이어서 내가 모든 중생의 차별적인 마음의 움직임을 모두 알고 있다. 그렇게 말했다면서요? 과거, 현재, 미래의 마음은 가히 얻을 수 있는 것이 아니라고 했다면서요? 이 말이 무슨 말입니까? 내가 너희들 마음을 다 알고 있다. 과거 현재 미래도 마찬가지다 그 말 아닙니까?

　-이보시게. 해도 너무 하는 것 아닌가. 모름지기 진여법(眞如法)이 무엇이겠는가. 그다음 말씀이 그것을 증명하고 있네. 진여법이 평등하여 아래위가 없는 것이 온전한 깨달음이다. 그렇게 여래의 선법(善法)임을 밝히고 이어 여래를 형체에 얽매어 보지 말 것을 설하셨네. 만약 형색으로 나를 보고, 음성으로써 나를 구하면 삿된 도를 행하는 것이므로 결코 나를 보지 못한다고 말일세. 그리고는

일체의유위법(有爲法)이 꿈이나, 환영, 물거품, 그림자와 같고 이슬, 우레와 같음을 관해야 한다고 하셨네.

  -그럼 금강의 설법이 말하고 있는 것은 무엇인가요? 사형은 말이 안 통한다지만 그래요. 생각을 좀 더 높여 보자구요. 붓다의 말씀은 강을 건넜다면 배에 집착하지 말라 그 말 아닙니까? 그러나 버려야 할 것이 있고 버려서는 안 되는 것이 있지요. 배는 버려야 하지만 아버지 어머니도 버려야 합니까? 버린다면 천역의 함정에 빠지고 버리지 못한다면 진리의 함정에 빠지고 말 터인데.

  -출가를 왜 하였는가? 부모를 버리고 아내를 버리고 자식을 버리고 왜 출가하였는가? 붓다는 말씀하셨다. 모두를 죽이고 출가했다면 스승을 섬기고 배웠다면 스승을 버리라고.

  -문제는 그것이 아닙니다. 진리는 그 위에 있다는 사실입니다.

  -무엇이?

  수부티가 놀란 얼굴로 데바의 말을 되받았다. 생각지도 않는 말이라 많이 놀란 표정이었다.

  -늘 그랬었지요. 지옥이니 천상이니 잘도 설파하다가 정작 극락이 있습니까 하고 물으면 붓다는 침묵합니다. 침묵할 수밖에요. 진리가 말이 될 수는 없지요. 말로 설명할 수 있다면 진리가 아니지요. 그래서 침묵하는 겁니다. 그럼 침묵이 진리일까요? 바로 그겁니다. 붓다가 침묵하는 이유. 그 침묵 위에 진리란 놈이 있기 때문

이지요. 문제는 붓다가 지금도 그 침묵경을 우리에게 가르치고 있다 그 말입니다. 생각해 보세요. 침묵이 진리인가요? 그래요? 아닙니다. 왜 이러세요? 침묵의 머리 위에 있는 그 무엇입니다. 그럼 침묵의 모가지를 뎅강 잘라야지요. 붓다의 모가지를 뎅강 잘라야 그 대답이 보일 거다 그 말입니다.

수부티가 눈을 크게 뜨고 벌벌 떨다가 데바를 멀거니 쳐다보며 입을 열었다.

-너 이놈! 인제 보니 끝까지 갔구나. 그래, 좋다. 그러니까 그 침묵을 칼질해 보겠다?

그래서 소나마르크로 찾아가는 것이냐 그 말이었다.

데바는 서슴없이 대답했다.

-맞습니다. 그 침묵의 목을 날려 봐야겠습니다. 진리란 놈이 어떻게 생겼는지….

-어허 이놈. 네놈이 사람이냐! 여래는 이미 대답했다. 깨달음을 얻은 법도, 설한 법도 없다고. 무위의 법은 얻을 수도, 말할 수도 없다고. 오로지 이 법을 받아 지니라고. 그리하여 다른 사람을 위해 설해 주라고. 그럼 그 복덕이 온 삼천대천세계를 칠보로 보시하는 것보다 더 뛰어나다고. 모든 붓다와 그 깨달음의 법이 이 법문에서 나왔다고. 에이!

수부티가 더 말할 것 없다는 듯이 횡하니 앞서 나갔다.

| 3 |

두 사람은 여전히 풀지 못한 숙제를 앙금처럼 안은 채 싱하프라국을 지나 우라샤국을 거쳐 카시미르국으로 들어갔다.

카시미르국을 들어갈 때까지도 수부티는 데바를 상대하지 않으려고 했다. 쌩하게 앞서 나가는가 하면 뒤떨어져 앞만 보고 걸었다. 데바가 앞서가다가 되돌아서서 기다리고는 하였는데 그때마다 본채도 않고 지나쳐 버렸다.

-골이 단단히 나셨는가 보네?

-말 걸지 마.

-그렇다는 말이지요. 뭐. 그럼 산 사람이 자기주장도 못 펼칩니까?

-네놈은 근본부터가 잘 못 된 것이야. 속가의 부모가 자기를 낳아준 사람들이라면 승가의 부모는 스승이다. 그러므로 스승의 그림자도 밟지 않는 것이 도리이고 승가의 법도. 어디 파란강충이가 엉덩이에 뿔이나 스승을 업신여기는 게야. 꽃무릇 같은 놈.

-뭐 꽃무릇?

꽃 중에서 가장 독성이 강하고 아름다운 꽃이 꽃무릇이다. 한 뿌리인데도 잎과 꽃이 만나지 못하는 상사화. 붓다가 제자로 받아들이면서 어린 그에게 찾으라고 했던 꽃이 바로 그 꽃이다. 그 꽃이 독성과 독기가 빠지면 세상에서 가장 아름다운 금강화가 된다. 그래서 붓다는 그 꽃을 찾으라 했던 것이 아닌가.

그러니까 되라는 금강화는 안 되고 독기가 가득한 꽃무릇 그대로라는 말이었다.

-그럼 해당화라도 되냐! 넌 이놈아, 글렀어.

-이거 이러지 맙시다. 그 정도는 저도 압니다.

-아는 놈이 입만 열면 스승을 못 잡아 먹어서 입에 게거품을 무는가.

이번에는 데바가 손을 흔들었다.

-그래서 뭐 어쩌자는 게요. 그래요. 나 이렇게 생겨먹었시다. 눈치 보는 것도 신경 쓰여 잘해보려고 했더니…. 그래 먼 길을 계속 이렇게 갈 거요? 그렇담 헤어집시다.

헤어지자는 말에 수부티는 가슴이 쿵 하고 내려앉았다.

이 자가 정말 이 길로 붓다를 찾아가 행패를 부릴 것이 아닌가. 그러고도 남을 놈이다. 어떡하든 붓다가 가신 곳까지 가면서 마음을 돌리게 해야 한다.

그런 생각이 들자 내가 좀 심했나 싶기도 하다.

저도 속이 상하니까 하는 소리겠지. 하기야 스승을 헤치기야 하려고.

상종 못할 놈이긴 하지만 설마 싶다. 그럴 리가 있나. 아무리 못된 놈이라고 할지라도 은덕을 입은 바 크다. 그리고 사려분별이 누구보다도 분명한 놈이다. 그걸 모를 리 없다. 붓다에게 외면당했다고 할지라도 또 따뜻하게 안아주면 풀려 버릴 놈이긴 하다. 그리고 무엇보다 그들은 피붙이가 아닌가. 더욱이 붓다는 데바의 속셈을 알고 있을 것이다.

카슈미르국은 주위 7천여 리나 되는 나라였다. 사방이 산으로 둘러싸인 곳이었다. 카슈미르국의 대도성은 서쪽으로 대하를 바라보고 있었다. 추운 곳이었다. 눈이 많고 바람은 적었다. 사람들은 주로 털옷과 무명을 입었는데 붓다의 사상을 연구하는 정사가 여러 곳 있었고 사문은 수천 명이 되어 보였다.

수부티는 기억하고 있었다, 언젠가 붓다께서 이곳을 가리키며 이렇게 말한 적이 있었다.

-카슈미르국과 나의 인연이 만만치 않다. 내 입멸 후 거기에도 4개의 탑이 서리라. 아쇼카라는 이름을 가진 왕이 태어나 그 탑을 세우게 될 것이며 여래를 화장(火葬)하면 무려 일곱 말이 넘는 영롱한 보석이 나올 것이다.

그렇다면 붓다는 죽어 그의 온몸이 불에 타면서 보석이 되어 버린다는 말이었다. 참으로 못 믿을 말이었지만 붓다는 다음 말을 이었다.

-주위의 강대국들이 사리를 서로 차지하기 위해 전쟁을 일으키게 될 것이고 각 나라에 골고루 나누어져 탑에 모셔지리라.

수부티가 그런 생각을 하는 사이 데바는 용지(龍池)라는 연못 앞에 서 있었다. 붓다가 웃디야나국에서 악신에게 항복 받고 중국에 들어가고자 할 때 들린 곳이 바로 이곳이었다. 결국 들어가지 못했지만 그때 붓다는 아난에게 이런 말을 했다.

-여래가 웃디야나국을 통해 중국으로 들어가려고 할 때 악신이 해방을 놓았다. 그때 나를 도운 용이 있었으니 그가 마디얀디(末田底迦)다. 마디얀디가 내게 일렀다.

-'붓다시여, 그냥 돌아가시는 것이 나을 듯합니다.' 여래가 중국 정세를 살펴보니 너무 어지러워 불법이 들어간다 한들 아무 소용이 없을 것이라는 판단이 섰다. 여래가 마디얀디에게 이른 즉, 네가 아난불의 법을 이어 불법을 이으면 그 법이 흘러 달마조사에게까지 이를 것이다. 여래가 입멸한 다음 마디얀디가 반드시 이곳에 와 나라를 세워 불법을 이어 달마조사에게 이를 것이니 부디 사명을 잊지 않도록 하라.

-마디얀디가 누구입니까?

아난이 물었다.

-바로 너의 제자이니라.

데바가 천안통을 열어 살펴보니 마디얀디는 용이 되어 지금 이 연못에 와 있었다.

데바가 연못 앞에 서 있자 마디얀디가 연못을 나와 데바에게 예를 올렸다.

데바가 마디얀디를 살펴보니 천호크 호수에서 보던 모습 같지 않다. 수척한데다 비늘까지 벗겨져 행색이 말이 아니었다.

-저의 주인 님은 지금 어디 계십니까?

마디얀디가 아난의 소식부터 데바에게 물었다.

-소나마르크 와호마 호수에 가 계신다. 그런데 네 형색이 말이 아니구나.

-제가 살던 천호크에서 큰 분란이 있었습니다. 겨우 이곳까지 왔으나 아직 자리를 잡지 못하고 숨어 있습니다. 그러나 개의치 않습니다. 곧 인간으로 환생할 것이기 때문입니다. 약속된 날이 오고 있습니다.

데바가 살펴보니 붓다의 예언대로 마디얀디가 아난의 제자가 되어 교단으로 들어가고 있었다. 데바와 수부티가 떠나고 나자 마디얀디는 수풀 속에서 명상에 잠겨 신변(神變)을 보였다. 그의 몸이 열두 신으로 변해 세상의 다리가 되는 무지개 신변이었다. 이에 놀란 연못의 주인인 용왕이 나타나 그의 앞에 엎드렸다.

-마디얀디시여. 바라는 것이 있다면 무엇이나 해드리겠습니다.

마디얀디는 연못의 물을 줄이고 자기 무릎을 넣을 수 있을 정도의 장소를 달라고 했다.

방금 마디얀디의 신변을 보았던지라 용왕은 물을 줄이지 않을 수 없었다.

마디얀디의 몸이 엄청나게 부풀어 올랐다.

용왕이 보니 마디얀디가 들어앉으려면 연못 전체가 필요할 것 같았다. 그럼 이제 용왕이 살 자리는 없어진다. 용왕이 이번에는 부탁하였다.

-대덕의 청을 들어 이곳을 드렸으니 저의 청도 들어주십시오. 이 한 몸 살 연못을 만들어 주십시오.

마디얀디는 용왕을 위해 나라 한쪽에 연못을 만들어 주었다.

산정의 동남쪽 10여 리 북쪽 큰 산 남쪽에 큰 사원이 있었다. 예전부터 토착신을 모시던 신전이었는데 그 안에 작은 탑이 있었다. 탑 속에 과거세의 붓다 디팜카라 붓다의 치아가 봉안되어 있었다. 길이는 1촌 반 정도이고 황백색이며 때때로 제일(齊日)에는 빛을 발하기도 하는 디팜카라 붓다의 치아였다. 그가 곧 석가모니 붓다가 과거세에 수도할 때 내세에 그대는 석가모니 붓다가 될 것이라고 수기한 붓다였다.

그러나 데바는 고개를 내저었다. 디팡카라 붓다는 전설 속 인물이다. 4아승지겁의 사람. 4아승지겁에 우주가 존재라도 했던가? 단 그가 붓다의 전생에 나타나 석가모니 붓다로 환생할 것이라는 전설만이 전해 내려오고 있었는데 여기에 그의 치아가 봉안 되어 있단다. 더러 말은 들어보았지만 어이가 없었다. 이는 필시 석가모니 붓다를 흠모하는 집단의 낭설이거나 교단의 장난이 분명했다. 어쩌면 붓다도 거기 관련이 되어 있을지 몰랐다.

데바와 수부티는 주지승을 찾았다.

주지승은 키가 작고 오랜 수행으로 인해 안짱다리를 하고 있었다.

그는 데바와 수부티를 보자 찾아올 줄 알고 있었다며 붓다의 소식을 전해주었다.

-여래께서 분명히 이곳을 지나가셨습니다. 얼마 지나지 않아 데바라는 이가 올 것이라고 했습니다.

-그분은 내 스승이십니다. 왜 여기서는 붓다라고 부르지 않습니까?

수부티가 물었다.

-그분에게는 분파가 없습니다. 어떤 종교인도 그분을 존경하며 여래라고 부릅니다.

여래라는 호칭은 붓다가 자신을 스스로 가리킬 때 쓰는 말이었다.

　역시 소나마르크로 가신다고 하시던가요?

　이번에는 데바가 물었다.

　-그보다 먼저 자신이 있는 곳으로 오려면 금룡(禁龍)의 법을 터득해야만 할 것이라고 했습니다.

　-금룡의 법이라니요?

　데바의 되물음에 그는 이렇게 대답했다.

　-옛날 디팜카라 붓다가 불법을 펴던 시절, 외도 크리타 종이 들어와 방해한 적이 있었습니다.

　여기 아직도 디팜카라 붓다의 법이 존재한다고? 디팜카라는 4아승지겁의 사람이다. 수백 년도 아니고 수천 년도 아니고 4아승지겁. 셀 수조차 없던 시절의 사람인데 여기도 그의 흔적이 존재한다고. 그래 그런 존재가 그 시대에 있었다고 하자. 그의 법이 지금까지 민간신앙처럼 내려왔다고 하자. 그렇다고 해도 그렇다. 치아가 있다거나 또 크리타 종은 뭔가? 사람의 집단이 분명한데 그 시절에 붓다가 존재했다고?

　언젠가 붓다는 과거세불에 대해서 말한 적이 있었다.

　-과거세는 현재와의 대화 속에 있고 미래에 되살아나는 것이니라. 과거에 쌓은 다양한 활동이 현재에 영향을 미치는 것이며 현재의 활동이 미래가 되는 것이니라. 그러므로 현재만 사는 것이 아니

니라. 우리는 과거와 함께 살고 있고 미래와 함께 사는 것이니라. 불보살에게도 그것은 어길 수 없는 사실이며 과거의 덕행이 오늘과 내일의 모습을 만든다. 여래도 전생에 무수한 덕행으로 오늘에 이르렀으며 과거에도 28분의 붓다께서 출현하셨느니라. 최초의 붓다는 지금으로부터 약 4아승지겁 전에 태어나 붓다가 되신 탄항카라 작애(作愛) 붓다이시다. 그 후 메당카라(作慧), 사라낭카라(作歸依), 디팜카라(然燈) 붓다가 출세하셨고 장엄겁(莊嚴劫)에 비바시불, 시기불, 비사부불 그리고 현겁에 구류손불, 구함모니불, 가섭불, 그리고 오늘에 이르렀느니라. 과거세에 여래에게 장차 붓다가 될 것임을 수기한 붓다는 디팜카라 불이며 그들의 법이 오늘에 이르러 열매 맺은 것이니라.

데바는 붓다의 말을 기억하다가 주지 스님을 향해 물었다.

-디팜카라 붓다라고 한다면 아승지겁에 출세하셨던 붓다인데 아직도 그 법이 이곳에 있다니 놀랍군요. 이곳으로 오다가 그분을 신봉하는 무리를 만났는데 그 법이 어떤 법입니까? 지금 붓다께서 펴고 있는 바로 그 법인가요?

주지승이 고개를 내저었다.

-과거불의 법은 무수한 시간의 산물일 뿐이지요. 교리상으로 전해지는 법은 없습니다. 물과 같고 영혼 같은 것이라고나 할까요. 불성(佛性)이라고 해야 맞을지 모르겠습니다. 석가모니 붓다께서

깨침을 얻은 후 중생들을 제도함으로써 비로소 그 불성이 형태를 잡은 것이지요. 그러므로 여기서는 과거불과 지금의 석가모니 붓다를 달리 보지 않습니다.

　-방금 금룡의 법이라고 하셨는데 그럼 아주 오래전부터 전해오던 것이겠군요?

　-물론입니다.

　그렇게 대답하고 주지승은 다시 말을 이었는데 들어보니 이런 말이었다.

　승려들은 뿔뿔이 흩어졌다. 각자 제 살 곳을 찾아 떠난 것이다. 주지승의 조상들 역시 마찬가지였다. 그들은 천축 전역을 떠돌다가 본국이 평정되었다는 소식을 접하자 다시 귀국을 서둘렀다.

　도중에 그들은 광분한 코끼리 떼를 만났다. 코끼리들은 초원 가득 모여 울부짖으며 뛰고 있었다.

　주지승의 선조는 급한 김에 나무 위로 올라갔다. 나무 옆에는 큰 연못이 있었는데 코끼리들이 달려와서는 그 연못의 물을 코로 빨아들여서는 나무뿌리를 향해 쏘아대었다. 이내 나무뿌리가 드러났다. 나무뿌리가 드러나자 코끼리들은 힘을 합쳐 나무를 흔들기 시작했다.

　그는 나무에서 떨어지지 않으려고 나뭇가지에 애벌레처럼 붙어 있었으나 기어이 나무는 뿌리째 뽑혀 넘어지고 말았다.

나무가 넘어지고 그는 나동그라졌다. 코끼리 떼들이 그를 향해 달려들었다.

코끼리들은 그를 사로잡아 등에 태우고 숲속으로 들어갔다. 한참을 들어가자 숲 가운데 병든 코끼리 한 마리가 누워 있었다. 코끼리들은 사로잡아온 그를 병든 코끼리 앞에 내려놓았다.

병든 코끼리는 다리에 상처를 입고 있었다. 상처가 깊었다. 상처 난 곳을 살펴보았더니 마른 대가 꽂혀 있었다. 그는 대를 빼내고 가지고 있던 약을 발라준 뒤 옷을 벗어 상처 난 다리를 싸주었다.

그러자 늙은 코끼리가 금으로 만든 함 하나를 상처 난 코끼리에게 주었다. 상처 난 코끼리가 그것을 받아 다시 그에게 주었다.

그가 금으로 된 함을 열어보니 그 속에 디팜카라 붓다의 치아가 들어 있었다. 그제야 코끼리가 그것을 지키느라 상처가 났다는 것을 알았다.

코끼리들은 진귀한 과일을 그에게 갖다 바쳤다. 동료를 구해준 은혜에 감사하며 그가 식사를 마치자 그를 태워 그 나라 서쪽 경계까지 데려다주었다. 그리고는 무릎을 꿇어 예를 올린 다음 모두 떠났다.

그는 강을 건너야 했으므로 사공을 불러 배를 탔다. 강 중앙에 배가 이르자 급류에 배가 뒤집히려고 하였다.

갑작스러운 조화에 놀란 사람들이 잠시 후 소리쳤다.

-저기를 보시오.

그가 사람들이 가리키는 곳을 보았더니 용들이 물살을 헤치며 다가오고 있었다.

용들을 향해 그가 물었다.

-왜 그러는가?

-그 금함을 우리에게 넘기시오. 그 속에는 디팜카라 붓다의 치아가 들어 있소.

-어떻게 짐승인 너희들에게 이 귀중한 것을 줄 수 있는가.

그러자 사람들이 고함을 질렀다.

-주시오. 주어 버리시오. 배가 뒤집히고 있지 않소. 그대가 죽는다면 그 금함이 무슨 소용이요.

하는 수 없다는 생각이 들었다. 그는 하늘을 우러러 예를 올린 다음 눈물을 흘리며 그 치아를 용들에게 주었다. 그리고는 이렇게 말하였다.

-지금은 어쩔 수 없이 너희들에게 주지만 내 꼭 되받으러 오리라.

용들이 앞을 막고 있었으므로 그는 강을 다 건너지 못하고 되돌아갔다.

참으로 허황하다는 생각이 들었다. 디팜카라 붓다의 치아? 아무리 전설이라고 하더라도 4아승지겁 전의 치아가 존재한다?

그래. 이것은 그저 전설일 뿐이지.

그런데 아니었다. 곧이어 주지승은 이런 말을 했기 때문이었다.

-그가 강언덕에 앉아 탄식하고 있을 때 한 걸승이 지나가다가 그에게 말했다오.

-예?

잠시 딴생각하고 있었던 데바가 자신도 모르게 되물었다.

-걸승이 물었소. 그대 왜 울고 있는가?

-나에게는 세상에서 가장 진귀한 디팜카라 붓다의 치아가 있었다. 저 강을 건너려다가 그만 용들에게 그것을 빼앗기고 말았다. 용과 같은 짐승에게 탈취당했으니 승으로서 그 죄를 어이할 것인가.

-그 치아를 어디에 쓸 것인가!

걸승이 웃으며 탄식했다.

그 탄식에 그는 정신이 번쩍 들었다. 그는 걸승에게 무릎을 꿇었다.

-꼭 그것을 찾고 싶다면 나에게 금룡의 법을 배우라.

그에게 금룡의 법을 배운 지 꼭 삼 년. 그는 다시 그 강으로 와 단장(壇場)을 설치했다. 용들을 모두 잡아 죽이고 금함을 찾기 위해 흙으로 신단을 설치했다.

그러자 겁이 난 용들이 금함을 가지고 나와 그에게 주었다.

그는 그것을 가지고 돌아와 이 정사에 공양한 것이다.

-그때 금룡의 법을 설한 이가 누구이신지 아시겠소?

말을 마치고 주지승이 물었다.

-누구이십니까?

-바로 그대가 찾는 분이었소이다. 그분은 디팜카라 붓다 불멸 후 오랜 세월이 지난 뒤 이 세상에 왔으며 디팜카라 붓다의 예언대로 붓다가 되시었소. 그 인연을 말해준 이도 그분이었는데 이제 파르노차국으로 들어갔을 거외다. 그리고 가려면 바로 용들이 사는 저 강을 건너야 할 터인데 금룡의 법을 알지 않고는 결코 강을 건너지 못할 것이오.

데바는 어이없어하며 웃었고 수부티는 그제야 그에게 예를 올렸다.

-저희에게 그 법을 가르쳐주십시오.

수부티의 간청에 데바가 왜 이러느냐는 표정으로 수부티를 쳐다보았다.

주지 스님은 수부티에게 금룡의 법에 대하여 가르쳤다. 그것은 자신에게 가장 진귀한 것을 어떻게 지킬 수 있느냐 하는 법이었다. 아무리 흔들어도 흔들리지 않는 마음. 금강심(金剛心). 그것이 곧 그 법의 요지였다.

-금강심의 핵심이 뭡니까?

지켜보고 있던 데바가 여전히 어이없어하며 주지 스님에게 물었다.

주지 스님이 데바의 가슴 속으로 손을 들이밀어 심장을 꺼내들었다.

-당신의 생명이다. 아직도 믿지 못하고 벌떡거리고 있지 않은가.

벌떡거리던 심장이 순식간에 금강석으로 변했다. 새빨간 돌이었는데 심장을 닮아 있었다.

데바가 숨도 쉬지 못하고 쓰러지자 돌은 그대로 데바의 가슴으로 들어갔다.

-어떤 것에도 흔들리지 않는 마음의 모습을 보았을 것이다. 바로 금강심이다. 그것은 우리의 심장 속에 존재한다. 우리의 몸속에서 가장 연약하면서도 가장 강한 것이 바로 심장이다. 마음이 금강석이 되면 결코 흔들림이 없을 것이다. 자 둘 다 정좌하라. 나의 이름은 마니트라다.

-마니트라?

겨우 정신을 차리고 데바가 되뇌었다.

-아하, 그러고 보니 모르겠구나.

-나는 여기서 너희들의 스승을 가르쳤다. 수행자들은 나를 마니

트라라고 부른다.

-마니트라?

데바가 눈을 뒤집고 그의 말을 되뇌었다.

-나는 과거에도 있었고 현재에도 있으며 미래에도 존재한다. 나를 의심해서는 안 된다.

그제야 데바와 수부티가 자신들도 모르게 그의 앞에 무릎을 꿇었다.

일체의 의심도 없이 두 사람은 그에게서 명상법을 정식으로 배웠다.

-인간의 신체에는 일곱 개의 신경센터가 있다. 일명 차크라(chakra)라고 한다.

-그것은 신체 어디에 분포되어 있습니까?

마니트라는 그들의 척추 맨 아랫부분을 만졌다.

-이곳이 무라다라 차크라(le muladhara chakra)다. 이곳에는 우주의 근본적인 힘이 있다.

-그 힘을 무엇이라고 합니까?

-군다리니(kundalini)라고 한다.

마니트라는 그다음 차크라를 가르쳐주었다. 바로 음근의 근부 생식기에 자리 잡은 차크라였다. 스와디시 차크라(le svadhisthana chakra).

그는 계속해서 차크라들을 짚어나갔다.

스와디시 차크라에서 모인 에너지 즉 프라나(prana)가 직장과 생식기를 거슬러 올라가면 만날 수 있는 세 번째 차크라. 배꼽에 분포된 마니프라 차크라(le manupura chakra). 다시 그곳에 모인 에너지가 심장에 이르게 되는데 그곳이 아나다 차크라(le anahata chakra). 그다음이 목에 있는 비슈다 차크라(le vishuddha chakra). 다시 거슬러 올라가면 두 눈의 중앙 아지나 차크라(le ajna chakra). 다시 거슬러 올라가면 머리 위의 송과선(松科腺)과 연결된 사스라라 차크라(le sahasrara chakra)

그렇게 일일이 차크라에 대한 설명을 마친 뒤 마니트라는 이렇게 부언하였다.

-차크라는 곧 우주에 편재해 있는 힘 즉 프라나이다. 에너지라고도 할 수 있다. 그것은 우주 기(氣)의 통로 즉 다나(nada)를 통하여 온몸에 배분된다. 그것은 우리의 신체가 멸한 뒤에도 존속하는 것이며 곧 카르마의 덩어리라고 할 수 있다. 카르마란 업을 말한다. 업이란 바로 우리가 짓고 있는 삶의 경험내용이 아니겠는가. 그것의 종자가 바로 차크라의 힘이다.

차크라의 실체를 알고 나자 그들은 명상을 통해서 신과 대화할 수 있었다. 눈을 감으면 모든 것을 볼 수 있었다. 모든 것은 보랏빛으로 보였다. 눈을 뜨면 황금빛으로 변하였다. 결코 기적이 아니었다. 그것은 차크라 명상의 특이한 현상이었다. 자아의식이 정지될 때 일어나는 현상이었다. 바로 영혼의 의식이었다.

그들은 이제 공(空)의 주인이 되었다. 공은 그저 빈 공간이 아니었다. 그 속은 텅 비었으나 가득 차 있었다. 가득 차 있는 것. 바로 그것이 불성이었다. 우주의 에너지. 그는 점차 눈부신 인간으로 변해갔다. 차크라는 원자의 모습을 띠며 눈부시게 그를 변모시켰다. 무한한 빛이 그들의 내부에 충만해 그는 영적 인간이 되어갔다.

명상 호흡은 더욱더 그들을 불성 충만한 인간으로 변모시켜갔다. 들숨과 날숨을 통해 온몸이 이상한 압력에 노출되면서 혈액의 순환이 빨라졌다. 그러면 머리뼈 내부의 정점에 어떤 힘이 뭉쳐져 작렬하는 느낌이 왔다. 그것은 황금빛이었다. 그들의 모든 의식은 그 순간 금빛 세계 속으로 용해되어 버렸다. 그러면 온 우주 전체가 내부로 들어왔다.

그렇게 그들은 모든 명상법을 체득했다. 그들은 인간이었지만 이미 불성으로 충만한 인간이 되어 있었다.

금강심의 법을 체득하고 나서야 데바와 수부티는 그곳을 떠났다. 용들이 그들의 앞을 막았다. 그러나 그들은 흔들리지 않았다. 이미 자신의 마음속에 떨어진 하나의 씨앗(佛性)이 자라 하늘까지 뻗쳐 있었다. 데바와 수부티는 무사히 그 강을 건널 수 있었다.

디팜카라 불아(佛牙) 사원에서 파르노차국으로 들어가기 전에 북산의 벼랑 사이에 토착신을 믿는 소 신전이 하나 있었는데 이상하게 그 신전이 데바와 수부티의 발길을 잡아끌었다.

신전으로 찾아들자 객을 인도하는 늙은 승이 그들을 맞았다. 신전 안이 이상하게 소란스러웠다. 마을 사람 모두가 신전으로 몰려든 것 같았다. 그들은 낡은 종이에 그려진 그림을 쳐다보고 있었는데 데바와 수부티가 보니 바로 마니트라 스승의 얼굴이었다.

-이 분 마니트라 스승님 아닙니까?

데바가 그림을 보다가 수부티에게 물었다.

-맞네.

그렇게 대답하면서 수부티가 객승을 돌아보았다.

-왜 저 그림 앞에 사람들이 몰려 있습니까?

-이 절의 행자가 산에서 돌탑을 하나 파내었는데 그 속에서 디팜카라 붓다의 초상이 나왔다오. 전문가들이 와 보고는 족히 수백 년은 되어 보인다고 하는데 이상해서 말이오. 디팜카라 붓다가 언젯적 사람인데 그럴 리가 있겠소?

수부티가 고개를 갸웃거리며 그림을 향해 다가가 자세히 살펴보았다.

-맞네. 마니트라 스승!

그 말을 듣고 객승이 깜짝 놀랐다.

-맞습니다. 저 그림과 똑같이 생긴 사람이 돌아다니는 모습을 본 사람이 한두 사람이 아니라고 해서요. 그 사람들도 마니트라라고 했습니다. 그분을 보셨소?

-오다가 봤습니다. 우리에게 금강심의 명상법을 가르치셨습니다.

수부티가 말했다.

-아이고 맞네.

그제야 데바가 마니트라가 하던 말을 기억해내었다.

-나는 과거에도 있었고 현재에도 있으며 미래에도 존재한다?

마니트라의 말을 중얼거리던 데바와 지켜보던 수부티의 눈이 뒤엉켰다. 누가 먼저랄 것도 없이 마니트라가 있는 신전을 향해 달리기 시작했다.

마니트라가 있던 곳으로 갔으나 그는 이미 거기 없었다. 그가 어디로 간 것이냐고 물었더니 그런 사람 여기 있은 적도 없다고 하였다.

-아니 이게 무슨 일인지 모르겠네?

수부티가 영 헷갈리며 고개를 갸웃거리고 있는 사이 데바는 먼데 하늘만 바라보고 있다가 결심을 굳혔다.

-숙명통을 열어봐야겠소.

수부티가 멍하니 그를 쳐다보았다. 데바의 신통이 제법이라는 것은 알고 있지만 잘못 열다가 죽는 수가 있다. 숙명통은 과거, 현재, 미래를 여는 신통이다. 자기 숙명을 들여다보는 것도 무리다. 그런데 남의 숙명을 들여다보는 것은 더욱 위험하다. 남의 마음을 읽을 수 있는 타심통까지 열어야 하고 자신 보다 신통이 높다면 역으로 자신의 숙명이 열리게 되고 현재를 잃게 된다.

데바는 너무 궁금한 나머지 정신을 집중하고 타심통과 숙명통을 열었다. 열기가 무섭게 이내 그는 비명을 지르며 앞으로 꼬꾸라졌다.

수부티가 황급히 달려들어 그를 껴안았다. 꺽 꺽 피를 내뱉던 데바가 근근이 눈을 떠 수부티를 올려다보았다.

-괜찮아?

수부티가 묻자 데바가 고개를 내저었다.

-아무것도 보이지 않소.

-뭐?

-캄캄한 벽이었소. 그 벽에 머리를 부딪친 거요.

말뜻을 알아챈 수부티가 소리쳤다.

-유불여불(唯佛與佛)이로다.

유불여불. 붓다의 경지는 붓다만이 알 수 있는 것이다. 그 경지에 가 있지 않으면 어떤 신통이라도 근접할 수 없다.

-그럼 그 사람이 디팜카라 붓다였다?

어이없다는 듯이 수부티가 중얼거렸다.

흐흐흐….

데바가 입의 피를 닦으며 일어나 앉아 실성한 듯이 웃었다.

수부티도 허허허 웃다가 나중에는 눈물을 질금질금 흘렸다.

그러다가 서로 부둥켜안고 합창이나 하듯 엉엉 울어대었다.

이것이 꿈이 아니다. 꿈이 아니여.

두 사람은 그렇게 외치고 있었다.

다시 신전으로 돌아왔더니 늙은 객승이 기다리고 있다가 물었다.

-그분을 만났소?

수부티가 고개를 내저었다.

-잘못 본 거군요?

-모르겠습니다. 어떻게 되어가는 것인지.

-그럼 그렇지.

역시 그럴 리가 있느냐는 음성이었는데 뒤이어 객승은 손가락으로 50여 척이나 되는 돌 수토파를 가리켰다. 그리고는 이렇게 말했다.

-옛날 이곳에는 디팜카라 붓다의 법을 펴던 아주 몸집이 큰 나한이 살았었소. 어찌나 먹을 것을 밝히는지 그 양이 자그마치 코끼

리와 같아질 정도였소. 힌두교를 믿는 사람들이 그를 비꼬았지요. 디팜카라의 불법이 사라진 지가 언제인데 이제 와 그 법을 편다는 것도 이상하거니와 무엇보다 사문으로서 어찌 식탐의 염을 일으킨단 말인가. 그대는 배나 채우는 짐승과 다를 바 없다. 그러니 어찌 법의 시비를 알겠는가. 그런데 이상한 일이 벌어졌소. 그가 죽던 날 그는 이렇게 말했기 때문이오.

 -나는 이제 무여열반(無餘涅槃)에 들려고 합니다. 나 자신이 깨달은 묘법을 그대들에게 설하고 가리다.

 이 말을 듣고 사람들은 그를 조소했소. 어찌 그렇지 않겠소이까. 누구도 그의 말을 듣지 않으려고 했는데 이때 한 걸승이 지나가다가 이런 말을 사람들에게 했소.

 -그대들이여. 가서 그 나한의 말을 들으라.

 그래도 사람들은 가지 않았소. 그러자 그 걸승은 이런 말을 했소.

 -그는 전생에 동천축 왕의 코끼리의 몸이었소. 그때 한 사문이 천축까지 나 디팜카라 붓다의 염송을 찾아 헤매고 있었는데 그 소식을 들은 왕은 그를 그 사문에게 보시했었소. 사문은 입과 입으로 전해진 디팜카라 붓다의 말씀을 머릿속에 넣었고 이곳까지 온 것이오. 그 공덕으로 그는 이생에 사람의 몸을 받아 일찍이 신통을 얻고 삼계의 욕을 끊었으나 그 식사의 습관만은 근본에 다를 것이

없었소. 그렇게 본래면목이 무섭다는 말이외다. 그러나 그 스스로 근신하여 삼 분의 일만 먹었으니 그것만 해도 장하지 않소이까.

사람들이 그 말을 듣고는 비웃었다.

-삼 분의 일이 그 정도의 양인가?

그러자 열반에 든 그의 몸이 허공으로 치솟았다. 그의 몸에서 갖가지 빛이 화염에 싸여 터져 나왔다. 그의 몸은 한동안 그렇게 허공에 떠 있다가 땅에 떨어졌다. 그가 떨어진 자리에 수토파가 생겨났다. 그의 몸 전체가 사리가 되어 탑이 된 것이었다.

-그게 언제 적 얘기입니까?

듣고 있던 데바가 물었다.

-벌써 오래전 얘기라오.

객승이 대답했다.

-그 얘기를 왜 하십니까?

-그대는 석가모니 붓다에 관하여 묻지 않았소.

-그러합니다.

-그때 그 걸승이 바로 붓다였소.

-예? 벌써 오래전 얘기라고 하지 않았습니까?

-그분에게는 시간이 없소. 어제가 오늘이오. 오늘이 어제요. 그분은 가시면서 말했소. 얼마 후에 데바란 이국인이 자신을 찾아올 것이라고, 그에게 내가 타카국을 거쳐 소나마르크로 가 있을 것이

라 알려주라고.

그렇다면 붓다는 이미 오래전에 있었던 일과 오늘의 일을 알고 있었다는 말이었다. 그때도 붓다는 환생해 중생을 제도하고 있었다는 말이었다. 데바는 환생이라는 말이 마음에 걸렸으나 어느 정도 이해할 수가 있었으므로 별 말없이 발길을 옮겼다.

이상도 하지.

다음 목적지인 타카국으로 발길을 옮기면서 데바는 깊은 상념에 잠기었다.

모르겠구나. 모르겠구나. 모르겠구나. 언제나 인연에 연연하는 나, 그런 나를 붓다는 나무라고 있는 것 같은 느낌을 지울 수 없었다. 인간의 본래면목, 본래 근본, 본래 습관은 그렇게도 무서운 것인가. 아직도 이렇게 허우적거리고만 있으니.

붓다가 갔다는 타카국은 주위 1만여 리는 되는 나라였다. 동쪽으로는 비파샤 강에 의지하고 있었는데 인던스 강을 바라보고 있었다. 나라의 대도성은 주위가 20리나 되었다.

디팜카라 붓다 이후 새롭게 전해지는 붓다의 법이 조금 유포되기는 했으나 대부분 천신(天神)을 믿고 있었다.

대성의 서남쪽으로 몇 리 들어가니 샤칼라 라는 고성이 있었는데 담장은 허물어졌으나 그 안에 작은 성들을 쌓아 놓고 있었다.

그 성 한쪽에서 한 노파가 울고 있었다. 알아보았더니 이 나라의 모후라고 하였다. 사연인즉 이 나라의 왕은 미히라쿨라라는 이름을 가진 왕이었다. 그는 천축 전체의 나라들을 거느릴 만큼 재주와 슬기가 있고 용감하였으나 사문들이 수행을 게으르게 하는 걸 보고는 붓다의 법을 존경할 수 없다고 하여 불교에 관계되는 것을 오로지 파괴하고 사문들을 내쫓아 버렸다.

그즈음 마가다국의 할라디티야 왕은 이제 전해지는 붓다의 불법을 존경하고 있었는데 이 소식을 듣고는 조공하지 않았다. 오히려 그는 국경에 군대를 증파했다. 그는 샤칼라를 칠 생각을 하고 있었던 것이다.

미히라쿨라 왕은 그 소식을 듣고는 가소로워 껄껄거렸다.

-감히 내게 반기를 들겠다니, 오너라 단칼에 너희들을 짓밟아 주마.

소식을 알린 신하는 생각이 달랐다.

그는 소상히 마가다국의 실태를 알렸다.

모든 것을 듣고 난 왕은 믿지 않으려 했으나 신하의 말을 끝까지 들어보고는 나중에야 자기 잘못을 깨달았다.

'아하 내가 너무 자만했구나. 마가다국이라면 내가 거느린 국가 중에서도 가장 강한 국가인 줄은 알고 있었지만, 그 정도일 줄이야. 그런 나라를 업신여기고 대비를 수월히 했으니 이제 이 나라는

망했구나.'

그는 신하를 불러 이런 말을 했다.

-이제 적이 쳐들어온다고 하니 이 일을 어떡하면 좋겠느냐? 감히 이 나라를 누가 넘보랴 하는 생각에 국방의 의무를 다하지 못했으니 병사들의 사기는 땅에 떨어졌고 무기는 녹이 슬었다. 사기가 충천한 그들의 군사와 대적이 되지 않을 것이니 여러분은 부디 나를 용서하구려. 이 몸을 용서해 준다면 이제라도 초야에 묻혀 살아갈까 한다.

그렇게 말하고 왕은 궁전을 나와 잠적해 버렸다. 그제야 정신을 차린 백성들 또한 산속이나 무인도 등으로 은신하였다.

이미 마가다국의 군사들은 바다를 건너와 있었다. 그들은 사방을 포위해 왕을 생포하였고 마가다 국왕 앞에 무릎을 꿇었다.

마가다 국왕이 보니 무릎을 꿇은 왕이 면으로 얼굴을 가리고 있다.

-그대는 왜 얼굴을 가리고 있는가?

-나는 패왕이다. 주종의 위치가 바뀌었는데 어찌 얼굴을 마주 대할 수 있겠는가.

-면목이 없다는 말이구나?

-이제야 내 본 모습을 깨달았기 때문이다. 나는 백성을 다스리면서 명령을 내려 불법을 존경할 수 없게 하고 훌륭한 행업을 파괴

하였다. 이제 그대에게 사로잡혔으니 사면할 수 없다면 형벌에 따라 나를 단죄하라.

-이제야 네 본래면목을 보았구나.

한편 아들이 사로잡혔다는 말을 들은 모후는 땅을 치며 통곡하였다. 그녀는 점복(占卜)에 통달한 이였는데 마가다 국왕에게 사람들 보내어 자기 뜻을 전하였다.

-나는 그대가 참으로 지혜롭다고 전해 들었소. 내 아들을 한 번만 만나보게 해 주시오.

마가다 국왕은 아들을 모후의 궁전으로 보냈다. 어머니 앞에서도 아들은 얼굴의 천을 거두지 않았다.

-대주, 어떻게 해서 얼굴을 가리고 계시오. 얼굴을 마주 보고 얘기를 할 수 없겠소?

아들의 눈에 눈물이 맺혔다.

-어머니, 그럴 수는 없습니다.

-왜 그럴 수 없단 말이오?

-저는 지난날 이 나라의 군주였고 이제는 사로잡힌 포로의 몸입니다. 저는 제왕의 업을 패하고 선조의 제사를 멸하였습니다. 저는 본분을 다하지도 못했고 다하지 못하고 있습니다. 백성을 잘 다스리지 못하여 그들에게 면구스럽고 위로는 조상의 영에 부끄러울 따름입니다. 이제 와 생각해 보면 나 자신을 몰랐기 때문인 것

같습니다. 그런 내가 어떻게 얼굴을 내밀고 있을 수가 있겠습니까. 하늘을 우러러볼 수도 없고 땅에 엎드려 통곡할 수도 없는 형편입니다. 그렇다고 스스로 목숨을 끊을 수도 없으니 이렇게 면을 덮어쓰고 있는 것입니다.

모후는 아들의 말에 가슴이 미어졌다.

-비록 패왕이 되었다고는 하나 엄연히 이 나라의 어버이요. 흥하고 망하는 것은 때에 따르는 법이고 존망 역시 운에 있는 것입니다. 마음을 잡으세요. 모든 것이 마음에 있습니다. 약해지시면 안 됩니다. 당당하게 업이려니 하고 나를 대해 주세요. 쓰고 있는 면포를 벗고 이 어미와 말을 나누다 보면 혹시 알겠소. 길이 보일지.

-어머니, 비천한 몸으로 나라의 정사를 보고 있었습니다만 사실 저는 아무것도 모르고 있었습니다. 나 자신에게 진실하지 않았으니 그 무엇엔들 진실했겠습니까. 진리를 찾는 길을 눈앞에 두고도 그 길을 백성들로부터 막았습니다. 그들을 암흑의 구렁텅이로 내몰았습니다.

-이보시오. 설령 그랬다 하더라도 그대가 내 몸에서 태어날 때 그 면포를 쓰고 나왔소? 그대는 알몸이었소. 그와 마찬가지로 이 세상을 이제라도 새로 태어났다고 생각하시오. 그것이 그대의 본래면목이오.

그제야 그는 면포를 벗고 얼굴을 내밀었다.

그러자 모후는 아들의 기상을 살피고는 마가다 국왕에게 이렇게 말하였다.

-방금 내 아들의 기상을 살펴본, 즉 아직은 죽을 때가 아님을 알겠습니다. 그는 천수를 다할 것이며 만약 그대가 그의 죄를 나무라 죽인다면 그대는 결코 대국의 왕은 되지 못할 것이오. 반드시 북방에 웅거하여 작은 나라의 왕으로 머물게 될 것이오. 자비를 베푸시오.

마가다 국왕은 모후가 예사 인물이 아님을 알고 나라 잃은 왕을 살려주었다. 그뿐만이 아니라 젊은 여자까지 붙여 특별한 예우를 잊지 않았다.

그런데도 패왕은 모든 것을 버리고 산으로 들어갔다. 자신이 그들에게 특별한 대우를 받고 있다고 하더라도 어디까지나 패왕의 위치에 있었기 때문이었다. 산으로 들어간 그는 카슈미르로 넘어갔다. 카슈미르 국왕은 그를 친히 맞았다. 그는 그에게 구원을 요청했고 카슈미르 군대를 끌고 제 나라를 정복한 마가다 군대를 쳤다. 그는 마가다의 병사들을 닥치는 대로 죽였다. 그때 죽인 병사가 무려 9억이나 되었다. 그는 그들을 모조리 주벌하고 마지막으로 마가다 국왕을 사로잡았다.

그는 높은 용상에 앉아 이제는 마가다 국왕을 향해 소리쳤다.

-처지가 바뀌었구나?

-내 너에게 자비를 베풀었거늘 여자를 잘못 두어 그녀의 세 치 혀에 놀아나 이 꼴이 되었구나. 일찍이 불법을 호위하고 존경하여 나 자신을 위해 노력했으나 그 공부가 모두 허사가 되었다. 어찌 여인의 세 치 혀에 내 정신을 내주었더란 말인가.

마가다 국왕의 한탄을 들은 그의 관속들이 간하였다.

-대왕이시여. 이제는 대왕께서 자비를 베풀 차례입니다.

왕이 눈을 치뜨고 그들을 나무랐다.

-어림없는 소리. 만약 내가 그에게 자비를 베푼다면 나는 언젠가는 저자 꼴이 되고 말 것이다.

관속들은 고개를 내저었다. 자신이 패왕이 되었을 때를 잊고 있는 왕이 안타까울 뿐이었다. 더욱이 그들의 왕은 이런 말을 하고 있었다.

-앞으로 저자를 살려달라고 간하는 자가 있다면 내 손으로 죽이리라. 너희는 지금도 전해지고 있는 디팜카라 붓다의 불이법(不二法)을 믿는 이들이 아니냐. 불이법을 믿고 본생담에 있는 얘기로 나를 현혹하여 저자를 살리려고 하는 것이 아닌가.

-아닙니다. 대왕이시여.

-그렇지 않다면 나의 악행을 미래세에 전달하려고 하는 것이다.

그는 그렇게 관속들을 탓하고 그의 부하들을 마저 죽이고 마가다의 국왕마저 죽였다. 자비를 죽음으로 갚은 것이다.

마가다 국왕이 죽던 날 강풍이 몹시 불고 천지가 진동하였다. 지나가던 걸승 하나가 말했다.

-죄 없는 자를 부당하게 죽이고 붓다의 법을 괴멸시킬 요물이 곧 무간지옥에 떨어질 것이다.

그 말이 있은 지 얼마 후 하늘이 캄캄해지더니 그는 피를 토하고 용상에서 꺼꾸러졌다.

모후가 걸승에게 와서 물었다.

-그대는 누구십니까?

-바로 너희 같은 패종을 징벌하는 사자이니라. 너의 거짓말에 위대한 대왕의 자비가 무너졌으니 그를 죽인 너의 아들은 무간 지옥을 오래도록 벗어나지 못할 것이다. 너 역시 죽어 무간 지옥에 떨어져 고통받을 것이다.

그리고 걸승은 그곳을 떠나 버렸다.

데바는 그 걸승이 곧 붓다임을 알고 울고 있는 노파에게 다가갔다.

-그분은 어디로 간다고 하셨소?

노파가 손가락을 들어 인근 국가인 치나북티국을 가리켰다.

-이 길로 치나북티국을 지나가면 갠지스강 상류가 나올 것이오. 강의 동쪽 기슭을 건너면 마티푸라국이 나올 것이오. 아마 그분은 그리로 갔을 것이오.

-그대는 점복으로 유명한 사람이라고 했는데 그곳 어디에 그분이 있는지 아시겠소?

노파가 흰 머리를 날리며 고개를 내저었다.

-점복으로 인해 내 아들을 망쳤소. 나라를 빼앗기고는 사람이 되어가는가 싶더니 나라를 다시 찾고는 그 본성이 드러나 이제 무간지옥 중생이 되어 버렸소. 그것이 중생심인 것을 이제야 알았소. 마음이 어두우니 어찌 미혹하지 않겠소. 나는 모르오. 내게 묻지 마시오.

-그대에게 무간지옥에 가리라 했던 이는 내 스승이외다. 그는 과거에 지은 덕행으로 오늘에 왔으며 나는 그분의 가르침을 지금 받는 중입니다. 그러하니 만약 그대가 길을 내게 가르쳐 준다면 그 덕으로 인해 천상에 날 것입니다.

-그게 사실이오?

-점복으로 유명한 이가 자신의 앞날은 내다볼 수 없단 말이오?

-내가 어찌 천기를 알 수 있겠습니까. 붓다 마음은 붓다만이 알 수 있는 것입니다. 나는 붓다의 경지를 모릅니다.

-그렇소. 그분이 간 곳이나 알려주시오.

그제야 노파는 점을 쳐 데바에게 이런 말을 하였다.

-그분은 지금 마치푸라국에서 극히 신통력이 뛰어난 논사 무리와 논쟁을 벌이고 있소.

-논사들이라니요?

-논사들이 그분을 떠받들어 뒤를 따르던 떠돌이 처녀를 보는 순간 그 미모에 반했기 때문이오.

-좀 자세히 말해 주시오.

-그러리다.

노파의 말은 이러했다.

그 나라 대성 남쪽으로 5리 정도 가면 역시 토착신을 모시는 신전이 있는데 이제 전해진 석가모니의 불법을 믿는 사문이 50명 정도 생활하고 있다. 걸승이 처녀를 데리고 그 신전으로 들어섰는데 그곳의 논사가 처녀를 보고는 그만 음심을 품고 말았다. 그는 본래 대승을 학습했으나 심오한 경지에 이르기 전에 소승의 견해에 머물러 있었다. 대승을 논할 만큼 그 경지가 깊지 못했다.

하루는 제자가 그와 함께 탁발을 나가다가 스승이 개 꼬리를 밟고 깜짝 놀라는 것을 보았다.

제자가 생각하기를 아무리 캄캄한 새벽이지만 앞에 개가 있다는 것도 모르는가. 그런 양반이 어떻게 수미산을 이곳으로 옮겨 놓을 수 있다고 신통력을 자랑하는가.

그래서 물었다.

-스승님 도가 무엇입니까?

갑작스러운 제자의 질문에 스승은 할 말을 잃고 우물쭈물하였다.

그러자 제자가 말했다.

-어찌 도를 말하지 못하는 이가 그런 신통력을 지닐 수 있습니까?

-그러나 나는 수미산을 이곳으로 옮겨올 수 있다.

-그럼 옮겨 놓아 보십시오.

스승이 수미산을 순식간에 제자의 앞에 옮겨 놓았다.

-보았느냐?

-그렇다면 어떻게 개 꼬리를 밟을 수 있습니까?

이때 스승은 대답했다.

-제자여, 나를 너무 과대평가하지 말라.

제자는 스승의 말을 이해할 수 없었다.

마침 걸승이 그들 곁을 지나가다가 말했다.

-그대여. 스승의 말을 이해하지 못하겠는가?

-그렇습니다.

-그는 붓다의 경지에 들지 않았기 때문이다.

-무슨 말씀이십니까? 나는 내 눈으로 그의 신통력을 확인했습니다.

걸승이 껄껄 웃다가 말했다.

-붓다께서는 모든 신통력을 자제했다. 지혜의 신통인 누진통만

열어놓았다. 그러므로 붓다는 신통을 쓰지 않는다. 신통력의 문을 닫아버렸기 때문이다. 붓다에게는 신통력이 없다. 그의 모든 것이 그대로 신통이기 때문이다.

 -그 말을 이해할 수 없습니다.

 -신통의 핵심은 초점이다. 붓다에게는 그 초점이 있을 리 없다. 그대로 여여하기 때문이다.

 -여여(如如)의 경지가 어떤 경지입니까?

 -저기를 보라.

제자는 걸승이 가르치는 곳으로 시선을 주었다. 바로 눈앞에 있던 걸승이 거기 있었다. 그는 아름다운 여자와 정사를 나무 밑에서 즐기고 있었다. 여자의 몸은 살지고 기름졌다. 아름답기가 눈이 부실 정도였다. 두 사람은 정신없이 서로를 탐하고 있었다. 침을 삼키며 제자는 그들을 보았다.

어느 한순간 사과나무에서 사과 한 알이 뚝 하고 정사를 벌이고 있는 그들 앞으로 떨어졌다. 정사에 정신이 나가 있던 걸승이 여자를 밀어 버리고 일어나 그 사과를 주워 맛나게 먹었다. 그는 좀 전에 정사를 즐기던 사람 같지 않았다. 벌써 정사 따위는 잊어버린 사람 같았다.

그제야 제자는 고개를 주억거렸다.

 -조금은 알겠습니다. 저분의 경지를.

-진정한 붓다의 모습은 연잎 위의 이슬과 같은 것. 정신은 수미산 상봉에, 발은 진흙 바닥에….

걸승이 다시 말했다.

이때 그들의 말을 듣고 있던 스승이 나섰다.

-그대는 누구시오? 도력이 대단하신데?

-나는 지나가는 걸승이외다.

-걸승이면 길이나 갈 것이지 웬 잡소린가. 그대가 만약 나처럼 수미산을 이곳으로 옮겨올 수 있다면 나는 예를 표하리다. 만약 그렇지 못한다면 그대의 딸을 내게 바치시오. 출가케 하여 내 시봉을 만들리라.

걸승은 머리를 내저었다.

-나는 수미산을 이곳으로 옮겨올 필요성을 느끼지 않는다.

-그럼 그렇지. 입만 살았다는 것을 이미 알고 있었다. 그대의 딸을 내게 바쳐라.

-그 전에 허락을 받아야 할 것이다.

-허락? 누구에게 허락받는단 말인가?

-이곳으로부터 팔만 구천 유순 떨어진 욕계(투시타천)가 있다. 그에 속하는 6천 아래 네 번째 하늘이 있다. 그곳에 장차 붓다가 될 미륵보살이 설법하고 계신다. 그대의 신통력이 대단하니 그분에게 허락받아오라.

-미륵? 방금 미륵이라고 했는가?

-그렇다.

-미륵이라고 한다면 지금의 붓다 교단의 장로가 아닌가?

-그렇다.

-그런데 그가 하늘에 있다고?

-장차의 미륵불이다. 지금 이 세상에서 붓다의 수업을 하는 것이다. 하늘에 있는 미륵불은 미륵의 장차 모습이다.

-그래? 그렇다고 하자. 그런데 왜 그분에게 허락받아야 하는가? 처자의 아비는 그대가 아닌가?

-내 딸은 앞으로 생사 해탈의 문을 열 배필이 이미 정해져 있는 몸이다. 그러므로 장차 붓다가 되어올 미륵보살의 허락이 없다면 결코 그대의 원을 이룰 수 없기 때문이다.

-그럼 내 직접 하늘로 올라 미륵불을 만나봐야겠다.

그는 허공으로 몸을 솟구쳤다. 그가 미륵보살이 설법하고 있는 곳으로 가자 미륵보살이 본체만체한다.

그 모습을 보자 그는 화가 났다.

-비록 그대가 미래에 붓다가 될 몸이라고 하나 왜 불법을 받드는 사문에게 예를 표하지 않는 것이오. 정중한 경의를 표해야 할 것이오.

미륵보살이 그제야 그를 돌아보았다.

-너는 비구가 아니기 때문이다.

-내가 비구가 아니라니? 무슨 말씀인가?

-비구는 음기를 그렇게 다스리지 않는다. 내가 천녀를 점지해 줄 터이니 만약 방사하지 않는다면 허락하겠노라.

-좋다.

그의 앞에 천녀가 나타났다. 천녀는 그의 앞으로 와 갖은 교태를 떨며 춤을 춘다. 그는 너무나 황홀하여 그녀를 안고 뒹굴었다. 얼마 가지 않아 그는 그녀의 몸속에 방사하고 말았다.

미륵보살이 껄껄 웃었다.

-그래도 비구라 할 수 있는가. 그대의 신통력으로도 여자를 어찌할 수 없다면 분명히 진리는 그 위에 있는 것이다.

그제야 그는 미륵보살 앞에 무릎을 꿇었다.

-그렇다면 그 진리를 제게 가르쳐 주십시오.

-돌아가라. 돌아가 그녀를 다시 보라. 그러면 진리는 너와 함께 할 것이다.

그는 다시 걸승 앞으로 돌아왔다. 걸승 옆에 서있는 처녀를 보자 이상한 느낌이 들었다.

그는 걸승에게 물었다.

-그대는 지금 내 의식을 훑고 지나는 것이 무엇인지 알겠는가? 미륵보살 님은 그것이 진리라고 했다. 그것이 무엇인가?

-느낌이다.

-느낌?

-직관만이 존재한다.

그제야 그는 깊이 깨닫고 걸승 앞에 무릎을 꿇었다.

정사 북쪽에 살며 수행하던 논사가 소문을 듣고 걸승을 찾아왔다. 논사는 카슈미르국 사람이었다. 총명하고 박식하여 어떤 이도 그를 논파할 수 없었다. 일찍이 많은 논사들을 논파하여 그 누구도 따를 수 없는 이론을 연구했으며 현오(玄奧)한 문의(文意)를 배우고서 그 이름을 떨치던 사람이었다. 그는 자신을 상대할 이는 석가모니 붓다뿐이라고 장담하고 있었는데 걸승을 찾아온 것이다.

그가 걸승에게 말했다.

-나의 뛰어난 재능으로 그대에게 정론을 펴 처자를 내 시봉으로 하겠소.

걸승이 보니 참으로 대단한 이였다.

걸승이 말하였다.

-생각건대 그대는 붓다의 말씀을 참으로 많이 들었구료?

-아마 그대만큼은 들었을 것이외다.

-직접 들었소? 아니면 떠도는 염송으로 들었소?

-그분을 길이 멀어 직접 뵙지는 못했으나 염송으로 들어도 그 깊이를 파악할 수가 있었소.

-그렇다면 그대 역시 학승이로다?

그러자 논사가 눈을 부라렸다.

-어떻게 붓다의 말씀을 배우지 않고 불법을 알 것인가!

걸승이 서글프게 웃었다.

-붓다의 말씀으로 진리를 세울 수 있다고 생각하는가?

-붓다의 말씀 그 자체가 진리 아닌가?

-진리는 결코 문자로는 세울 수 없다. 거기에 진리가 있다. 모든 사상의 맥이 끊어진 곳에 있다. 이미 문자화되거나 언어화되었다면 그건 진리가 아니다.

걸승의 말에 논사가 비웃었다.

-그렇다면 그대는 평생을 왜 그대 수호신의 말씀을 전하려 하는가? 왜 그 법을 가르치고 비호하는가?

-나는 많은 사람에게 정법을 가르쳤으나 그것을 문자화해 본 적이 없다.

-그것은 내 스승 또한 마찬가지였다. 바로 그것이 그분 법의 요체이기 때문이다.

-그렇기에 나는 여기에 있는 것이다. 그대들이 믿는 붓다의 법 그 요체는 모든 인연을 끊어 버리고 들어온 정보를 버리는 데 있다는 것은 알기 때문이외다. 그리하여 세상의 이치를 간구하는 데 있기 때문이다.

-그런데 왜 그대는 붓다의 말씀을 염송으로 듣고 외우고 있는 가?

걸승이 물었다.

-바로 그 속에 진리가 있기 때문이다.

걸승이 머리를 내저었다.

-그대는 붓다의 방편에 속고 있을 뿐이다. 붓다는 진리를 설하였으나 설함이 없다.

-그럼 그분의 말씀이 염송이 되어 떠도는 것은 무엇인가?

-그대가 믿는 붓다는 말로나 앎으로 해탈한 것이 아니다. 모든 것을 버리고 오로지 정좌하여 떠오르는 샛별을 보고는 대오했다. 세상의 이치를 한순간에 깨달은 것이다. 그리하여 불법을 세웠다. 그분이 남긴 말씀은 그 길로 가는 길잡이는 될지언정 진리 그 자체는 아니다. 여기 한 알의 사과가 있다. 그것이 진리일 것이다. 그것은 먼저 먹어본 이가 붓다요 붓다. 붓다는 그 맛을 알고 있다. 그래서 먹어보지 못한 이에게 그 맛을 일러주었다. 그 기록이 바로 염송이다. 그러나 문제는 붓다가 아무리 그 맛을 잘 설명한다 해도 진정한 사과의 맛을 느낄 수 있을까. 없다. 그러면 직접 그 사과를 먹이는 수밖에 없다. 그때 진리는 자기 것이 될 것이다. 진정한 가르침은 사과를 먹게 하는 데 있다. 사과의 맛이 이러하니 먹는 게 어떻겠소? 그것이 입과 입으로 전해지는 염송의 실체다. 그 자체

가 진리는 아니라는 말이다. 진리는 느낌, 직관 그 자체다. 붓다의 말씀을 골백번 듣는다 해도 그 자체가 진리가 될 수는 없다. 큰 의미에서 본다면 붓다가 법을 가르치는 것은 그 사과를 먹게 하는 데 목적이 있는 것이지 수많은 붓다의 말씀을 듣게 하여 논사가 되게 하는 데 그 목적이 있는 것이 아니다. 그것은 알음알이를 통해 대오하려는 소승의 경지지 체험을 통해 대오하려는 대승의 경지는 아니다.

 -그대는 요망한 말로 학승을 비방하려 한다. 붓다의 말씀을 듣지 않고 불법을 알 자가 있다면 내 그를 죽여 대승이라는 칭호를 끊어 버리겠다.

 그렇게 말하고 논사는 이내 정신이상을 일으켰다. 그는 피를 토했다.

 걸승이 물었다.

 -괴로운가?

 논사는 가슴을 틀어쥐고 뒹굴었다.

 -왜 갑자기 피를 내뱉는가?

 걸승이 다시 물었다.

 -모, 모르겠다.

 -모르겠다? 그렇다. 그것이 그대의 정답이다.

 -뭐라고?

-그대가 진리를 안다면 왜 피를 토하는지 알 것이 아닌가?

그제야 논사는 걸승 앞에 무릎을 꿇었다.

-그대는 누구십니까?

-지나가는 나그네일세.

-이제야 알겠습니다. 대승의 가르침, 그 최상의 가르침을 알겠습니다.

-그렇다. 오로지 그 법만이 영원히 유현(幽玄)할 것이다.

-이 우둔한 몸이 사형을 면박했군요. 다시 태어나 그 길을 가겠습니다.

-들어온 앎을 지우기에는 힘든 일이다. 수많은 정보가 80년 동안 너의 몸속에 들어와 있었다. 이제 남은 세월에 그것을 모두 내몰아야 한다. 지금이라도 대승의 가르침에 귀 기울여 한다. 그래야 진정한 금강의 법에 이르리라. 그때 어떤 흔들림이 다가와도 흔들리지 않는 금강승이 되리라.

노파의 말은 여기까지였다.

데바와 수부티가 그녀를 뒤로하고 그곳으로 갔을 때 이미 붓다는 그곳을 떠나고 없었다. 논사의 장례식이 치러지고 있었다. 논사가 죽었다는 장소를 보니 큰 구멍이 생겨 있었다. 승도들이 슬퍼하며 그 구멍을 꽃으로 메웠다. 그 위에다 화장한 뼛가루를 뿌렸다.

그 광경을 보면서 데바는 비로소 진리의 본 모습을 좀은 알 것 같다는 생각이 들었다. 한 알의 사과를 먹이기 위해서라는 붓다의 말이 잊힐 것 같지 않았다. 그리고 대승의 가르침에 귀 기울인다면 어떤 흔들림에도 흔들리지 않는 금강승이 되리라던 말이 잊힐 것 같지 않았다.

그들은 부지런히 걸었다. 사람들에게 물으니 걸승은 처녀를 데리고 마유라 성을 거쳐 브라흐마푸라국으로 갔을 것이라고 했다. 브라흐마푸라국 국경 쪽으로 가는 걸 보았다는 것이다.

브라흐마푸라국은 주위가 산으로 둘러싸여 있었다.

그곳을 거쳐 대설산으로 들어갔다. 혹독하게 추웠다. 카핏타카국으로 들어서자 그곳에 붓다는 없고 디팜카라 붓다가 하늘로 올랐다는 붓다 상천의 전설만이 기다리고 있었다. 성의 동쪽에 규모가 큰 신전이 있었는데 거기 디팜카라 붓다 상천상이 조각되어 있었다. 어느 사이에 디팜카라 붓다가 토착신으로 모셔진 곳이었다.

—여기도 디팜카라 붓다의 전설을 믿고 있군요. 하긴 오늘에 와 자신의 법이 잘 지켜지고 있나 하고 돌아다니고 있을지도 모르니. 에이 이제 뭐 이상하지 않네. 뭐 그럴 수도 있고. 그렇잖소. 그림이 닮긴 했지만 어디 디팜카라 붓다겠소.

—그럼 그 그림과 똑같이 생긴 마니트라라고 하는 사람이 디팜카라 붓다라고 하며 돌아다닌다는 소문은 어쩌고?

—아이고, 그럴 수도 있지. 어느 놈이 디팜카라 붓다 흉내를 제대

로 낼 수 있을 수도 있잖소.

 -그럴까?

 -아이고 이제 그만 잊어버립시다. 확실하지도 않은 걸로 골치 썩힐 일이 뭐 있다고….

 -그런데 예사롭지 않아. 여기도 디팜카라 붓다의 불이법이 먹히고 있다는 말이지.

 -둘이 아니라 하나다? 기막힌 법이네. 부부도 하나요, 형제자매도 하나요, 너와 나도 하나요 하하하 4아승지겁의 사람이 아직도 살아 있다? 하하하….

누구의 솜씨인지는 모르겠으나 조각은 정수(精髓)를 다 했고 장엄하기 이를 데 없었다. 세 개의 보계(寶階)가 남북으로 벌려져 동쪽으로 내려가고 있었는데 디팜카라 붓다가 33천에서 내려온 곳이었다.

데바는 그곳의 주지승으로부터 그 전설을 들을 수 있었다.

전설 역시 이상했다. 지금의 붓다가 곧 디팜카라 붓다였다는 것이다. 이건 또 뭔가 싶었다.

 -무슨 말입니까?

데바가 눈을 크게 뜨며 물었다.

 -디팜카라 붓다가 현세의 붓다 석가모니라는 말씀입니다.

 -그럴 리가요. 석가모니 붓다의 과거세 스승이 디팜카라 붓다가

아닌가요?

 -장차 붓다가 되리라고 계시한 것은 내가 다시 태어나리라는 말씀이었다는 말입니다. 그러니까 과거불이 현세에 태어나셨다 그 말입니다. 어느 해에 석가모니 붓다께서 이곳으로 와 그 모습을 직접 보여주셨습니다.

 -보여줬다구요?

 붓다께서 이곳으로 와 계실 때 승림(勝林)에서 천궁으로 올랐다고 하였다. 선법당(善法堂)에서 어머니를 위해 설법하기 위해서였다. 그때 천제석(天帝釋)이 보계를 신통력으로 건립했다. 한가운데는 황금으로, 왼쪽은 수정으로, 오른쪽은 흰 은으로 쌓았다.

 천제석 즉 붓다는 하늘 사람들을 거느리고 황금 계단을 밟고 내려왔다고 하였다. 대범왕(大梵王)이 하얀 불자(拂子)를 들고 은 계단에 섰고 천제석은 보산(寶傘)을 들고 수정 계단에 섰다. 천인들은 꽃을 뿌리며 허공을 날아다녔다.

 -그러니까 그 모습을 직접 보았다 그 말입니까?

 -네. 보았습니다.

 -설령 그렇다 하더라도 신통의 광경이 보이지 않았을 텐데요?

 -하지만 보였습니다. 나만 본 것이 아닙니다. 이곳 사람들이 모두 보았지요.

 그럴 리가!

수부리가 탄식하듯 뇌까렸다.

그 모습을 보며 승이 말을 계속했다.

어머니를 위한 설법을 마치자 얼마 멀지 않은 곳에서 수도하고 있던 연화색 비구니(連華色 比丘尼)가 최초로 여래의 설법을 듣고자 하여 전륜왕의 차림을 하고 칠보와 함께 사병이 경위한 가운데 나타났다.

연화색 비구니는 본시 이곳 사람이 아니었다. 석가모니 붓다께서 오신다는 소식을 듣고 천 리 길을 걸어온 것이었다.

붓다는 그때 연화색 비구니에게 이런 말을 하였다.

-그대는 나를 최초로 보는 것이 아니다. 선현은 제법의 공함을 보고 내 법신을 최초로 보았다.

연화색 비구니는 그제야 석가모니 붓다임을 깨달았다.

-붓다시여.

붓다가 빙그레 웃었다.

-이제야 나를 알아보겠느냐?

-그러하옵니다.

붓다가 하늘로 올라 천제석이 되기 전 어느 날이었다. 연화색 비구니는 그 미모로 인하여 폭한에게 겁간당하여 비구니 승단에서 파문당할 위기에 처하게 되었다. 그는 붓다를 찾았다.

-붓다시여, 이 일을 어떡하면은 좋겠습니까?

붓다가 비구니에게 물었다.

-폭한이 너를 범할 때 너의 느낌이 어떠했느냐?

-고통스러웠나이다. 그저 헤어나고 싶었나이다.

-그렇다면 연화색 비구니여. 너는 죄를 지은 것이 아니다.

그 길로 연화색 비구니는 승단의 파문을 면하였다.

붓다가 설법하던 자리가 그대로 보존되어 있었다. 그런데 거기서 디팜카라 붓다의 탑을 또 발견하였다. 디팜카라의 가르침이 면면이 아직도 이어지고 있다는 것이었다.

-나는 과거에도 있었으며 현재에도 있고 미래에도 존재한다? 이거 정말 디팜카라 붓다가 석가모니 붓다가 아닐까?

수부티가 연신 고개를 갸웃거리다가 말했다.

-갑시다. 그럴 리가 있습니까? 그냥 현실만 보자구요. 이러다 정말 멍충이가 되겠습니다.

그 자리에 경배하고 데바와 수부티는 동남쪽으로 발길을 옮겼다. 붓다가 이곳을 걸쳐 카나쿠브자국으로 갔다는 말을 들었기 때문이었다.

카나쿠브자국으로 향하다 말고 수부티가 갑자기 생각난 듯이 입을 열었다.

-자네 저번에 내게 뭐라 그랬나? 붓다를 만나 침묵의 목을 잘라봐야겠다고 했나?

둘의 사이가 어느 사이에 예전처럼 돌아가 있었다.

-네.

데바가 스스러움 없이 대답했다.

-그래서 이 고생을 하는 것이고?

-진리를 얻을 수 있다면 이만한 고생이 대수겠습니까.

-하하하, 그렇겠지. 그래서 붓다께서 금강을 설하시던 날 그러셨던가?

-네?

-금강경을 설하시던 이런 말씀을 하셨지. 깨달음을 이룬 성인들, 예류 수다원, 일래 사다함, 불환 아나함, 아라한은 단지 이름하여 그렇게 부를 뿐이니라. 실은 깨달았다는 생각조차 없느니라.

-또 이러셨겠지요. 여래는 연등 붓다 처소에서 아무런 법을 얻은 바가 없었고, 보살이 불국토를 장엄함은 단지 장엄한다고 이름할 뿐 장엄이 아니며 이에 상(相)을 내지 않는다. 그러므로 보살은 형상, 소리, 냄새, 맛, 감촉, 심상에 머무르지 않고 마음을 내야 하며, 마땅히 어디에도 머무르는 바 없이 그 마음을 내야 한다. 마치 수미산만큼 몸이 큰 사람과 같이. 그리고 또 이렇게 말씀하셨겠지요. 이 법문이 있는 곳은 모든 세상의 천신, 인간, 아수라들에게 공양받을 것이며, 곧 붓다와 존중받는 제자들이 계심과 같다.

-맞아. 그러셨지. 그리고 이 법문의 이름을 지어주셨지. 금강반

야바라밀로 부르라. 이것은 마치 삼천대천세계와 이를 이루고 있는 티끌 혹은 여래의 32상조차 그것이 아니라 단지 이름 붙여 그렇게 부르는 것과 같다고 하셨지.

-설령 그렇게 말씀하셨다고 하도 침묵의 질문에 대한 대답은 아닌 것 같군요.

또 왜 그러나 하는 표정으로 수부티가 데바를 쳐다보았다.

데바는 거침없었다.

-침묵의 모가를 쳤을 때 일어나는 대답이 아니라는 말입니다. 대답은 그 위에 있기 때문입니다. 저는 그 대답을 봐야겠다는 말입니다.

수부티가 또또또 하다가 머리를 내저었다.

-아이고 자네를 어떡하면 좋아 그래.

데바는 그제야 그런 나를 용서하라는 듯이 눈을 감고 고개를 끄덕였다.

| 4 |

카나쿠브자국은 서쪽으로 갠지스강을 바라보고 선 나라였다. 성

곽과 성지는 견고하고 크고 높은 집들은 잇대어 지어져 있었다. 연못은 거울같이 맑았고 꽃 피는 숲이 많았다.

데바와 수부티가 도성 안으로 들어갔을 때 이미 붓다는 그곳을 지나쳤는데 국왕이 선왕을 추앙 하고자 세운 성 동쪽의 큰 건물이 불타고 있었다. 사람들은 아우성을 치며 불길을 잡으려 했지만, 화염은 더욱더 거칠어지고 있었다.

불을 끄라며 소리치던 왕은 탄식하였다.

-선왕의 선덕을 기려 이 건물을 세웠거늘 어찌하여 그것을 거부한다는 말인가? 이 건물 안에 석가모니 붓다를 모시려고 하는 내 서원이 하늘에 닿지 않았단 말인가?

그렇게 탄식하던 왕은 붓다가 계신 곳을 향해 예를 올리고 향을 피워 이렇게 고했다.

-붓다시여. 저는 전세의 선업으로 이곳의 왕이 될 수 있었습니다. 나라를 잘못 다스려 백성들이 고통받아 선덕을 베풀지 못했다면 기꺼이 이 몸을 바치겠나이다. 아무쪼록 이 화재를 진압해 주소서. 만약 들어주신다면 당장 목숨을 끊어 백성을 편안하게 하겠습니다.

왕은 그렇게 말하고 몸을 날려 불타는 건물의 문지방 위로 뛰어올랐다. 그러자 문지방에 다음과 같은 글이 붙어 있었다.

-이 불길은 잡을 이는 데바닷다밖에 없다. 그는 과거의 업으로

인해 세상의 불을 끌 자이다. 만약 이 불길을 잡지 못한다면 그는 데바가 아니다. 그는 이미 도성에 들어와 있다. 그의 도포로 이 불길을 덮어 끌 수 있으리라.

왕이 문지방을 내려와 사방을 둘러보니 막 들어선 나그네가 보인다. 그에게 달려가 예하고 이름을 물었다. 왕은 데바에게 글을 내밀었다. 데바는 이상하여 자기 도포를 벗어주었다. 왕이 그 도포를 펴 불길을 향해 던졌다. 도포가 날아가더니 커다란 검은 구름송이가 되어 불길을 덮었다. 불이 꺼진 것이다.

왕은 앞으로 세상을 구할 데바를 자신의 궁으로 안내하였다. 그는 상 좌석에 데바를 앉히고 아래 자리에 자신이 앉았다.

-어디로 가시는 길이셨습니까?

-저에게는 스승님이 계시는데 그분을 찾아가는 길입니다.

왕은 데바에게 스승이라는 분이 혹시 처녀를 데리고 다니는 걸 승이 아니냐고 물었다.

그렇다고 대답하자 이렇게 말했다.

-그분 역시 저를 살리신 분입니다.

-무슨 말씀이신지?

-참으로 무슨 인연인지 모르겠습니다. 바로 엊그제였습니다. 하늘에 제사 지내고 막 내려오는데 이상한 인물이 칼을 들고 제게 달려들었습니다.

왕은 놀라기는 하였지만 겁내지 않고 오히려 칼을 빼 그와 대결했다. 왕의 무예 솜씨는 타의 추종을 불허했으므로 그 사내는 이내 사로잡히는 몸이 되었다. 칼을 놓치고 넘어진 범인의 목에 칼을 들이대고 왕이 물었다.

-웬 놈이냐?

사내는 곧 죽을 몸이면서도 눈을 부라리고 왕을 향해 외쳤다.

-분하구나. 너를 죽이지 못하다니.

-나는 어느 한쪽으로 치우침 없이 세상을 다스렸다. 그런데 나의 은덕을 칭송하지는 못할망정 나를 죽이겠다니?

그때였다. 수 명의 자객이 몸을 날려 왕을 향해 몰려들었다. 병사들이 그들을 막았지만, 무술 솜씨가 워낙 뛰어났으므로 모두 그들의 칼에 넘어졌다. 왕은 포위되고 말았다.

엎어져 있던 사내가 일어났다.

그는 칼을 집어 들어 왕을 죽이려 했다. 그 순간 걸승 하나가 날라 넘어왔다. 그는 누더기를 걸치고 있었는데 맨손으로 칼을 든 자객들을 모두 처치하였다. 마지막 남은 사내가 왕의 목에 칼을 들이대고 소리쳤다.

-누구냐? 네놈은….

-지나가는 걸승이노라.

-다가오지 마라. 왕을 죽이겠다.

-그래서는 아니 된다. 그분만이 이 나라를 구할 분이다. 그대는 속고 있으니 역심을 버리거라.

그래도 사내는 왕을 끌고 계단 아래로 내려갔다.

걸승은 하는 수 없다는 얼굴로 빛의 칼로 사내를 내팽개쳤다.

왕이 걸승에게 물었다.

-누구시온지?

-그저 지나가는 걸승이외다.

그렇게 말하고 걸승은 이런 말을 하였다.

-지금 이 나라에는 외도의 무리가 무려 수만을 헤아리고 있소. 그들은 역심을 풀어 왕위를 찬탈하고 나라를 다스리려 하고 있소. 자객들은 그들이 보낸 자객들이오.

그렇게 말하고 걸승은 일일이 외도의 이름을 적어주었다.

왕은 곧 외도를 잡아들여 단죄했는데 걸승은 떠나며 불이 날 건물로 가 문지방에 그와 같은 글을 붙였다.

-그럼 제 스승이 쓴 글이란 말입니까?

데바가 놀라며 물었다.

-그렇소이다.

그때 한 무리의 왕자들이 들어와 인사를 하고 나갔다. 모두가 하나같이 늠름한 모습들이었다. 뒤이어 처자들이 들어왔는데 등이 노인처럼 굽어 있었다. 왕이 그녀들을 소개하였다.

-제 딸들입니다.

-그런데 이상하군요. 왜 하나같이 등이 굽었습니까?

왕이 한숨을 쉬었다. 그는 잠시 후에야 입을 열었다.

-이 나라 옛 왕성의 이름은 쿠스마푸라였습니다.

왕에게는 1천 명의 아들과 1백 명의 딸들이 있었다 그만큼 아내가 많았다는 말이었다.

갠지스강 강가에서 수행하던 한 선인이 돌아왔다. 그는 고국으로 돌아온 뒤로도 갠지스강을 향해 가부좌를 틀고 수행을 계속했다. 그의 모습은 고목 같았다. 가끔 새 떼가 와 그의 머리 위에서나 어깨 위에서 놀다 가곤 하였다. 그에게 그늘을 선사했던 니그로다 나무가 열매를 맺고 그 씨앗이 자라 다시 열매를 맺었다.

열매가 달린 나뭇가지가 그의 어깨까지 늘어졌다. 어깨가 점점 무거워 왔다. 수행에 방해가 되었으므로 그는 일어나 자기 어깨에 열매를 떨어뜨린 니그로다 나무를 제거하려 했다. 나무를 베려고 하는데 나무에 새집이 지어져 있는 것이 보였다. 새집에서는 방금 부화한 새 새끼가 깍깍대고 있었다. 선인은 새들이 다칠까 염려되어 나무를 제거하지 못했다.

하는 수없이 자리를 옮겨 수행하려고 장소를 찾다가 왕의 딸들이 풀밭에서 놀고 있는 모습을 보았다.

수행이 덜 된 그는 그 처자들을 보는 순간 그만 애정이 생기고 말았다. 그녀들에 대한 집착심을 버리려 했으나 버릴 수가 없었다.

그는 궁으로 들어가 왕을 뵙고자 했다.

니그로다 나무 밑에서 수행하던 수행승이 왔다는 전갈에 왕은 친히 어전으로 나갔다.

수염이 등을 덮은 수행승이 자신을 기다리고 있었다.

-왜 나를 찾는가?

왕이 물었다.

-왕이시여, 나는 숲에서 오랜 세월 수도를 하던 수행승입니다. 선정에서 깨어나 그대의 딸을 보는 순간 애착하는 마음이 생겼습니다. 그 마음을 끊을 길 없으니 이렇게 청혼을 드리려 온 것입니다.

왕이 머리를 내저었다.

-이보시오. 수행승으로서 부끄럽지도 않으시오. 애욕을 끊고 진리를 찾는 것이 수행승의 본분이거늘 어떻게 그런 말을 할 수 있단 말이오.

단숨에 무안을 당한 그는 잠시 고개를 숙였다가 왕에게 이렇게 말했다.

-내 청혼을 받아 줄 수 없단 말입니까?

-몇 번을 말해야 알겠는가.

-그렇다면 저에게도 생각이 있습니다.

-생각이 있다니?

-저는 비록 붓다의 경지에 들지는 못했지만, 신통력을 얻은 상태입니다. 지금부터 나는 이 성의 건물을 하나하나 부숴나가겠습니다.

왕은 수행승이 거짓말을 하는 줄 알았다.

-마음대로 하시구려. 그런 협박을 계속하겠다면 그대를 감옥에 집어넣을 수밖에 없다.

그러자 수행승은 자기 신통력으로 왕의 어전을 들어 올렸다. 어전에 앉은 왕의 몸이 허공에 둥둥 떠다녔다. 왕이 손을 허우적거렸다.

-어떡하시겠습니까? 그대를 천 리 밖으로 내던질 수도 있습니다.

위기감을 느낀 왕이 소리쳤다.

-좋소. 허락하겠소. 그대의 청을 들어드릴 터이니 나를 내려놓으시오.

수행승이 왕을 본래의 자리로 내려놓았다.

-내게 내일까지 말미를 주시오. 딸들에게 시간을 좀 주어야 하지 않겠소. 치장도 해야 하고. 내일 다시 와 하나를 고르시오.

-그렇게 하리다.

수행승이 돌아갔다.

왕은 공주들을 불렀다. 공주들은 하나 같이 고개를 내저었다.

-싫습니다.

-그러면 어쩌겠느냐. 그 신통력이 보통이 아니니. 이 나라를 모두 부숴 버리겠단다.

그래도 공주들은 싫다고 고개를 내저었다.

-이것들아, 너희들이 싫다고 하면 이 나라가 망할 텐데 그러면 공주 신분도 없어지는 게 아니냐. 제발 이 아비의 말을 들어다오.

그래도 공주들은 싫다고 하였다. 그런데 맨 막내가 앞으로 나섰다.

-아버님, 그럼 제가 그에게 시집을 가겠습니다.

-그게 정말이냐?

그러하옵니다.

왕이 그제야 환하게 웃었다.

-이제야 되었구나. 네가 이 나라를 구했다.

다음 날 수행승이 왔다. 공주들이 그를 맞을 줄 알았는데 달랑 한 명만이 그를 기다리고 있었다. 가만히 보니 그것도 마음에 들지 않는 어린아이다.

화가 난 수행승은 왕을 찾았다.

-나를 지금 모독하는 것이오?

-그럼 어찌하오. 다 싫다고 하니.

-그럼 좋소. 공주 모두를 평생 결혼하지 못하게 해 버리겠소.

말이 끝나기가 무섭게 99명의 공주가 그 자리에서 등이 굽었다.

-그래서 이 나라는 곡녀성(曲女城)이 되어 버렸습니다.

왕이 말끝을 그렇게 맺었다.

-참으로 무례한 수행승이군요. 그럴 수가 있다니….

왕이 다시 한숨을 쉬었다.

-내 스승이 그대를 구했을 때 그 말씀 하시지, 그랬습니까?

그러자 왕이 눈을 빛내며 데바 곁에 바짝 다가앉았다.

-왜 하지 않았겠습니까.

-?

-그랬더니 이런 말씀을 하시더군요.

-?

-바로 그대에게 부탁해 보라고.

-네에?

데바는 다시 놀랐다.

-그분으로서도 어쩔 수 없다는 것입니다.

-아니 어쩔 수 없다니요?

-그걸 제가 어떻게 알겠습니까. 아무튼 그렇게만 말씀하시고 떠나셨으니까요.

-저에게는 그런 신통력이 없습니다.

-그대는 엄청난 화재도 진압하지 않았습니까. 어떻게 해서 그런 능력이 없다고 하십니까?

-그건 나도 모르겠습니다.

왕은 데바가 발뺌한다는 것을 눈치채고 몰래 수행승을 불렀다.

수행승이 이내 궁으로 들어섰다. 어전으로 들어서는 수행승을 쳐다보다가 데바는 깜짝 놀랐다. 그 수행승의 모습은 바로 자기 모습이었던 것이다.

-이게 어찌 된 것이오?

데바는 놀라 왕을 향해 소리쳤다.

-뭐가 말이오?

왕이 물었다.

-저자는 내가 아닌가?

데바는 혼잣말처럼 소리쳤다.

-그대라니요?

왕이 이상하다는 얼굴로 되물었다.

-아니 그대의 눈에는 저자의 모습이 나와 닮지 않았단 말이오?

-지금 무슨 말씀을 하고 계신 것입니까?

왕이 오히려 놀란 얼굴로 물었다. 그제야 데바는 붓다의 속셈을 알 것 같다는 생각이 들었다. 수행승으로서 여자에게 음기를 품을 수밖에 없는 저자와 내가 다를 게 무엇이란 말인가.

그런 생각이 들자 데바는 곁에 있던 창을 들어 수행승을 향해 집어 던졌다. 창이 수행승의 심장에 정확하게 꽂히는 순간 쨍그랑하고 거울이 깨어졌다. 바닥으로 떨어진 내린 것은 거울이었다. 수행승의 모습은 온데간데없었다.

왕이 환호성을 질렀다.

성을 떠나기는 했지만, 데바는 속으로 이를 갈았다.

아주 나를 가지고 놀고 있구나. 내가 여자나 노리는 치한이라고 하는 것이 아닌가.

그것도 모르고 수부티가 합장하며 허공을 우러러 중얼거렸다.

-어리석고 미욱한 제자를 이렇게 하나하나 깨워 나가시니 눈물이 앞을 가립니다.

-그만 해요!

데바가 화를 내자 수부티가 허허하고 웃었다.

-속이 콩알만 해가지고선.

데바는 하루빨리 붓다를 만나야 한다고 생각했다.

내가 가만두나 봐라.

여래의 상

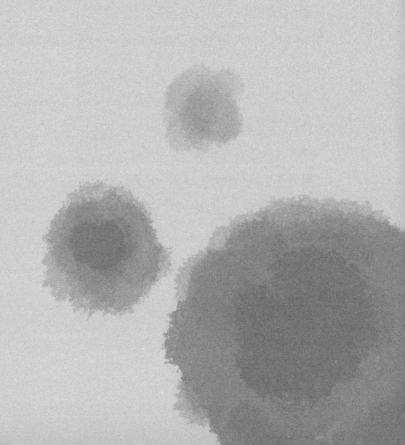

아데바국을 거쳐 아야무카국을 거쳤다. 그 나라와 인접한 프라아가국으로 들어서자 대성 서남쪽에 금색화가 무성한데 그 속에 수토파가 있었다. 높이가 무려 1백여 척이나 되었다. 그 옆에는 과거불들의 발톱과 손톱이 든 수토파가 있었다. 그 탑 앞에 붓다가 올리고 간 꽃이 시든 채 빛을 잃고 있었다.

신전의 주인은 견식이 널리 알려진 보살이었다.

-붓다께서 올리신 꽃이군요?

데바가 물었다.

-걸승이 올린 꽃이요. 꽃보다 아름다운 딸을 데리고 있었다오. 이름이 무엇이오?

-데바입니다. 그대는 이름이 무엇이오?

-나의 이름은 하늘이오.

-하늘? 하늘이 누구요?

어이가 없어 데바는 그렇게 물었다.

-나요.

보살이 대답했다.

-나는 누구요?

데바가 물었다.

-개(狗)요.

보살이 대답했다.

-개가 누구요?

데바가 물었다.

-그대요.

보살이 거침없이 대답했다.

-그대는 누구요?

-하늘이요.

-하늘은 누구요?

데바가 물었다.

-나요.

보살이 대답했다.

-누가 개요?

데바가 물었다.

-그대요.

-그대가 누구요?

-하늘이요.

데바가 자만심에 꽉 차 있는 보살의 경지가 보여 혀를 차며 돌아서자 보살이 껄껄 웃었다.

수부티가 따라오며 한마디 했다.

-아직도 붓다를 죽이지 않고는 자유로워질 수 없다고 생각하는가? 진리를 위해 붓다의 목을 베야 한다고 생각하는가?

왜 이러느냐는 듯이 데바가 뒤돌아보았다.

-어젯밤 내내 곰곰이 생각해 보았지. 문수사리가 붓다에게 칼을 든 것은 중생심에서였다. 그런데 진리를 위해 붓다의 목을 쳐야겠다? 참으로 무서운 일이라는 생각이 어젯밤에 들었어. 붓다의 침묵 위에 있는 것. 그것이 무엇일까? 그것을 얻으려면 스승의 목을 베야 한다고? 붓다를 죽이지 않고 어떻게 자유로울 수 있느냐고? 이런 생각이 새벽에 들더군. 붓다는 그 대답을 스스로 찾으라고 침묵하는 것이 아닐까 하는….

-문제는 어리석은 중생들이 붓다의 침묵을 진리라고 생각하는 데 있다는 것입니다. 침묵경이 되었지요.

-침묵경이라?

-가십시다. 지금 우리의 대화를 그는 듣고 있을 것입니다.

발길은 어느새 인접 국가인 코샴비국에 닿았다. 주위가 5천 리나 되는 나라였다. 대도성은 강의 교차점에 있었는데 코샴비국에 들리기 직전에 천사와 식인귀가 사는 곳을 지나쳤다. 천사의 집은 아주 아름답게 꾸며져 있었고 마귀의 집은 그 앞 나무에 지어져 있었다. 나무가 어떻게나 큰지 마귀는 거기에 자신의 거처를 정해놓고 사람들을 헤치고 있는 모양이었다. 나무 아래에는 수북이 사람의 인골이 나뒹굴고 있었다.

데바는 이상한 생각이 들었다.

어떻게 천사와 마귀가 한집에 사는 것일까.

코샴비국 카사푸라 성에 들러서야 그 의문이 풀렸다. 카사푸라 성은 갠지스강을 건너 북쪽으로 10여 리쯤 있었는데 마침 그곳에 천사와 식인 마귀가 뱃사공으로 가장해 와 있었다. 그들은 그곳의 한 수행승을 잡아먹기 위해 와 있었는데 이 수행승이 보통이 아니었다. 그는 이미 천사와 마귀가 자신을 잡아먹으려고 왔다는 것을 알고 있었다.

천사를 보아하니 참으로 아름답고 선량한 모습이었다. 마음이 비단결처럼 고와 보였다. 천사는 끝까지 그 수행승에게 이 식인 마귀의 말을 들으면 안 된다고 했고 마귀는 오히려 거짓말을 하는 것은 천사라고 하였다.

-그렇다면 이렇게 하십시다. 자 누가 저 언덕으로 나를 데려가겠소. 저 언덕으로만 가면 나는 살 수가 있소. 그 누구도 나를 범치 못할 것이기 때문이오.

그러자 천사가 나섰다.

-내가 그대를 등에 태워 저 언덕으로 모시겠습니다. 이렇게 희

고 큰 날개가 있지 않습니까.

이번에는 마귀가 나섰다.

-저에게는 배가 있습니다. 그 배로 그대를 안전하게 저 언덕까지 모시겠습니다. 만약 저 천사의 말을 듣는다면 공중에서 그대를 떨어뜨려 잡아먹고 말 것입니다.

-저자의 말은 거짓입니다. 배로 그대를 태워 가다가 물에 빠뜨려 잡아먹은 뒤 힘을 얻으려는 것입니다.

그러자 수행승이 말했다.

-그러면 안 되겠구려. 내 물음에 대답하는 이를 따라가겠소. 내 마음속에는 두 마리의 까마귀가 있소. 한 마리는 흰 까마귀요, 또 한 마리는 까만 까마귀요, 두 마리가 덫에 걸렸어요. 그대들은 어떤 까마귀를 먼저 구하겠소.

그 말에 천사가 대답했다.

-저는 흰 까마귀를 먼저 구하겠습니다.

-왜요?

-희다는 것은 때가 묻지 않음을 의미합니다.

-저는 검은 까마귀를 구하겠습니다.

마귀가 말했다.

-왜요?

수행승이 물었다.

-검은 까마귀는 희망이기 때문입니다. 희어지겠다는 희망 말입니다. 이 세상은 그 희망으로 하여 발전해 가는 것입니다.

잠시 생각하던 수행승은 칼을 가져와 둘 모두를 목을 베어 죽였다.

데바가 놀라 물었다.

-왜 그러십니까?

-저것들은 본시 한 몸이외다.

-네?

-인간의 본성 속에는 악마와 천사가 함께 존재하기 마련이라오. 이리로 가자고 하면 저리로 가자고 하고, 저리로 가자고 하면 이리로 가자고 하는 게 인간이라오. 저들을 베어내지 않고는 결코 저 피안으로는 가지 못할 것이오.

-갈 길이 없지 않습니까. 날개 달린 천사도 뱃사공도 없지 않습니까?

-붓다의 불법이 있지 않소. 저 강은 내 힘으로 건너야 할 것이오. 나를 데려가겠다고 장담하는 이가 있다면 그가 곧 마귀요 천사일 것이오. 그게 인간이라오.

-그러나 쉽지 않아 보입니다?

-붓다가 편 불법이란 길을 가르치는 손가락이라오. 날개도 아니고 배도 아니라오. 저기 있잖소. 피안이. 그걸 불법이 가르치고 있

을 뿐이오.

그곳을 떠나면서 데바는 울었다. 나. 나라는 존재. 그 존재의 실상을 비로소 깨달은 것 같다는 생각이 들었기 때문이었다.

시라바스티국으로 들어가니 사람들에게 해를 끼치고 도성에서 행패를 부렸다는 살인마 앙굴라마라의 소문이 널리 퍼져 있었다.

-이제 기원정사에 다다랐으니 헤어져야 하겠군요.

데바가 눈치를 보면서 수부티에게 말했다.

수부티가 잠시 생각하다가 고개를 내저었다.

-아닐세. 나도 소나마르크로 가야겠네. 나도 붓다를 뵈어야겠어.

-장로들이 기다릴 텐데요.

-그래도 가겠네.

-그럼 그러시던지요.

앞으로 나아가니 성의 남쪽에 기원정사(祇園精舍)가 보였다.

-들어갔다가 가세.

데바는 고개를 내저었다.

-누가 날 반기겠습니까. 전 그냥 가겠습니다.

-그럼 나도 가겠네.

석양에 물든 기원정사를 바라보다 보니 저 건물을 짓던 날들이 떠올랐다.

보시 제일의 제타라는 이름을 가진 이가 바로 수부티의 삼촌이었다.

당시 불교 교단은 마가다와 코살라를 중심으로 발전하고 있었다. 부호들은 주로 사밧티나 라자가하 등에 살고 있었다. 그 부호 중에서도 수부티의 숙부 되는 수닷다의 신심이 첫째였다. 일명 제타라고도 불렀는데 그는 보시를 아끼지 않는 사람이었다. 가난한 이들에게 먹을 것을 내어주고 언제나 힘없는 자의 편이 되어주었다. 그래서 그를 아나타핀타가 즉 급고독장자(給孤獨長者)라고도 불렀다.

수닷다가 처음 붓다의 명성을 들었던 건 마가다국에서였다. 깨달은 사람이 곧 붓다라는 말을 들었을 때 이상하게 그는 그분을 뵈어야 한다는 생각이 들었다. 그는 그 날밤 잠이 이룰 수가 없었다. 그는 날이 밝기가 무섭게 붓다가 머무는 시타 숲으로 향하였다.

붓다는 그때 그에게 보시의 공덕을 설했다. 붓다의 설법을 들은 수닷다는 크게 깨닫고 붓다의 제자가 되어 코살라국 삿밧티에서 설법해 줄 것을 간청하였다.

붓다는 그의 지극한 간청을 받아들였다.

승낙받은 그는 삿밧티로 돌아왔다. 돌아오긴 하였지만 붓다가 제자들과 머물 장소가 마땅찮았다. 그때 붓다는 안거(安居)라 하여 장마 때 외출하면 벌레나 풀 등을 헤친다고 하여 동굴이나 사원에서 수행하고 있었다. 장마가 끝나고 수행 장소를 옮길 때면 수많은 제자가 따랐으므로 그들을 수용할 장소가 마땅치 않았다. 그들이 수행하기에 알맞고 한적한 곳이어야 하는데 그럴 만한 데가 없었다. 물론 산속 깊이 들어가면 되지만 붓다는 손수 탁발을 했으므로 인가에서 그렇게 멀리 떨어져서도 안 되었다. 탁발에 너무 많은 시간과 노력을 쏟는다면 그만큼 수행에 차질을 빚기 때문이었다.

그래서 수닷다는 궁리하던 중 넓은 임원을 가지고 있는 기타 태자를 찾아갔다. 기타 태자는 바로 빔비사라의 맏아들이었고 아자따삿투 태자의 형 되는 사람이었다.

그 땅을 아끼던 기타 태자는 머리를 내저었다. 붓다는 이미 온 나라의 전설이 되어 있었지만 그를 믿지 않는 기타 태자에게는 귀 넘어 존재일 뿐이었다.

그런데 수닷다가 찾아와 이런저런 말끝에 붓다의 말을 한다. 수닷다의 부탁이 하도 끈질기자 기타 태자가 물었다.

-그래 당신이 믿는 그 붓다라는 사람이 그렇게 훌륭하단 말이오?

-그렇습니다.

-그러잖아도 찾아왔습디다. 아니 얼마나 훌륭하기에 그 땅을 사서라도 그분을 모셔야 하겠다는 거요?

-그분만 모실 수 있다면 무슨 짓이든 할 터이니 제발 동산만 쓰

게 해 주십시오.

-글쎄, 당신이 얼마나 부자인지는 모르지만, 황금을 그 동산 전체에 깔면 혹시….

아무리 신심이 깊다고 한들 황금을 동산 가득 깔기야 하랴 싶어 그렇게 한 말이었다. 그런데 그는 금세 얼굴이 환하게 밝아지면서 그렇게 하겠노라고 대답하였다.

-아니 정말 그 동산 전체를 황금으로 깔겠단 말이오?

기타 태자가 놀라 그렇게 묻자 그는 웃으며 대답하였다.

-물론입니다.

집으로 돌아온 수닷다는 황금을 마차로 실어내었다. 수부티가 뭣 모르고 물었다.

-왜 황금을 마차로 실어내세요?

-오냐. 기타 태자의 임원에다 깔려고 그런다.

-무슨 소리예요?

-그래야 붓다 님이 오신단다.

수부티는 무슨 말인지 몰라 눈을 땡그라니 떴다.

농담 반 진담 반으로 한 말이 현실로 옮겨지자 기타 태자는 깜짝 놀랐다.

깜짝 놀란 건 그만이 아니었다. 붓다를 기다리던 모든 사람이었다.

도대체 붓다가 어떤 사람이기에 수닷다가 임원을 황금으로 채운단 말인가.

황금이 절반쯤 깔렸을 때 기타 태자는 그만 감동하여 두 손을 들고 말았다.

-수닷다여 감동했소이다. 나는 나머지는 그분께 기증하기로 하겠소.

-정말 고맙습니다.

그리하여 세워진 것이 기원정사였다.

사람들은 설렘 속에서 붓다를 기다렸다. 그것은 어린 수부티도 마찬가지였다.

도대체 어떤 분이기에 숙부가 임원을 황금 동전으로 채운단 말인가.

| 2 |

붓다는 어느 날 무열뇌지라는 곳에 법회처를 마련하고 대중을 모이게 한 적이 있었다. 인계와 천계의 사람들이 모두 모여들었다. 그런데 붓다의 오른팔이나 다름없는 사리풋다 장로가 그 회의에

오지 않았다.

붓다는 못가라나에게 일렀다.

-가서 사리풋다를 데려오너라.

-알겠습니다.

못가라나는 사리풋다를 데리려 사위 성으로 떠났다.

사리풋다는 그때 사위 성에서 법의를 고치고 있었다.

-붓다께서 무열뇌지에 계시는데 빨리 오시랍니다.

못가라나가 법의를 고치고 있는 사리풋다에게 말했다.

그 말을 들은 사리풋다가 대답했다.

-그럼 잠시만 기다려 주오. 이 옷을 다 고치고 함께 갑시다.

못가라나는 그런 사리풋다의 속셈을 이해할 수 없었다. 누구의 명인가. 누구의 명인데 한시인들 지체할 수 있단 말인가.

화가 난 못가라나의 이마에 혈관이 드러났다.

-사리풋다 존자여. 만약에 곧장 저를 따라나서지 않으시겠다면 저의 신통력으로 그대를 들어 올려 대회장에 데려가겠습니다.

사리풋다가 웃었다. 그는 의대(衣帶)를 풀어 땅에 놓았다. 그리고는 이렇게 말했다.

-나를 신통력으로 데려가시겠다고 하셨는데 이 띠를 들어 올린다면 혹시 모르겠습니다. 내 몸을 들어 올릴 수 있을지….

그 말은 신통력을 자제하라고 항상 일렀던 붓다의 명을 어긴 못가리나를 질타하는 말이었다.

그러나 이미 붓다와의 약속을 잊어버린 못가라나가 신통을 부렸다. 그러자 천지가 진동했다. 사리풋다가 내려놓은 띠는 꼼짝하지 않았다.

하는 수 없이 못가라나는 그냥 돌아갔다. 그는 돌아가 붓다에게 자초지종을 알렸다. 그러자 붓다가 껄껄 웃었다.

-보아라. 사리풋다는 이미 여기에 와 있느니라.

무슨 소린가 하고 못가라나가 사방을 둘러보니 사리풋다가 자신을 향해 웃고 있었다. 그제야 못가라나는 탄식하였다.

-붓다시여. 저를 용서하소서. 약속을 어겼습니다. 이제야 비로소 신통력이란 지혜의 힘에 미치지 못함을 알겠나이다.

붓다가 고개를 끄덕였다.

-다시 말하건대 신통력이란 지혜(知慧)의 산물이 아니다. 지혜(智惠)의 통인 누진통만을 열어라.

못가라나는 그 후 결코 신통력을 쓰지 않았다.

데바는 느끼는 것이 많았다. 죽어가는 어린아이를 안고 어미가 붓다를 찾아왔을 때 고개를 내저었다던 사람.

-그대는 의왕이 아니십니까. 신통력으로 내 아들을 살려주십시오.

-가서 의사를 찾아보시오. 그대의 아들을 살릴 의사는 많을 것

이오.

병든 아들의 어미는 붓다를 원망하며 돌아갔지만, 붓다는 나중 이렇게 일렀다.

-내가 만약 신통력으로 그 아이를 살렸다면 나는 영원히 이 세상에 살아 있어야 할 것이다. 그런 애들이 죽어가면 신통력으로 살려야 할 것이 아니냐. 그러나 의사의 처방이 있다면 후세에도 그 처방대로 아이들의 병은 고칠 수 있을 것이다.

그 일화를 생각하다 보니 스르르 눈이 감겼다.

붓다는 기적을 베풀기보다는 병의 원인을 먼저 알게 했으며 나는 기적을 베풀어 병을 낫게 했다.

왜 중생의 구제 방법이 달라야 하는가?

잡다한 생각을 하며 걷다 보니 얼마 멀지 않은 곳에 우물이 하나 있었다. 붓다가 이곳 어딘가 계실 때 물을 긷던 곳이었다. 그 옆에 제놈 왕이 세운 힌두신 동상이 있었다. 그 옆에는 과거세불의 수토파도 있었다. 그 안에 과거불의 사리가 들어 있다고 하였다. 가끔 그 속에서 영서(靈瑞)가 일어나는가 하면 명계의 신들이 내려와 경배하고 가기도 하고, 하늘에서 음악이 연주되기도 한다고 하였다. 가까이 다가갈수록 신묘한 향기가 콧속으로 흘러들었다.

신전 뒤쪽에 범지(梵志)라는 바라문이 음녀를 죽이고 붓다를 비방한 장소가 있었다.

한 음녀가 있었다. 외도에 홀린 여자였다. 그는 외도의 말에 홀려 붓다를 비방하고 돌아다니다가 고목 나무 옆에서 시체로 발견되었다. 외도들은 얼씨구나 하고 붓다가 그녀와 정을 통해 결국은 그녀를 죽인 것이라 왕에게 간언하였다.

왕은 그들의 말을 믿으려 하지 않았으나 조사를 명령했다.

범지라는 바라문이 그녀와 마지막으로 있었다는 게 수상했으나 결정적인 증거가 없었다. 잡아다 조사해 보았지만, 증거가 없어 풀어주려고 했는데 그때 하늘에서 천인들이 내려와 큰 거울을 왕 앞에 내밀었다. 왕이 보니 범지라는 바라문이 음녀를 겁간하고 죽이는 장면이 그대로 나타났다. 그리고는 붓다를 비방하며 돌아다니고 있었다. 그러니까 그는 외도의 두목이나 다름없는 사람이었다.

왕은 그를 죽였는데 그 장소가 바로 그곳이었다.

그곳에서 얼마 멀지 않은 곳에 갱이 두 개 더 있었다. 음녀의 갱이었다.

붓다를 사모하여 접근하다가 붓다가 고개를 내젓자 어느 날 붓다가 설법하는 자리에 도착한 그녀는 이렇게 고함쳤다.

-여러분, 저자는 사기꾼이오. 저자는 감언이설로 나를 속여 자신의 자식을 베게 했소. 내 배를 보시오. 내 배가 그것을 증명하잖소.

대중들이 그녀의 배를 보니 정말 산더미처럼 부르다.

그러자 붓다는 흔온하게 웃으며 주위를 진정시킨 다음 음녀에게 물었다.

－그 속에 든 것이 무엇이냐?

－당신의 자식이오.

그때 제석천이 생쥐로 몸을 바꾸어 그녀의 사타구니 사이로 들어갔다. 사람들의 오해를 풀어주기 위해서였다. 그녀의 사타구니 사이로 들어간 생쥐는 그녀의 배를 불룩하게 만든 바가지를 꺼내 물고 나왔다.

대중들의 눈이 휘둥그레졌다.

붓다를 음해하려는 외도의 계략은 그리하여 들통이 났다. 그녀는 그대로 지옥으로 떨어졌는데 그때 파인 갱이었다.

데바는 옆에 있는 또 하나의 갱 앞에서 참으로 가슴 아픈 말을 들었다. 그동안 수라다 비구의 소식을 듣지 못하였는데 그가 죽은 갱이라고 하였다.

－아니 수라다 비구가 죽었단 말입니까?

주지승이 고개를 끄덕였다.

－붓다를 시해하려다 죽었지요. 폐종 중의 폐종이요 악인 중의 악인입니다.

수라다. 그는 데바가 붓다 곁을 떠나 한때 가르침을 받았던 그 사람이었다. 붓다와는 그 역시 피를 나눈 형제였다. 그런데 그가 붓다를 죽이려고 했다는 것이다. 그는 데바가 떠난 후 붓다를 시해하기 위해 이곳으로 왔고 시해하려고 붓다에게 달려들다가 천인들에 의해 갱에 빠져 죽었다고 하였다. 갱이 그대로 보존되어 있었다. 가슴이 섬뜩했다. 그러면서도 어떤 동질감이랄까 그에 대한 애정이 샘물처럼 솟아올랐다.

붓다에게는 이종형제 되는 사람이 수라다가 아닌가. 어려서부터 교만하고 방탕했으며 질투가 대단했으나 재능만은 출중했다. 붓다와 그 나이가 같았다. 그는 붓다의 아내가 처녀였을 때 샤카 족 야쇼다라 공주를 사이에 두고 붓다와 연적 관계에 있었다.

그는 무예 시합에 패하고 야쇼다라를 붓다에게 빼앗겼다. 그때부터 그의 증오가 시작된 것이었다.

그는 붓다가 깨달음을 얻은 뒤 카필라성으로 돌아오자 부모의 등쌀에 못 이겨 같은 왕족 출신인 바드리카, 난다, 아니룻다 등과 함께 출가했다.

그의 지식욕은 엄청났다. 시기심 또한 강했다. 그는 언제나 붓다 곁에서 떠나려고 하지 않았다. 붓다는 그것을 나무라곤 했다. 그러나 그런 그를 말릴 수가 없었다.

그래서 그는 아는 것만 많았다. 아는 것이 많아갈수록 자기 아집에 사로잡혔다. 자기 아집이란 게 별다른 게 아니었다. 자기식의 사상을 만들어내고 자기식대로 불법을 호도했다. 원체 머리가 영리하다 보니 이것저것 어깨너머로 들은 선지식을 이용해 도반들과 비판하기를 좋아했고 한 가지만을 파나가던 도반들은 그의 폭넓은 지식에 혀를 내두르면서도 상대하기를 꺼려하였다. 그만큼 아는 게 많았다는 말이었다.

그럴 때마다 붓다는 수라다를 불러 호되게 나무랐다. 그러나 끝내 그는 교만을 버리지 않았다.

나중에는 붓다를 등지고 교단을 떠나고 말았다.

그런 면에서 데바 또한 할 말이 없었다. 교단을 뛰쳐나가 그를 찾아갔으니.

그러나 그때는 어쩔 수 없었다. 교단의 우두머리가 되어야 했다. 그런 형을 아난이 말렸지만, 그때는 교단을 이끌 수 있을 것 같았다.

어느 날 천축에서 가장 큰 나라 마가다국 라자가하에서 빔비사라 왕 등 여러 대중이 모인 자리에서 결국 붓다에게 이런 말을 하고 말았다.

-붓다시여, 이제 연로하여 편히 쉬실 때가 되었습니다. 차후 제가 교단을 통솔하겠습니다.

붓다는 그때 분수를 모르는 제자를 나무랐다. 그보다 더 뛰어난 수행자 제자들이 얼마든지 있었다. 자신의 오른편에 설 수 있는 사리풋타와 못갈라나에게도 맡기지 않은 교단을 맡기라고 나섰으니 나무랄 만도 하였다.

　그때 붓다가 침만 뱉지 않았던들.

　데바의 공격이 심해지자 붓다는 침상 밑으로 침을 뱉었고 이렇게 말했다.

　-여래의 침을 먹을 수 있겠느냐?

　어이가 없어 말이 나오지 않았다.

　내가 이런 인간을 스승으로?

　-그와 같다. 중생을 위한 이 교단은 나의 침과 같은 곳이다. 그러므로 이 교단을 맡으려면 나의 침이 되어야 한다. 그러므로 너는 이 교단의 주인이 될 수 없다.

　　　　　　　　　| 3 |

　데바는 그런 생각을 하며 카필라바투스국으로 들어갔다. 이곳이 바로 붓다의 조국이었다. 주위가 4천 여리나 되었고 나라를 다스리는 대군주도 없었다. 비루다카에게 나라 전체가 피바다로 변할 때 인연의 법을 설했던 붓다였다. 카필라 성을 유리로 덮어 버리겠다는 제자 못가리나를 말렸던 붓다. 그러기에 앞서 종연생 종연멸

을 설했던 붓다였다.

궁성 안에 건물터가 남아 있었다. 그 안에 왕의 상이 만들어져 있었다. 붓다의 아버지 정반 왕이었다. 그곳에서 멀지 않은 곳에 붓다의 생모 마야 부인의 침전이 있었다. 그 위에 마야 부인의 상이 만들어져 있었다.

그 옆에 정사가 있었다. 붓다가 어머니 태내에 든 곳이었다.

붓다의 탄생지를 돌아보고 그들은 다시 나아가기 시작했다.

붓다가 강신했던 동북쪽에 아시타 선인이 그분을 관상했던 곳이 있었다. 태자 싯닷타가 태어나자마자 아시타 선인이 찾아왔었다. 태자의 상을 살핀 뒤 선인은 눈물을 흘렸다.

-왜 그대는 눈물을 흘리는가?

왕이 이상히 생각하여 그에게 물었다.

-대왕이시여, 저는 여기에 오기 전에 히말라야의 천궁에서 좌선하고 있었습니다. 갑자기 하늘이 열리며 천인들이 내려와 춤을 추며 태자의 출생을 축복했습니다. 그래서 이렇게 온 것입니다. 태자의 상을 살펴본, 즉 재가의 사람으로 남는다면 전륜성왕이 되겠으며, 출가한다면 반드시 등정각을 이루어 세상을 구할 붓다가 될 것입니다.

-그런데 왜 눈물을 흘리시오?

-대왕이시여. 제가 아무리 윤회를 거듭한다 해도 어떻게 붓다와

한세상을 살다 갈 수가 있겠습니까. 이미 나는 늙어 붓다가 되실 그 모습을 못 뵈고 눈을 감을 것을 생각하니 그 어찌 슬프지 않겠습니까.

데바는 성인의 교화를 보지 못하고 갈 것을 한탄하던 그 모습이 눈에 선했다.

데바는 붓다가 출가하기 전 맞아들였다는 태자비 야쇼다라의 침궁도 보았다. 안에 야쇼다라 비의 상이 만들어져 있었다. 침궁 옆의 정사는 태자가 학업을 받던 곳이었다. 성안에서 함께 살고 있었지만, 감히 들어와 볼 수 없던 곳이었다. 비루다카의 침공으로 이곳에 들어올 수 있다는 것이 믿어지지 않았다.

성 동남쪽 귀퉁이에 태자가 백마를 타고 허공을 나는 상이 있었다. 숫도다나 왕이 조각가를 시켜 만들어 건 것이라고 데바는 알고 있었다.

성의 네 대문 밖에는 늙고 병들고 죽고 출가하는 사문의 상이 만들어져 있었는데 태자는 그들을 보며 생의 무상함을 느껴 출가했다는 걸 데바는 알고 있었다.

성의 동북쪽에 나무가 한 그루 있었다. 바로 그곳이 처음으로 태자가 명상에 젖었던 곳이었다.

이곳에 있을 때 가끔 아난을 데리고 와보던 곳이었다. 쟁기 끝에 파헤쳐진 땅에서 일어난 생명이 새의 모이가 되는 것을 보고는 생의 무상함을 느껴 선정에 들었다는 곳이 바로 이곳이었다. 그때 붓다의 아버지 숫도다나 왕은 햇빛이 다른 곳을 비추고 있는데도 나무 그늘이 없어지지 않는 것을 보고 처음으로 경애하는 마음이 생겼다고 했다.

성 남문 밖 왼쪽에 화살샘이 있었다. 붓다가 아내 야쇼다라 비를 얻기 위해 석 씨 일족의 청년들과 붓다가 힘을 겨룬 곳이었다. 그때 강궁을 떠난 화살은 쇠북을 뚫고 땅에 꽂혔다. 거기에서 물이 솟았다. 그곳이 바로 화살샘이었다. 지금도 병든 자가 마시거나 목욕하면 낫는다는 말이 있었다.

수부티가 새삼스럽게 눈을 크게 떴다.

-매번 올 때마다 감상이 다르네. 화살이 땅에 꽂혔는데 그곳에서 샘이 물길이 솟아올랐다니….

그 말을 들으면서 데바는 다시 생각에 잠겼다.

앞으로 붓다가 될 싯닷타 왕자는 왕위에는 별 관심이 없다는 건 어릴 때 알고 있었다. 어머니가 항상 걱정했기 때문이었다.

-어쩐 일인지 모르겠어요. 전륜성왕이 될 수업은 하지 않고 명상을 즐기기만 하니 국가 원로들의 걱정이 이만저만이 아니라고 하잖아요. 앞으로 국가 대사를 책임질 사람이 통 그런 것에는 관심이 없다고 하니 참.

그 걱정이 그대로 맞아들었다. 태자가 출가하고 난 뒤의 궁은 참으로 썰렁했다. 갑자기 시들어 버린 꽃처럼 생기라고는 없었다.

| 4 |

　-감회가 새롭네요.

　-그렇지? 마음만 먹으면 와 볼 수 있는 것이었는데….

　-그런데 무슨 생각이 그리 깊으세요. 통 말이 없으니….

　-내내 오면서 이해가 되지 않는다는 생각이 들어서 말이야.

　-뭐가요?

　-자네의 침묵에 대한 자세라고 할까?

　-침묵에 대한?

　-가만히 생각해 보니 뭔가 단단히 잘못 생각하고 있는 것이 아
닌가 하는 생각이 들어서 말이야.

　데바는 하하하 하고 웃었다.

　-그러고 보니 딴생각하고 있었던 게 아닙니까?

　-그런가?

　-참 못 말리겠네요.

　수부티가 고개를 내저었다.

-그날 붓다의 말씀이 생각나서 말이야.

-무슨 말요? 금강경을 설하시면서 이런 말씀을 하셨거든. 후 오백세 중생이라도 이 법문에 인연이 닿아 마음이 맑아지면 그때 금강화를 만날 수 있을 것이다. 후 오백 세. 이곳은 그리 먼 세월이 아닌 데도 이렇게 변했으니. 인연이 다하면 이렇게 되는가?

-그러고 보면 매우 경이로운 일이지요.

-그렇지 않아도 그런 말씀을 하셨다네. 매우 경이로운 일이라고. 상(相)을 여의어야 열반이라고 하시더군. 존재의 끝이 열반이 아닌가? 내 정신의 피안!

-무섭군요.

-여래는 전생에 가리 왕에게 몸을 찢기거나 인욕 선인이었을 때 상이 없었으니, 마땅히 보살은 6경에 머무르지 않았다고 하시더군. 모든 상을 떠나 가장 높고 바른 깨달음의 마음을 내었다는 것이야. 무량겁 세월 동안 몸으로 보시하는 것보다 이 법문을 믿고 수지독송하고 남에게 설명해 주는 복이 더 뛰어나다고 하시었어. 그때 깨달았지. 이 법문에는 무한한 공덕이 있다고. 여래는 오로지 대승, 최상승에 나아가는 이를 위해 설한다고.

-그러나 거기에는 역시 일각의 차이가 있다는 생각입니다. 이곳으로 오면서 들었지요? 새끼줄을 개 꼬리로 착각한 수도승 말입니다. 그에게 있어 도가 무엇일까요? 한 수도승이 중생을 교화하기

위해 정신 집중을 통해 신통력을 보여주었다. 그의 실다운 설법들. 그에 마음의 동요를 일으키고 있던 사람들. 오늘의 우리가 아닐까요? 저는 붓다도 새벽 탁발을 나가다가 개 꼬리를 밟고 깜짝 놀랄 수 있다고 생각합니다. 그래서 물어보고 싶은 겁니다. 도가 무엇입니까? 대답할까요? 또 침묵할까요? 문제는 그 침묵의 경을 열지 않고는 해답을 얻을 수 없다. 그 말입니다. 신통력으로 수미산을 옮겨 놓을 수 있다고 하나 그것이 우리의 환상이라면요?

　-그럼 내가 하나 묻지. 그대가 원하는 깨달은 자의 경지는 어떤 것인가?

　-글쎄요. 그 대답을 붓다가 하실 대답이 아닌가요?

　-붓다에겐 집중과 사유가 있을 수 없다네.

풍광의 모순

둘이 대화하다 보니 어느 사이에 바라나시였다.

바라나시에 이르자 그곳에도 붓다가 수행했던 곳이 여러 곳 있었다. 그에게 그늘을 제공했던 보리수도 그대로 있었다.

데바는 계속 걸었다.

수부티가 중얼거리듯 곁에서 입을 열었다.

-우리의 붓다께서도 그대만 한 회의 그만한 고뇌는 있었겠지?

데바는 웃었다.

-이제 사형이 시작이네요.

-그보다 더했으면 더했지 하나도 못한 것이 없을걸.

-그렇게 수행이 치열했다면 그렇기도 하겠지요. 붓다는 너무 욕심이 많은 것 같아요.

-욕심?

-왕족들이 출가할 때 엄청난 재산이 교단으로 들어오지 않았습니까. 그것이 다 어디로 갔어요? 고통받는 카필라의 백성들을 향해 내놓았다는 말이 있지만 정말 그럴까요?

-그럼 어디다 쓰셨겠는가?

-문제는 계급을 없애야 합니다. 천인은 사문이 될 수 없으니 말

입니다. 그들을 교단으로 끌어들여야 합니다. 보십시오. 교단 내에 그들이 있습니까?

수부티가 멍하니 입을 벌리고 데바를 쳐다보았다.

-그게 어디 붓다의 마음대로 되는 일인가. 교단 내의 의견도 수렴해야 할 것이 아닌가? 귀족들이 용서할 것 같은가.

-그래서 천민들을 받아들이지 않는다고요? 그게 말이 됩니까. 나라를 잃고 어디로 가겠습니까? 갈 곳이 어딧어요?

-그러잖아도 고심하시더구먼. 그들을 받아들이자니 대중이 교단을 외면하고…. 받아들이지 않자니 중생의 고통이 심각하고…. 그리고 무엇 보다 그들의 의견이 첫째로 중요한 것이 아닌가. 사문이 되고 싶지 않은 사람도 있을 테니 말일세. 그래서 음으로 양으로 그들을 돕고 계시는 모양이야.

-그럼 다행이고요.

-그러니 붓다를 이해하려고 노력해 보게.

-언제나 진실은 이기는 법입니다.

수부티는 말없이 고개를 주억거렸다.

| 2 |

두 사람은 라마국으로 넘어갔다. 라마국으로 넘어서기가 무섭게 천둥이 치고 비가 쏟아져 내렸다. 이곳도 비루다카에 의해 고통받은 나라였다. 카필라를 침공하고 이내 이곳을 침략했기 때문이었다. 비가 와서인지 나라는 더욱 황폐해 보였다. 가도 가도 성이나 고을도 보이지 않았다. 멀리 빛기둥이 하늘로부터 서 있어서 그리고 가 보았더니 연못이었다. 푸른 서기가 연못 전체를 감싸고 있었다.

수부티와 데바가 다가가자 물기둥이 솟아오르면서 푸른 용이 솟구쳐 올랐다. 용은 허공을 맴돌면서 눈에서 붉은빛을 데바와 수부티에게 쏘아대었다. 그러면서 물었다.

-나는 이곳에서 살면서 너희 같은 인간을 꼭 한 번 본 적이 있다. 어떻게 인간이 하늘을 주관하는 나를 볼 수 있단 말인가?

-그대와 같은 지혜를 얻었기 때문이오.

-인간이 나를 볼 수 있는 신통을 얻었다고?

-그렇소.

역시 데바가 대답했다.

-그럼 그대들도 여기 있는 불사리를 가지러 왔는가?

-아닙니다. 저는 제 스승을 찾아가는 이방인입니다.

-그대의 스승이 누구인가?

-석가모니 붓다입니다.

그제야 용이 데바와 수부티 곁에 내려와 앉았다.

-석가모니 붓다. 그 수행자. 그분은 벌써 이곳을 지나쳤느니라. 내가 이 연못을 지키기 위해 오른쪽으로 돌고 있을 때였다.

-여기 수토파가 어디 있습니까?

-저 연못 속에 있다.

용이 가리키는 곳을 보니 정말 연못 속에 수토파가 하나 서 있었다.

-저 수토파 속에는 무엇이 있습니까?

-과거불들의 불사리가 보존되어 있다. 나는 그것을 지키기 위해 바라문으로 변해 그를 막았다. 악마 파순이 이곳으로 와 그것을 원했을 때 나는 그에게 말했다. 아무쪼록 그냥 돌아가 주십시오. 그는 불사리를 얻기 위해 수토파를 부수려 했다. 나는 다시 용으로 화해 그와 싸웠다. 나중에 지친 파순이 내게 말했다. 그 사리를 얻을 수 없다면 내게 한 번만 보여다오. 나는 예배나 하고 가라고 사리를 보여줬는데 그제야 파순은 완전히 욕심을 거두었다. 그리고는 돌아가 다시는 오지 않았다. 그러나 다른 이들이 그 사리를 탐내 자주 침범하고는 한다.

-저는 아직 그것을 탐낼만한 그릇이 못 됩니다.

그러자 용이 일어나 비를 개게 하고 검은 구름을 거두었다. 그리고는 햇빛이 창창하게 내리비치는 산길을 가리켰다.

-내 그대를 태워다 주고 싶지만, 이 연못을 비울 수가 없으니 어쩌겠는가. 저 산을 넘으면 붓다의 쿠시나가라국이 나올 것이오. 붓다께서는 그리고 간다고 하셨다.

-고맙소이다.

데바와 수부티가 강줄기를 따라가듯 구시나가라에 이르렀다. 걸어서 꼬박 이틀이 걸려서였다. 발은 헤어지고 머리는 벌써 눈을 덮고 있었다. 성은 황폐했고 사는 사람도 얼마 없었다.

느닷없이 숲에서 나타나는 코끼리의 습격에 가슴 조리기도 했다. 살을 파먹는 악충과 싸웠다.

겨우 그곳을 벗어나 바라나시로 들어갔다. 힌두신이 모셔진 힌두신의 성지였다. 수많은 힌두사원과 갠지스강이 두 사람을 사로잡았다.

두 사람은 먼저 생사 귀천이 하나로 귀결되어 흐른다는 갠지스강으로 나아갔다.

이승의 죄 씻으려 목욕하는 사람들이 강가에 가득이다. 수부티와 데바도 옷을 벗고 그동안의 여독을 그 강물에 씻어내었다. 그 곁에는 화장터가 있었다. 타다 남은 시체를 개들이 기다리고 있었고 그들의 육신이 개에게 찢기기도 하였다.

그렇게 강은 살아 있었다. 세계의 지붕인 히말라야의 산맥에서 발원한 강. 메마른 인도 대륙을 적시면서 인도의 젖줄은 그렇게 살아 있었다.

그 강에 배를 놓고 데바와 수부티는 흘렀다.

이곳 강물이 바라나시라는 곳에 이르면 전생은 잠시 이승이 된다던가.

사람들은 믿고 있었다. 장작불 속에 육신을 태워 한 줌 재가 되어 강물에 뿌려지면 그 영혼은 윤회를 벗어나리라고. 그리하여 대해탈을 얻으리라고.

타다 만 시신 조각을 물고 사라지는 개를 보다 말고 수부티가 두 손으로 머리를 싸안았다. 너무 충격이 커 지켜볼 엄두가 나지 않는 모양이었다. 그의 심정을 알겠다는 듯이 데바는 슬며시 시선을 떨구었다.

붓다도 역시 이곳에서 바로 저런 생사의 모습을 보았으리라 싶었다. 저 강물로부터 끝없는 시간의 흐름을 보았을 것이고 과거와 현재와 미래 그것을 관류하는 종교를 보았으리라 싶었다. 그리고 삶과 죽음을 보았으리라 싶었다. 그렇기에 바로 그것을 자신에게 보여주고 싶었을지도 모른다는 생각이 들었다.

시신에 걸린 발지 하나에 남의 시신을 태우면서 전생의 업을 믿고 윤회를 믿으며 오늘의 선업을 쌓아 가고 있는 화부들. 그들 속에 자신이 있다는 사실이, 자신이 바로 이 우주의 중심이라는 사실이, 실감이 나지 않았다. 이 지랄 같은 감상은 무엇 때문인지 모르지만 체념하지 않은 이상 희망은 있을 것이었다.

그렇게 가슴속으로 강이 흘렀다. 아득바득 살아보겠다고 울부짖던 가슴속으로 뜨거운 강이 흘렀다.

그 강을 건너자 서쪽 기슭에 사라 숲이 있었다. 떡갈나무 비슷한데 잎에 윤기가 나고 거죽이 푸른빛이었다. 언젠가 붓다는 이곳에서 적멸에 들기 좋은 곳이라고 한 적이 있었다. 왜 열반이라는 말을 쓰지 않고 적멸이라는 말을 했는지 몰랐다.

적멸과 열반이 어떻게 다른가?

그곳을 나오기가 무섭게 불덩이 하나가 데바를 향해 일직선으로 달려왔다. 숲에서 꿩이 소리를 지르며 날아올랐다. 불덩이는 날라와 데바 앞에 섰다. 그리고는 소리쳤다.

-너희들은 왜 여기에 왔는가?

-지나가는 나그네입니다. 그대는 누구십니까?

데바가 물었다.

-나는 이 성지를 지키는 금강신이다. 너희들은 무엇 하는 사람들이냐?

-사문입니다. 석가모니 붓다의 제자들입니다.

-너희들이 석가모니 붓다의 제자들이라고?

그렇게 묻더니 금강신이 제 모습을 드러내었다. 오발관을 쓰고 화려한 복장을 하고 있었다.

-그런데 왜 불덩이로 변해 있었습니까?

이번에는 수부티가 물었다.

-외도들이 가끔 이곳을 없애려고 불을 지른다.

-불? 왜요?

데바가 물었다.

-하루는 꿩 한 마리가 외도들이 지른 불을 끄려고 하늘을 날며 날개를 퍼덕였다. 나는 그에게 물었다. '이 어리석은 놈아, 그래서 불이 꺼지겠느냐. 네 날개에 묻힌 물방울로는 그 불길을 잡지 못한다. 오히려 바람이 되어 불길을 더 거세게 할 뿐이다.' 그랬더니 꿩이 말했다. '그걸 아시면서 가만히 있다는 말이오. 이곳은 생사의 신천지요, 해탈의 장소요. 그대가 이곳을 간과한다면 세세생생 그 벌을 받을 것이오.' 그제야 정신이 든 나는 그 불을 껐다. 꿩은 이내 사라져 버렸는데 그는 바로 붓다였다.

-그럼 그 길로 이곳을 지켜오고 있군요?

데바가 물었다.

-그렇다. 저곳을 보라. 나는 지금도 곧잘 본다. 석가모니 붓다께서 보살행을 수행하는 모습을. 어떤 외도가 또 불을 질렀는데 새와

짐승들이 어려움에 처해 있었다. 앞에는 급류가 있고 뒤에는 큰 불길이 덮쳐오고 있으니 물에 빠져 죽을 입장이었다. 그때 사슴 떼들이 나타났다. 그들은 강물로 뛰어들어 몸을 눕혀 생물들을 무사히 저 언덕으로 건너가게 했다. 비로 가죽은 찢어지고 뼈는 부러졌으나 마지막 남은 토끼까지 마저 구하고는 물에 빠져 죽었다. 천인들이 내려와 그 시체를 거두어 수토파를 세웠다. 나중에 내가 열어보니 바로 앞서간 붓다 들의 사리였다.

그가 말을 마치기가 무섭게 한 사문이 천상으로부터 내려왔다.

사문이 말했다.

-붓다의 눈먼 제자 아나룻다다.

아나룻다라면 수부티와 데바가 모를 리 없다. 사형이기 때문이었다.

-그대가 아나룻다라고?

수부티가 어이가 없다는 음성으로 물었다.

-그러고 보니 나를 모르겠구나. 나는 전생의 아니룻다였다는 말이다. 그가 현생에 눈이 먼 것은 공부를 게을리하여 눈을 전혀 쓰지 않았기 때문이다.

이때 금강신이 나섰다.

-이 분은 천궁에서 이날이면 내려와 내 벗이 되어주곤 한다. 내 정신상태를 살피고 주위를 살핀다. 그는 디팜카라 붓다께서 적멸

에 드셨을 때도 슬퍼하지 말라고 호령하던 사람이었다. 그리고 천궁으로 가 디팜카라 붓다의 생모에게 디팜카라 붓다의 죽음을 맨 먼저 알린 이이기도 하다. 어머니는 그 소식을 접하고 통곡했는데 디팜카라 붓다께서 금관의 문을 열고 나가 그런 어머니를 위해 이런 말을 했다. '어머니, 생사는 본시 한 몸입니다. 슬퍼하지 마십시오.' 어머니는 그래도 슬픔을 거두지 않고 천상에서 지상을 가리키며 말했다. '저기 저렇게 그대의 몸을 태우려고 하고 있지 않습니까?' 디팜카라 붓다가 지상을 내려다보니 자기 몸은 금관에 들어가 있고 제자들이 향나무를 쌓아 불을 붙이려 하고 있다. 그런데 아무리 불을 붙여도 불이 일지 않았다. 왜 불이 일지 않았는지 너희들은 그 이유를 알겠는가?

데바가 고개를 갸웃했다.

-그것을 우리가 어찌 알겠습니까? 그리고 그 뭔 말들을 하고 있는 것인지?

계속되는 디팜카라 붓다의 의혹으로 인해 데바가 고개를 홰홰 흔들며 한풀 꺾인 음성으로 대답했다.

-내가 대답하리라.

전생의 아나룻다가 말했다.

-그 광경을 보여주는 것으로 대답을 대신 하리다.

전생의 아나룻다가 허공을 향해 손을 들었다.

이내 낯선 환영이 눈앞에 나타났다.

오늘의 아나룻다가 붓다의 시자인 아난에게 말하고 있었다.

-붓다께서 자신의 뒤를 이을 가섭존자를 기다리고 계시기 때문이다.

오늘의 아나룻다는 밑도 끝도 없이 그렇게 말하고 있었다.

-무슨 말씀이세요?

아난이 현생의 눈먼 아나룻다에게 물었다.

-붓다의 뒤를 이은 가섭이 아직 돌아오지 않았기 때문이다.

뒤이어 다른 환영이 엄습하듯이 밀려왔다.

아, 이게 무슨 일인가.

붓다의 관이었다. 분명히 붓다가 돌아가셨고 제단 위에 붓다의 관이 놓여 있었다.

-붓다가 돌아가신 게 아닙니까?

수부티가 놀라 소리쳤다.

-그렇다. 지금 붓다가 열반에 들었다.

수부티와 데바가 놀라 눈을 크게 떴다.

-이게 무슨 일인가!

수부티가 몸을 덜덜 떨며 중얼거렸다.

-붓다의 관 밑으로 불이 들이밀 사람은 붓다의 법을 계승한 가섭 장로이다. 그가 돌아오지 않았으므로 불이 붙지 않은 것이다.

아난의 울음소리가 들려왔다.

뒤이어 가섭이 돌아오고 있었다.

돌아와 붓다의 열반을 확인한 가섭이 눈물을 흘리기는커녕 울고 있는 아난을 쏘아보았다.

-아난, 이 좋은 날 부정스럽구나. 어찌하여 사문이 눈물을 보이는가.

그렇게 말하고 가섭이 돌아서서 붓다의 두 발을 살폈다.

붓다의 발색이 변한 걸 보고는 다시 아난을 향해 소리쳤다.

-너희들의 눈물로 스승님의 발색이 변했다는 것을 모르겠느냐.

그러고 보니 관 속에 누운 붓다의 두 발이 색이 변해 있었다. 붓다가 입멸하자 모두가 슬퍼하며 눈물을 흘리고 있었고 그 눈물이 흘러들어 붓다의 발을 적심으로써 색이 변하고 있었다.

가섭이 부정을 씻기 위해 관의 주변을 돌면서 찬탄을 올렸다.

그러고 난 뒤 붓다의 관 밑으로 불을 붙였다. 불이 붙었다.

그때 붓다의 음성이 들려왔다.

-결코 슬퍼해서는 안 된다. 한 번 나면 죽는 것이 생명의 본질이다. 육신은 마차의 수레바퀴와 같은 것이다. 낡으면 갈아 끼워야 한다. 또한 옷과 같은 것이기도 하다. 헤어지면 갈아입어야 한다. 나는 여기 있다. 대자유인이 되어. 나는 열반 후 세 번 관에서 나왔다. 처음에는 아난에게 팔뚝을 내밀어 도로가 수리되었는가 하고

물었고, 두 번째는 어머니를 만났으며, 세 번째는 두 발을 가섭에게 보였다. 나를 화장하면 나의 몸 전부가 사리가 되리라. 그럼 사리를 서로 많이 가지려고 전운이 감돌리라. 내가 사리를 남기는 것은 무명에 찬 중생들에게 생사의 모습을 보여주기 위해서다. 그리고 세상 만물을 해탈케 하기 위함이다. 나는 오늘날까지 제행무상(諸行無常)의 법을 행동으로 보였으며 주먹손을 쥐어본 적이 없다. 그런데 사리를 많이 가져가겠다고 싸워서야 되겠는가.

| 3 |

그들과 헤어진 지도 한참이 지났는데 수부티와 데바는 할 말을 잃고 침묵 속에 잠겨 있었다. 두 사람은 걷고만 있었는데 여전히 좀 전의 충격에서 헤어나지 못하고 있었다.

－믿어지지 않네요.

먼저 입을 연 것은 데바였다.

－허어 참.

수부티도 기가 막히는지 얼굴을 하늘로 들어 올리며 탄식했다.

－헛것을 본 것은 아니겠지요?

-살아 있다는 자체가 헛것이다.

그렇게 말하고 정말 화가 난 듯이 수부티가 앞서 걸었다.

-가섭 사형이 대단한 줄은 알고 있었지만 정말 대단하네요.

-붓다께서 가섭 사형이 분소의를 걸치고 수행할 때 그 누구도 그 냄새 때문에 상대를 안 하려고 했지만, 붓다께서 친히 가사를 깔게 하고 자리를 내어주셨다. 그때 알아보았지. 붓다의 법이 그에게 흘러가리라는 걸.

데바가 눈을 감았다 떴다.

-그럼 디팜카라 붓다가 오늘의 붓다가 분명하다는 게 증명되는 거 아닙니까?

수부티가 눈을 감으며 입술을 씹었다.

-이게 무슨 일이야 그래.

-아아, 붓다이시여!

수부티가 짧게 뇌까렸다.

데바는 잠시 생각하다가 말을 돌렸다.

-이곳이 붓다가 깨친 곳인데 어떻게 생각하십니까?

데바의 엉뚱한 질문에 수부티가 되돌아보았다.

-뭘?

그는 데바의 심정이 이해되면서도 생뚱하게 물었다.

-인간으로서 법신을 얻는 과정이 선히 보이는 듯해서요.

-영산회상에서 가섭에게 꽃 한 송이를 들어 보이던 붓다의 심중이 눈에 보인단 말인가?

-그럼 제가 그 법을 받았게요.

-그런데?

-붓다께서 금강경을 설하시고는 이런 말을 했다죠. 이 법문을 수지독송하면 전생의 죄업이 소멸되고, 여래가 전생에 여러 부처님을 공양한 공덕조차 여기에 미치지 못하며, 불가사의한 과보를 얻는다. 그럼 그것은 상이 아닌가요?

-엉뚱하긴…. 하기야 깨달음을 얻는 방법이 어떻게 따로 있을 것인가. 붓다께서도 가장 높고 바른 깨달음을 얻은 법이 실로 없다고 하셨지.

-무아법을 통달하는 자가 진정한 보살이라고 한다면 그럼 가섭 사형은 무아를 보았다는 말인데 가섭 사형이 눈물을 부정의 씨앗으로 본다면 그것 또한 상을 짓는 것이 아닌가요? 그럼 왜 상을 짓지요?

-그걸 알면서도 붓다께서 왜 그에게 불법을 맡겼느냐? 그러나 붓다에게는 불안(佛眼)이 있어 일체중생들의 모든 마음의 흐름을 다 아는 것이다. -그러니까 여래가 설한 마음은 마음이 아니라 다만 이름이다?

-왜냐하면 과거나 현재, 미래의 마음도 얻을 수가 없기 때문이

지. 아, 오늘이 있을 것을 어찌 아셨을까? 그날 상이 없는 깨끗한 마음으로 유익한 선법을 닦으면 가장 높고 바른 깨달음을 얻게 된다는 말씀이 바로 오늘을 두고 하신 말씀이 아니고 무엇인가.

-그렇다고 해도 침묵 너머의 대답은 아닙니다.

수부티가 또 시작이냐는 듯이 데바를 쳐다보다가 고개를 홰홰 내저으며 걸어가 버렸다.

| 4 |

바라나시국으로 넘어가자 붓다가 처음으로 자신의 법을 폈다는 초전법륜을 편 성지가 눈에 들어왔다. 싯닷타 왕자가 석가모니 붓다가 될 것을 예언했던 호명보살의 수토파도 보였다.

그곳에서 멀지 않은 곳에 싯닷타 왕자 때 궁을 나와 산책한 길이 있었다. 붓다가 된 후 카필라를 찾자 숫도다나왕이 평소 왕자가 다니던 길까지 명소로 만들어 버렸다.

신전 담장 서쪽에는 맑은 연못이 있었는데 모두 세 개였다. 그곳에는 모두 용이 살고 있었다. 한 곳은 붓다가 수행하며 그릇을 씻던 곳이고 한 곳은 빨래하던 곳이었다. 네모난 돌 위에 붓다의 가

사 자국이 선명했다. 사람들이 와 경배하곤 하였는데 어떤 이가 그 돌을 밟자 물속에서 비바람을 일으키며 용이 솟아올라 그 사람을 후려쳤다.

사람들이 희한한 일이라고 하나같이 입을 모았다. 갑자기 연못에 물기둥이 일어나면서 사람을 후려쳤다는 것이다.

데바와 수부티가 합장한 자세로 서 있자 이내 비바람이 멎으면서 용이 물속으로 사라졌다. 시선을 돌려보니 좀 전에 용의 꼬리에 넘어졌던 사람이 보이지 않았다. 용이 있는 호수를 보았더니 용이 한 입에 물고 물속으로 사라지고 있었다.

-오 붓다시여!

수부티가 자신도 모르게 소리를 질렀다. 물속으로 사라지는 사람의 비명도 사라져 버리자 수부티가 넋이 나간 얼굴로 하늘을 올려다보았다.

데바가 실실 웃었다.

-붓다를 찾을 것이 아니라 사람을 물고 사라진 용을 잡으러 들어갔어야 할 게 아닙니까.

수부티가 눈을 치떴다.

-그럼 자네는?

-이제라도 가야지요.

그렇게 말하고 데바가 용이 사라진 물속으로 뛰어들었다. 흑룡

한 마리가 앞서 사람을 물고 사라진 곳으로 쏜살같이 흘렀다.

잠시 후 흑룡이 사람을 물고 나타났다.

다시 데바의 모습으로 돌아온 데바가 넋을 잃은 사람을 흔들어 깨우고 난 뒤 수부티를 돌아보면서 큭큭 웃었다.

-붓다의 자비. 정말 붓다께 신통력이 있다면 이 모든 것을 보고 계실 텐데 아주 증명이 됐네요. 지금까지 본 것이 모두 헛것입니다. 자비? 무슨 자비….

데바의 빈정거림에 수부티가 눈을 크게 떴다.

-이 사람 무슨 소리를 하는 것인가?

-우연의 일치란 말입니다. 잘 짜인 각본. 이건 필시 교단의 영악한 장로들이 중생을 현혹하기 위해 꾸민 것이 분명해졌어요. 말이 안 됩니다. 뭐 환생? 무슨 환생요? 불에 타면 신통력이고 뭐고 뭐 남겠습니까. 아무것도 남지 않아요. 적멸. 적멸만이 남는다는 건 붓다도 인정한 사실입니다. 우리가 그것을 잠깐 잊고 홀린 겁니다. 신통이라면 나도 이골이 납니다. 오신통(五神通)을 얻었는데 뭐가 겁나겠습니까. 겁날 거 없습니다.

-다행일세. 육신통(六神通)을 얻지 않아서. 왜 오신통만 이루었는가?

-누진통(漏盡通)을 얻으려면 오신통을 닫아야 했으니까요. 오신통을 얻지 않고는 누진통을 얻을 수 없었으니 말입니다.

-그것이 붓다와 술사의 차이라네. 붓다는 오신통을 닫고 육신통을 얻으셨어. 앞을 내다보는 천안통(天眼通), 모든 소리를 들을 수 있는 천이통(天耳通), 모든 이의 생각을 짚어볼 수 있는 타심통(他心通), 모든 이의 과거 현재 미래를 알아내는 숙명통(宿命通), 원하는 대로 몸을 바꿀 수 있는 신족통(神足通), 그리고 오신통을 모두 닫아야 얻을 수 있는 지혜인 누진통. 그렇지. 깨달음의 지혜를 얻으려면 술사의 경지를 벗어나야 하는 것이니까. 그래서 붓다와 우리 사이에 누진통이라는 1각보다 모자란 1분이 있네. 그 1분 때문에 우리는 헤매고 있는 것이지. 그런가? 아닌가? 지금도 그러면서 이렇게 헤매고 있지 않은가.

-오신통을 닫고 지혜의 누진통을 얻는다? 내가 오신통에서 멈춘 것은 그까짓 지혜 얻고 싶지 않았습니다. 오신통만으로 세상을 얻을 수 있고 오히려 신통으로 중생을 건질 수 있겠다 싶었으니까요. 이제사 하는 말이지만 나는 이곳에서 난 사람이라 아버지의 간곡한 청이 아니었다면 붓다를 받들지도 않았을 겁니다. 생각이 나네요. 어느 날 붓다께서 아궁이에 불을 때고 있는데 나무가 하나도 없는 겁니다. 빈 아궁이에 불이 활활 타고 있는 겁니다. 내가 나무도 없는데 어떻게 불이 타고 있느냐고 물었더니 하하하 웃으면서 이렇게 대답했어요. 방금 황룡과 청룡이 와서는 아궁이에다 대고 방귀를 붕붕 쏘고 갔는데 아마 오늘 종일 불이 꺼지질 않을 거라더

군요.

　-하하하 정말 같은 거짓일세.

　-정말 불이 안 꺼졌어요. 그런데 지금도 이상한 것은 왜 이럴 때는 붓다가 눈을 감고 있느냐는 겁니다.

　-이미 모든 이의 마음속에 불성이 충만한데 왜 꼭 그래야만 할까?

　-네?

　-언젠가 가섭 사형이 그러더군. 아무리 불성이 충만해도 붓다는 구할 수 있는 이만 구할 수 있을 것이라고. 그게 인연법이라고.

　-인연법?

　-그 말을 듣자 무섭다는 생각이 들더군. 인연. 인연. 정말 인연이 무엇일까 싶더군. 그리고 보면 그대와 나의 인연도 보통은 아닌가 보지. 그런데 더 무서운 것은 붓다 그리고 그 주위를 떠도는 무리의 인연이야.

　그렇게 말하고 수부티는 다음과 같은 말을 했다.

　-붓다는 깨침을 얻기 전 천축으로 나가 그곳 승들과 같이 공부했지. 많은 승려가 그에게 배움을 구했어. 그도 그들에게서 배웠지. 특히 자신을 힌두교의 수장 라반나와는 밤을 새워 논쟁하기가 예사였어.

　물론 라반나는 이미 정각을 다다른 그의 상대가 되지 않았다. 하루는 미래에 용수보살이 될 신선이 히말라야의 산에서 용을 타고 그에게 왔다.

용을 타고 온 그를 향해 붓다가 물었다.

-그대는 누구시오?

-나는 앞으로 붓다의 법을 이을 사람입니다. 히말라야로 들어가 산 지가 벌써 오백 년입니다. 이 거리에 진자가 나타났다 하여 왔습니다. 그대가 진자라면 진자임을 증명해 보시지요. 만약 그대가 증명한다면 살릴 것이오. 증명하지 못한다면 죽일 것입니다.

-결코 그대는 나를 죽일 수 없을 것입니다.

붓다가 태연한 어조로 대답했다.

-그건 왜입니까?

-나의 주인은 나이기 때문입니다. 나만이 나를 죽일 수 있는 것입니다.

-오호라 이제야 알겠구나. 그렇다면 그대가 이 세상의 주인이란 말이지 않은가?

-그대의 논법대로 하자면 그렇게 되는 건가요?

-그렇지 않은가!

-그렇겠지요. 이 우주 자체가 나냐, 아니냐는 대단히 중요하겠지요. 아니 이 우주 자체가 곧 나 자신이라고 합시다. 그렇게 주장하는 그 자체….

-내 말은….

붓다의 말이 끝나지도 않았는데 미래의 용수가 눈을 치뜨고 말을 잘랐다.

-바로 그대의 주장, 그것이 곧 그대의 자아(自我)냐고 묻는 것이다. 그 자아마저도 무아화(無我化)시키지 않는다면 주인은 물상화되어 버린다는 데 문제가 있다. 나는 그대가 왕의 지위마저 버리고 여기에 왔다는 말을 들었다. 그렇다면 그대 스스로 그 형벌을 내렸다는 말이 아닌가?

-인류를 구원하기 위해서는 때로 자기희생은 당연한 것이외다.

-궤변이다! 어떻게 부정하지 않고 긍정에 이를 수 있겠는가?

용수의 묘한 물음에 붓다는 부드럽게 웃었다.

-부정은 부정의 협곡을 넘어 더 강해지라는 암시인 것입니다. 믿음을 더 공고히 하려는데 그 본뜻이 있다는 말이옵지요.

-으흠, 그럼으로써 더 강하게 하려는 신심이 생겨난다? 그래서 그대는 그 길의 안내자로 여기에 온 것이다?

-그렇습니다.

-옳거니.

그제야 용수가 무릎을 쳤다.

-내 오늘 무량한 법문을 들었도다.

그가 떠나고 나자 붓다는 자신의 깨달음을 완성하기 위해 보리수나무 밑으로 앉아 명상에 들었다.

그는 일차 명상을 끝내고 이차 명상을 끝내고 세상을 조복 받았다.

이번에는 진리를 시험하는 다키니가 천의를 펄럭거리며 장검을 들고 내려섰다.

그녀는 내려서기가 무섭게 붓다의 목에 칼을 겨누었다.

-대답하면 살리고 못 한다면 죽이리라.

허허허 하고 붓다가 웃었다.

-오는 이마다 왜 죽인다고만 하는지 모르겠구려.

-그대가 진자임을 표방하고 중생들을 기만하고 있기 때문이다.

-저는 그런 적 없소이다.

-여기는 신들의 땅이다. 어떤 외도도 들어올 수 없는 곳이다. 그런데 네놈이 들어와 세상을 어지럽히고 있다니 어떻게 그냥 있을 수 있겠는가. 묻겠느니라. 오랫동안 비가 내리지 않아 생물이 말라 죽었다. 그로 인해 수행자들이 탁발을 못 해 아사지경에 이르기까지 되었는데 너는 중생들에게 신통력을 얻는 길을 어떻게 가르치겠는가?

붓다는 부드러운 표정으로 다키니를 쳐다보며 입을 열었다.

-위대한 다키니여, 그대의 스승은 이렇게 가르쳤지요. 신통력을 얻고자 하기보다는 내 진정한 모습(無相)과 내가 받을 고통(苦)과

우주의 이치(無我)를 알려고 노력하라고 말이외다.

-왜 그대는 우리들의 스승이 그렇게 가르쳤다고 생각하는가?

붓다가 머리를 내저었다. 그리고는 이렇게 말하였다.

-소 발자국 속의 빗물에 놓인 잉어는 강물이 필요한 법입니다. 주위를 둘러보시오. 민생은 도탄에 빠져 굶주리고 있는데 그들을 구할 이들은 어디 있습니까? 오히려 그들이 내민 빵으로 배를 채우며 수도라는 명목하에 무사안일에 빠져 있지 않습니까.

-하지만 그대가 대지를 갈아 옥답을 만들 듯 우리의 스승도 인간의 미망을 갈아 중생들에게 깨달음의 꽃을 피웠다. 말하자면 그들의 신심을 탁발이라는 명목 아래 실어 깨달음의 세계로 안내했다는 말이다.

-그것은 나의 영역이외다. 나고 죽음을 그대의 스승이라고 해도 피할 수 없듯이 오로지 나만이 길 잃은 중생들의 신심을 탁발이라는 명목으로 거둬들일 수 있는 것입니다. 나는 일찍이 그대의 스승이 인과의 법에 통달했다는 사실을 알고 있었으며 배웠소.

-그래서 내 스승이 그랬구나. 그대는 앞으로 제 나라가 망해도 구하지 않을 것이라고 하더구만.

-그게 무슨 소리요?

-앞으로 그런 날이 오리라는 것이야. 그것이 석가족의 숙연(宿緣)이라며. 그것이 그대의 인연법인가?

-만약 나의 종족이 과거세의 숙연으로 인해 고통받는다면 그 숙연을 풀기 위해 나는 그렇게 할 것이오. 왜냐면 그것이 인과법이라는 것을 깨달았기 때문이오. 이것이 있으므로 저것이 있고 저것이 있으므로 이것이 있는 것이오. 이것이 연기의 이법인 것이오.

-그러나 우리의 스승은 모든 기적은 베풂에 있다고 가르쳤다. 병든 병자가 있다고 한다면 신통력을 열어 기적을 베풀어야 한다고 가르쳤다. 그는 신통력으로 병의 원인을 알아내고 그 결과에 따라 처방했었다. 분명히 말해 두건대 기적을 행하는 것이 종교다. 그분은 말했다. 세상엔 깨달은 사람이 많으나 신통력을 얻기는 힘들다고 말이다. 신통력으로 인해 모든 법은 존재하는 것이라고 말이다. 종교는 그렇게 현실적 종교가 되어야지 힘없는 종교가 되어서는 아니 되는 것을 말이다.

-아직도 누진의 지혜를 이해하지 못하고 계시는군요. 진리는 저 피안이 아니라는 것을 아셔야 합니다.

-무슨 소리냐?

-그렇습니다. 그것이 부정입니다. 우리에게는 진리는 이제 피안에 있지 않게 됩니다. 이쪽 언덕에 있을 수도 있다는 것입니다. 바로 그대는 그것을 깨달아야 합니다. 그대의 고통이 진리입니다. 그 고통으로 인하여 구원받으려는 중생이 붓다입니다. 그들이 진리입니다. 진리는 모반이며 배신이며 모험입니다. 그것은 체험이라는

부정의 협곡을 넘어 드디어 자기화됩니다. 나는 지금도 길 잃은 중생들을 위해 기적을 행하고 교설을 일삼고 있습니다. 방편이지요. 그러나 나는 정작 침묵하고 있습니다. 그걸 이해하시겠습니까? 나는 지금 침묵을 이해하고 있습니다. 그것이 누진의 지혜입니다.

  ―그럼 그대의 수행도 침묵으로 이해해 달란 말인가?

  ―바로 그렇습니다. 나 역시 침묵하고 있고 세상도 침묵하고 있습니다. 그러나 나는 진리 속에 있습니다. 침묵만이 심적 육체적 언어입니다. 이것이 기적입니다. 나의 기적도 그렇게 이해되어야 합니다. 또한 나를 이해할 수 있는 이는 결코 나를 시험하지 않습니다. 설령 내가 입을 열었다 해도 그 본질을 헤아립니다. 그렇다면 나의 언설이나 신통은 진리를 표방한 방편인 것입니다.

  다키니가 칼을 놓고 그 자리에 무릎을 꿇었다.

  ―오오. 현자이시여. 그대는 이미 접점(接點)이 지나 있군요. 그대 자체가 곧 진리임을 알겠습니다.

  이미 붓다는 그 옛날의 어린 왕자 싯닷타가 아니었다. 그는 이미 불성 충만한 붓다였다. 그래서인지 라반나는 다시 찾아와 붓다의 만류에도 불구하고 예를 차렸다.

  그동안 수행을 제대로 하셨구만. 그래 진리가 무엇이었던가?

  붓다는 그를 제자로 받아들이며 물었다.

  ―진리란 한 송이 연꽃이었습니다. 현실이었습니다. 질퍽거리는

진흙 바닥이었습니다. 그 속에서 피어나는 진리였습니다. 그러므로 그것은 우주의 꽃이었습니다. 나는 비로소 이곳으로 와 그 세계를 보았습니다. 나는 그동안 허위의 세계에 있었다는 사실을 알았습니다. 있는 것처럼 보이는 것, 그것은 신기루이지 실상은 아닙니다. 그것이 허위의 본체였습니다. 진리는 그 속에서 피어난 꽃이었습니다. 그러므로 그것은 유(有)로 보이지만 그 근본은 무(無)인 것입니다. 그것을 꽃 피우는 것이 진리입니다. 그것은 추동력은 바로 기였으며 과거 현재 미래에도 그것은 결코 소멸하지 않을 것입니다.

－진리에 대한 그대의 혁명적인 통찰이 놀랍도다. 그럼 신이란 무엇인가?

－인간을 허위의 세계로부터 구하는 존재가 곧 성스러운 신의 존재입니다. 나는 그것을 붓다라 합니다. 이 우주의 주인이기 때문입니다.

－그럼 어떻게 해야 인간은 신이 될 수 있겠는가?

－진리의 품속으로 들어갈 때입니다. 그때 진흙 바닥은 천상으로 변하며 진리의 꽃이 핍니다. 나는 그 가교가 될 것입니다. 사랑이 필요하다는 생각입니다. 사랑을 통해 모든 이들을 신의 품으로 인도할 것입니다.

－아아, 이제 그대는 더 배울 것이 없겠다. 이미 그대는 모든 것을

완성해 버렸다. 아니 자기화해 버렸다. 무서운 일이다. 완성으로 끝나는 게 아니라 이제 소매를 걷고 세속으로 나가서 어리석은 중생들을 구하는 것이 바로 그대가 할 일이다. 그것을 깨달았으니 돌아가는 게 좋겠다.

-아닙니다. 저는 이곳에서 내 깨달음을 완성할 것입니다.

그렇게 말하고 붓다는 성자 피차바치를 찾아갔다. 그는 경전에 능통한 이였다. 붓다는 그에게 말했다.

-그 경전이 그대를 깨닫게 하겠는가?

-그럼 어떻게 깨달을 수 있는가?

-경전을 끌어들일 것이 아니라 우주를 끌어들여야 한다. 그리하여 자기화해야 한다.

피차바치는 기가 질렸다. 동양 제일의 현자라고 소문난 멩그스테를 그는 데려왔다.

붓다는 그에게 영계의 힘을 빌려 기적을 일으킬 수 있는 신통력을 더욱 강화했다.

하루는 한 여인이 죽어 가는 어린아이를 안고 달려왔다. 여인은 붓다에게 살려달라고 애원했다. 붓다는 자신도 모르게 어린아이에게 손을 대었다. 순간 내부의 빛이 어린아이를 향해 뻗어나갔다. 죽어가던 아이가 그 자리에서 회복되었다. 사람들은 놀랐다. 병자들이 몰려왔다. 그는 그곳에서 수많은 이들을 치료했다.

우주의 주인인 나임을 전하기 위해 그는 전도를 결심하고 산에서 내려왔다. 제자들도 늘어갔다.

어느 날 붓다는 데바에게 물었다.

-소명에 대하여 생각해 본 적이 있느냐?

-소명이라고 하셨습니까?

-그렇느니라. 인간은 누구나 이 세상에 던져질 때 소명을 가지고 태어나는 법이니라. 너의 소명은 무엇이라고 생각하느냐?

-아직은 모르겠습니다.

-그럴 테지. 그러나 걱정하지 말라. 곧 알게 될 것이다. 너로 인하여 이 세상은 구원받을 것이다.

그때 데바는 그 말을 이해하지 못했다.

어느 날 땔감이나 해 나르는 종의 어머니가 죽을병에 걸려 사경을 헤매었다.

종이 붓다에게 매달렸다.

붓다는 이렇게 말했다.

-의원에게로 가 보아라. 거기 네 어머니를 살릴 사람이 있을 것이다.

데바가 걱정이 되어 의원을 찾아갔다. 데바가 붓다의 제자라고 하자 의사가 다시 물었다.

-당신의 스승이 붓다라고?

-내 스승입니다.

의사가 고개를 갸웃했다.

-그는 기적을 행하는 이가 아니오. 어떤 병자도 기적의 힘으로 고치는 이인데 왜 그대의 어머니는 내게 보냈는지 모르겠구려.

-사실은 저도 그게 이상합니다.

의사의 얼굴에 조소가 떠올랐다.

-그것은 바로 그가 기적을 행할 수 없다는 말이 아니겠소.

데바는 그를 멀거니 쳐다보았다.

-지금 무슨 말을 하는 것이오?

의원이 고개를 내저었다.

-그 사람 때문에 내 환자가 줄어서 하는 말이 아니라오. 내가 보기에는 그는 사기꾼이기 때문에 그렇다는 말이오.

-뭐요? 사기꾼?

-그렇지 않소.

데바는 말이 되지 않아 멍하니 의원을 쳐다보았다. 오랜 세월 붓다를 모시면서 무수히 보아오지 않았던가. 문둥병자를 고치고 물 위를 건너던 붓다를 말이다. 그런데 아니라니.

-그렇지 않다면 왜 댁의 어머니는 살려주지 않는지 그 이유를 말할 수 있겠소?

의원은 못을 박듯이 말하고 종을 쏘아보았다.

데바는 무슨 말을 해야 한다고 생각했으나 말이 나오지 않았다. 정말 이상하기는 이상한 일이었다. 왜? 무엇 때문에 종의 어머니에게 기적을 베풀지 않는지.

-내가 들어보니 그 사람은 깨달음을 얻었다며 믿음을 강요하던데 말들이 많다오. 멀쩡한 사람을 절룩거리게 하여 자신이 기적을 베푼 양 일어나 걷게 하고 눈 뜬 사람을 맹인으로 만들어 눈을 뜬 것처럼 하고 그리고….

-이보시오. 그럼 물 위를 걷는 것은 어떻게 설명할 수 있단 말이오?

-그것도 어떤 눈속임 아니겠소. 우리가 모를 수밖에 없는, 아니 상상할 수 없는

-그 무엇이 있다?

-그렇지 않다면 왜 이 여인을 그냥 두겠느냐 그 말이오.

데바는 순간 자신으로서는 상상할 수 없는 그게 무엇일까 하는 생각이 들었다. 그러면서도 설마 싶었다. 분명히 보지 않았던가. 분명히.

하지만 의원의 말대로 상상할 수 없는 어떤 의도된 그 무엇이 있었다면?

정사로 돌아온 데바는 붓다에게 매달려 보자는 생각에 그의 무릎에 입 맞추고 고개를 숙인 채 간청했다.

-붓다여, 부탁입니다. 저 종의 어머니를 살려주십시오.

붓다는 말이 없었다.

-늙은 여인이 불쌍하지도 않으십니까? 왜 다른 이들에게는 기적을 보이시다가 갑자기 저이에게 이렇게 냉혹하게 대하시는지 저로서는 이해가 되지 않습니다. 혹시 잘못한 일이라도 있는 것입니까?

-아니니라.

붓다가 엄숙하면서도 차가운 어조로 대답했다.

-그럼 왜 살려주지 않으시겠다는 것입니까?

붓다는 잠시 생각하다가 결심을 굳힌 듯 입을 열었다.

-데바여, 잘 들으라. 그것은 나중 세상을 위해서이다.

-나중 세상? 그게 무슨 말씀이십니까?

되뇌며 묻던 데바는 하마터면 비명을 지를 뻔했다.

나중 세상이라니. 나중의 세상을 위해 오늘의 세상을 버린단 말인가. 오늘도 구하지 못하면서 내일을 구하겠다고? 그리고 나중 세상과 여인이 무슨 연관이 있단 말인가. 말도 안 되는 소리였다. 구하기 싫다면 구하기 싫다고 하면 그만인 것을.

데바는 화가 났다.

-방금 나중 세상이라고 하셨습니까?

-그러느니라.

붓다가 침착하게 대답했다.

-어떻게 그런 대답을 하실 수 있습니까? 저 여인이 나중 세상과 무슨 관련이 있다고. 어찌 오늘을 구하지 못하시면서 내일을 구하겠다고 하시는지 저는 이해가 되지 않습니다.

-데바야, 차차 알게 될 것이니라.

-그런 말 듣고 싶지 않습니다. 저는 저 여인을 살리고 싶습니다.

-그래서 의사에게 데려가 보라고 하지 않았느냐.

-붓다시여, 바로 그대가 의사가 아니십니까. 수많은 병자를 구하셨지 않으셨습니까.

-나는 이제 신통을 접었느니라.

-왜 하필이면 이때 신통을 접었단 말입니까. 그럼 이제 붓다의 힘을 잃으셨다는 말씀이십니까?

붓다가 슬픈 눈으로 하늘을 올려다보았다.

-내 세상을 위해 모든 신통을 거두었느니라. 이제 나중 세상을 구할 때가 되었기 때문이다.

-참으로 매정하시군요.

그때 생각했다. 내가 신통을 이루어야 하겠다고. 그리하여 저들을 구해야 하겠다고. 결코 신통을 접는 일 같은 건 하지 않을 것이었다.

실체의 실체

-수부티 사형, 그날 말입니다. 금강경을 설하시던 날 여래에게는 제도할 중생이 없다고 하셨다는데 그럼 왜 제도를 꿈꾸셔서 나와 같은 놈에게 이런 고통을 주시는 건지.

또 무슨 말이냐는 듯이 수부티가 걸음을 멈추었다.

-뭔 소리야?

-제도할 중생이 없다면서요?

어이가 없어 수부티가 하하고 웃었다.

-그거야 제도할 중생이 많다는 말 아닌가.

-본래 중생이 부처다 그 말이 아니구요?

-그 말이기도 하고. 여래심을 잠깐 잃은 것이 중생이니까.

-저 풍광 말입니다. 아름답지요?

데바의 물음에 수부티가 펼쳐진 산을 둘러보다가 픽 하고 웃었다.

-풍광 좋은 것을 이제 알았나.

-만법에 자성이 없다면 저것은 실체가 없는 것일 터인데 그것이 금강의 요지라는 생각이 드는데 어떻게 생각하세요?

그럴 줄 알았다는 듯이 수부티가 입술을 꾹 씹다가 고개를 주억거렸다.

-글쎄? 일체가 공하다 뭐 그런 말 같은데, 그렇기도 하고…. 결국은 수행에 대한 가르침이 아니겠는가.

-가르빈가의 말을 들으니까 금강경을 설하실 때 보디삿뜨바-야아나(bodhisattva-yna)라는 말을 쓰셨다는데 보살의 길, 보살의 삶을 가리키는 말 아닙니까? 에아눗따라-삼약-삼보디(anuttar-samyak-sam.bodhi)라고 해야 맞는 거 아닙니까? 여래의 길을 가리키는 그날의 금강 설법이 그렇고 보면 말입니다. 보살의 수행에 마음을 일으킨 사람, 그렇게 되야 맞는 거 아닌가요?

-그러니까 뭐야? 보살의 삶과 보살이 수행에 마음을 내는 것과는 다르다? 그런 말인가?

-그날의 금강 설법이 보살의 수행에 대한 가르침이고 보면 말입니다. 발심하고 수행하고 깨달음에 이른다 그럼 한 단계가 빠진 거 아닌가 해서요?

-한 단계?

-깨달음이 앎에 의한 것이라면 끝내 얻어야 할 깨침 말입니다.

-그런가? 그러나 난 그렇게 생각하지 않네.

-예?

-여기에서의 깨달음은 중생제도 과정을 말하는 게 아니겠나. 중생제도가 우선 되지 않는다면 깨침은 독각의 수렁에 빠져 버릴 것일세.

-그러나 깨침 없이 오도는 없습니다.

-그럼 독각승이 될 테지. 정말 깨달음 없이 깨침이 가능하다고 생각하나? 어떻게 불법의 세계를 알지 않고 붓다가 될 수 있나?

-그럼 붓다는 지식으로 붓다가 되었습니까. 자신 속으로 들어온 알음알이를 모두 내보냄으로써 붓다가 된 거 아닙니까? 그런 면에서 깨달음과 깨침을 확실히 하고 넘어가야 한다고 생각합니다. 하나같이 혼동하고 있어요. 깨달음이 깨침이고 깨침이 깨달음이라고. 그러니 이런 오류가 생기는 겁니다.

수부티가 일리가 있다는 듯이 고개를 주억거렸다.

-사실 그 과정을 정확하게 붓다께서 설명하지 않는 건 사실이야. 그러나 거기에 붓다 사상의 창의성이 있다. 붓다도 출가하여 여러 선지식을 찾아다니지 않았는가, 그것이 지식이지. 그리하여 깨달았고 결국 우주를 관하시어 깨침을 얻은 것이 아니겠나.

-그것은 불법이 형성되기 이전의 것입니다. 온갖 사상이 난무했으니까요. 그 사상성 속에서 혁명적 사상을 돌출해낸 것은 인정합니다. 자기 세계의 형성이랄까요. 그러나 결과는 어떻습니까? 오히려 그렇게 들어온 정보를 말끔히 내몰아야 했어요. 깨침에 걸림돌이 될 뿐이었으니까요. 그 지식을 다 비워냈을 때 비로소 깨침의 세계가 왔어요. 그럼 과거의 지식은 깨침과는 아무런 상관이 없다는 것이 증명됩니다. 그것이 깨침의 성질입니다. 그걸 모르기에 제

자들이나 대중들이 붓다의 가르침에만 매달리는 거 아닙니까. 붓다는 그것을 무기로 교단을 살찌우고 있구요.

-이 사람, 또 시작이구만. 제발 좀 그러지 마라. 깨침은 독각승이 될 우려가 있으니 그런 것이 아니겠나.

-말도 안 됩니다.

-뭐가? 뭐가 말이 안 돼? 그날 하신 금강경 자체가 그 해답인데.

-그럴까요?

-금강석이 뭐야?

-돌이지요.

-맞아. 그건 현상적 대답이고. 정신적 대답은 단단하고 예리한 지혜로써 의심이나 집착을 끊어 버려라. 그리하여 피안에 도달하라. 그 길이 여기 있다 뭐 그런 말 아니야. 그게 핵심이지.

-그럼 모순입니다.

-모순?

-그럼 모순이지요. 일체가 공한데 어떻게 저런 풍광이 존재할 수 있습니까?

수부티가 어이없다는 얼굴로 허공으로 얼굴을 쳐들었다. 그는 시선을 돌려 주위의 풍경을 돌아보다가 데바를 바라보았다. 그의 입가에 씁쓰름한 미소가 스쳤다.

-텅 빈 공인데 그 속이 가득하다는 말도 모르는 멍청이와 내가

지금 무슨 수작을 하는 것인지. 이 사람아, 모순이 변해야 풍광이 되는 법이야. 거기 우주의 답이 있다. 붓다도 그날 말씀하셨어. 다만 이름이 중생이요, 범부는 있지도 않은 자아에 집착하지만 단지 이름만 범부라고. 원만한 육신의 모습이나 어떤 다른 것으로, 혹은 32상으로도 여래라고 볼 수 없으니, 형상으로 나를 보거나 음성으로 나를 찾으면 삿된 길을 걸을 뿐 여래는 볼 수 없으리라고. 수행의 목적이 나를 없애려고 한다면 진리는 볼 수 없을 것이야.

-무슨 말입니까?

-내가 본래 없음을 깨달아야지.

데바는 눈을 꽉 감았다.

수부티의 웃음소리가 천둥처럼 전신을 휘감았다.

| 2 |

신전 서남쪽에 큰 수토파가 있었는데 기단은 넓고 높았다. 장식도 별나게 진귀한 것으로 되어 있었다. 기단 위에 층감(層龕)이 없었다. 곧바로 탑신이 놓였으며 표주(表柱)는 세워졌지만, 처마 끝에 쇠방울 같은 것은 없었다. 그 옆에 작은 탑이 하나 있었는데 데

바의 관심이 유독 거기에 머문 것은 그 수토파가 바로 아지냐타콘디냐 등 다섯 명이나 되는 수행승들이 붓다를 봉영한 곳이기 때문이었다.

붓다가 되기 전 태자가 출가한 다음 법에 몸을 바쳤을 때 아버지 정반 왕은 가족 3명과 외숙 2명에게 명령했다.

-내 아들이 궁을 떠나 수행승이 되었다. 안으로 보면 너희들은 숙부와 외숙이고 밖으로 보면 군과 신이다. 그런데 어떻게 그의 동정에 관심을 나타내지 않는가. 그를 찾아내어 그 진퇴를 나에게 보고하라.

5명은 그 명을 받들어 태자를 찾아 떠났다. 그들은 도중에서 태자가 고행을 심하게 하고 있다는 소식을 들었다.

-수도하고 하는 것이 도대체 무엇이란 말인가. 꼭 괴로워하고 그 괴로움 가운데서 깨달아야 한단 말인가. 괴로움 없이 깨달을 수는 없단 말인가.

누군가 그렇게 한탄하자 두 사람은

-바로 안락이 도이다.

하고 대답했고 세 사람은

-고행하는 것이 도이다.

하고 대답했다.

그들은 이윽고 태자가 수도하는 곳에 이르렀다. 소문대로 태자는 고행하고 있었다. 지상(至上)의 진리를 사유하고 있었지만, 죽과 밥을 걸식하면서 몸을 지탱하고 있었다.

그를 본 두 사람은 머리를 내저었다.

-태자의 고행은 진실한 법이 아니다. 도라고 하는 것은 즐거움 속에서 깨닫는 것이다.

그들은 태자를 비난하면서 떠났다.

태자의 고행을 인정한 세 사람만이 숨어서 태자를 지켜보았다.

어느 날 태자는 자신의 수행이 잘못되었음을 깨달았다. 6년 동안 고행했으나 아직도 깨달음을 얻지 못했다면 그것은 참다운 법이 아니라는 생각이 들었기 때문이었다. 그는 산을 내려가 타락죽을 시주받아 체력을 다진 다음 다시 돌아왔다.

태자의 고행을 인정했던 3사람의 실망은 이만저만이 아니었다. 그들은 실망한 나머지 떠나 버린 2사람을 찾아갔다.

-태자는 성골이 눈앞에 다가왔는데 더 참지 못하고 고행을 끝내 버렸다.

3사람의 말을 들은 2사람이 그것 보라며 고개를 주억거렸다.

-이미 그것은 예정되어 있었던 일이었다. 태자가 궁을 떠나 훌륭한 옷을 벗고 지혜의 사냥꾼이 되었지만 그게 무슨 소용인가. 이제 고행을 버리고 뜻을 굽혔다면 그는 아무 일도 못 할 사람이다.

그들이 그런 말을 나누고 있는 사이 태자는 이미 등정각의 세계를 얻고 있었다. 그는 떠오르는 샛별을 보고 이미 깨달음을 성취하고 있었던 것이다.

그는 자신이 깨달은 바를 범인이 깨달을 수 있을까 잠시 번민했지만 생각해 보니 그래도 자신을 비방하고 떠난 5명은 자신의 경지를 이해할 것 같았다.

그는 일어나 녹야원으로 갔다.

5명이 멀리 걸어오는 태자를 보고 말했다.

-저기 실패한 태자가 오고 있다. 상대할 가치조차 없다.

그러나 가까이 다가오는 태자를 보니 그의 몸은 옥과 같은 색채를 띄고 있었고 후광이 눈부셨다. 그가 말하지 않아도 그대로 그의 법이 마음속으로 들어와서 5명은 자신들도 모르게 그의 앞에 무릎을 꿇지 않을 수 없었다.

그때 붓다는 그들에게 자신이 깨달은 바를 설한 뒤 이렇게 말하였다.

-나를 싯닷타라고 부르지 말라. 나는 우주의 이치를 깨친 붓다이다.

그렇게 처음 자신의 깨침을 알렸던 장소가 바로 여기였다.

데바는 동쪽으로 얼마 가지 않아 연못 옆에 지어진 한 움막을 만났다. 사람들에게 저기 누가 사느냐고 물었더니 세상과 교섭을 끊은 한 선인이 산다고 하였다. 그의 신통력은 놀랍다고 하였다. 기왓장을 황금으로 만들 수 있고 풍운을 조어하고 술서에 능통하다고 했다. 지금도 그는 선술을 터득하였으므로 열사를 찾아다니고 있다고 하였다.

데바와 수부티가 다가가니 수염이 배를 덮은 선인이 나무껍질 모자를 각이 나게 만들어 쓰고 나무 그늘에 누워 있었다.

데바와 수부티를 본 선인이 물었다.

-누구인가?

-그저 지나가는 객승입니다. 여기 신선이 한 분 있다기에 찾아뵈었습니다. 우리에게 그대의 비술을 가르쳐주십시오.

그가 허허거리며 웃었다. 웃는 입속을 보았더니 이빨이 시커멓게 다 썩었고 혓바닥이 두 갈래로 갈라져 있다.

그가 말했다.

-내게 비술을 터득하러 왔다고?

-그렇습니다.

-그럼 나에게 어떤 득이 있는가?

-만약 그것이 진리라면은 목숨을 바칠 각오가 되어 있습니다.

-방금 진리라고 했는가?

-그러합니다.

-그럼 너의 목숨부터 먼저 다오.

-그럴 수는 없습니다.

데바가 대답했다.

-그대들은 사문인가?

-그렇습니다.

-누구의 가르침을 받고 있는가?

-석가모니 붓다입니다.

신선이 깜짝 놀라는 표정을 지었다. 한참 입을 벌리고 그들을 쳐다보다가 가까스로 입을 열었다.

-붓다에게는 붓다의 법이 진리요. 신선에게는 비술(祕術)이 진리다. 내가 너희에게 비술을 가르친다 해도 너희에게는 그것이 진리가 될 수 없다.

-어찌 그것을 모르겠습니까. 하지만 모든 진리의 귀결점은 하나라고 알고 있습니다. 붓다의 진리와 그대의 진리가 무엇이 다르겠습니까.

수부티가 말했다.

-그러니까 목숨을 달란 말이다. 만약 내가 너를 잡아먹어도 결코 놀라거나 비명을 지르지 않는다면 다시 살려주리라.

그렇게 말하고 선인은 두 갈래로 찢어진 혓바닥을 내밀어 데바를 휘감았다. 수부티가 놀라 데바의 다리를 잡고 늘어졌다.

데바도 신통을 쓰려고 했으나 어떻게 된 판인지 꼼짝을 할 수가 없다. 신선의 비술이 데바의 신통을 제대로 막고 있는 것이 분명했다. 신통에 있어 수부티도 데바 못지않다.

데바가 비명도 지르지 못하고 버둥거리는데 신선은 맛을 보기 위해 그의 몸을 요리조리 한동안 핥았다.

-바랑 속의 밧줄을 꺼내.

수부티가 데바의 다리를 잡아당기며 소리쳤다.

데바는 정신을 차리고 바랑 속에 밧줄을 재빨리 꺼내어 신선의 찢어진 혀 한쪽을 묶었다. 그리고는 뾰족한 송곳니에 다시 묶었다.

-이놈아, 내려놓지 못하겠느냐.

수부티가 데바의 다리를 잡고 안간힘을 쓰며 소리쳤다.

신선이 수부티에게 신경을 쓰는 사이 데바는 나머지 한쪽 혀끝을 죽을힘을 다해 당겼다. 혀가 찢어지기 시작했다. 삼키려고 우물거리던 신선이 오히려 비명을 질러대기 시작했다.

신선은 하는 수 없이 데바를 내뱉었는데 어금니에 묶인 혀 한쪽을 풀고 나서야 데바에게 이런 말을 하였다.

-대저 신선이라고 하는 것은 장생(長生)의 술(術)에 지나지 않는다. 만약 네놈이 학습하고 싶다면 그 뜻을 먼저 세워라.

-어떡해야 하겠습니까?

데바가 물었다.

-나는 너희에게 이제부터 신체를 단련시키고 영생을 얻는 법을 가르치겠다. 이 비법은 나도 승가에 있을 때 배운 비법이다. 네가

진정한 사문이 되려면 이 법을 먼저 배워 양생해야 하리라. 양생하지 않고 아무리 도를 높인다 한들 무슨 소용이 있겠는가.

-그 양생법을 가르쳐주십시오.

-누가 먼저 나서겠는가.

데바가 먼저 나섰다.

신선은 어른 키만큼 한 단장(壇場)을 세우고 장검을 데바에게 내주었다. 그는 데바에게 단의 귀퉁이에 세운 다음 숨을 죽이고 새벽녘까지 말을 하지 못하게 했다. 입으로는 이상한 신주(神呪)를 외우게 했다. 시력이나 청력도 사용하지 못하게 했다.

수부티가 허허거리며 웃었다.

-꼴 좋다. 그저 신통술이라면 사족을 못 쓰네! 그래.

-저리 가십시오.

-수고하더라고.

데바가 숨을 죽이고 있는 사이 수부티는 구석에서 여유 있게 코를 골았다.

데바가 꼬박 하루를 그렇게 보내고 나자 신선은 그에게 술서(術書) 한 권을 주었다. 그러면서 이렇게 말했다.

-어디를 가든 내가 시킨 대로 하라. 그러면 마음이 가벼워지고 나중에는 네 몸이 허공에 뜨게 되리라. 그때 그 술서를 펴 보아라. 이제 너의 차례로구나.

신선이 수부티를 향해 말했다.

수부티가 손을 홰홰 내저었다.

-걱정하지 마십시오. 저는 배우고 싶지 않습니다.

-그려?

데바는 붓다를 찾아가야 하겠지만 생명을 부지하는 데 양생만큼 소중한 것이 어디 있을까 싶어 이 비법을 배워 두어야 하겠다는 생각에 구시렁거리는 수부티를 달래 꼬박 일주일을 그곳에 머물렀다.

삼 일을 넘기고 나흘째 되는 날 하늘에 구름이 몰려들더니 시퍼런 기둥이 데바의 머리 위로 쏟아졌다. 그러자 이상한 음악 소리가 허공에 맴돌고 눈앞에 보이지 않던 광경이 보이기 시작했다. 눈이 열린 것이다. 그러나 너무 먼 곳은 보이지 않았다. 아주 가까운 숲속은 들여다볼 수 있었다.

신선은 움막을 비운 상태였는데 데바는 숲에 가려 보이지 않는 숲속 이곳저곳을 들여다보았다. 열사지 서쪽에 세 마리 짐승이 보였다. 여우와 토끼 원숭이였다. 서로 사이가 좋은 것 같았다.

데바는 짐승들에게 다가갔다. 그리고는 물었다. 짐승들이 갑자기 나타난 데바 때문에 달아나려고 했다.

-걱정하지 마라. 너희들은 해칠 사람이 아니다.

그제야 그들은 눈치를 살피며 머뭇거렸다.

-보아하니 너희들은 건강한가 보구나. 뭐 걱정되는 일은 없느냐?

그러자 세 마리 짐승이 한결같이 대답했다.

-우리는 이곳에서 즐겁게 살고 있습니다. 그냥 놔두십시오. 우리를 잡아먹겠다면 그대보다 더 큰 짐승이 와 용서치 않을 것입니다.

-나는 승이다. 살생을 할 리도 없거니와 너희들과 척을 짓고 싶은 생각도 없다.

-그런데 왜 우리를 찾은 것입니까?

여우가 물었다.

-사실 요 앞에 사는 신선에게 비술을 배우고 있는데 벌써 며칠을 굶었다. 배가 고프니 뭐 먹을 것이 없겠느냐.

그랬다. 신선은 그에게 나흘 동안 단 귀퉁이에 세워 놓았을 뿐 먹을 것을 내어주지 않았다.

그 말을 들은 세 마리의 짐승이 각기 길을 달려 먹을 것을 구해 왔다.

여우는 강변으로 내려가 싱싱한 잉어를 입에 물고 왔고 원숭이는 산속의 나뭇가지 위로 올라가 진기한 꽃과 과일을 따 가지고 왔다.

그런데 토끼만은 아무것도 구하지 못하고 힘없이 돌아왔다.

그는 돌아와 데바에게 이렇게 말했다.

-저는 재주가 없어 장차 신선이 되실 분에게 드릴 것을 구하지 못했습니다.

그렇게 말하고 토끼는 평소 섶을 많이 쌓아둔 곳으로 가 불을 지르고 그 속으로 뛰어들었다. 그러면서 그는 친구들과 데바에게 이런 말을 남겼다.

-저는 위대한 수행자에게 드릴 것이 없으니 이 몸을 드리려 합니다. 친구들아 내가 죽으면 그 몸을 수행자에게 들려다오.

데바가 말리려고 불 속으로 뛰어들었으나 이미 토끼는 죽은 뒤였다.

저녁에 신선이 돌아오더니 그 사실을 알고는 한탄하였다.

-바로 그것이 생사의 진정한 모습이다. 저기 달을 보아라. 저기 토끼가 가 있지 않느냐.

데바가 달을 바라보니 정말 토끼 형상을 한 검은 물체가 움직이는 것 같다.

산을 내려가 이곳저곳 돌아다니던 수부티가 돌아와서 보고는 혀를 끌끌 찼다.

-네놈이 정신이 나가도 한참 나갔구나. 아무리 짐승이기로서니 그도 이 세상에 살려고 태어났을 터인데 네놈이 뭐라고 목숨을 바쳐.

데바는 분노가 솟구쳤다.

-사형이라고 잔소리는 제기. 사형은 그 누구를 위해서 초개같이 목숨을 버릴 수 있습니까?

-허어 뚫린 입이라고…. 없다면 미물보다 못하다 할 것인가?

-미물보다 못한 인간이 시건방지기는.

신선이 두 사람의 말을 듣다가 이런 말을 하였다.

-우리의 몸은 우리 것이 아니다. 이 살과 뼈 피와 핏줄 눈과 코…. 이것이 무엇으로 이루어져 있고 지탱되고 있는가. 바로 남의 것으로 지탱되고 있다. 저 산야의 풀포기, 과일들과 꽃, 짐승의 고기, 강과 바다의 물고기, 허공을 나는 저 새들…. 그런데도 이 몸이 우리의 것이겠는가. 짐승도 그것을 알기에 자신을 그대에게 주고 간 것이다.

다음 날 선인은 그들을 데리고 도끼를 메고 움막을 나섰다. 밤에 아랫마을에 초상이 났는데 그 시신이 산언덕 벼랑에 옮겨져 있었다. 남자였다.

신선은 그 남자의 육신을 도끼로 탁탁 주먹만큼 잘라 허공으로 던졌다. 그러자 어디선가 새때들이 날라와 그것을 받아먹었다. 지상에 떨어진 조각은 산짐승들이 물고 어디론가 사라졌다.

밤에 수부티와 데바는 갈 준비를 하였다.

-왜 가려느냐?

-이제 가야 할 것 같습니다.

-어디를 가든 먼저 양생하는 법을 배워라. 양생하지 않고 어떻게 수신할 수가 있겠느냐. 살아야 도도 있는 법이다.

생사가 철저하게 하나임을 깨달은 데바는 그가 준 비서를 들고 수부티와 함께 다시 길을 떠났다. 동쪽으로 나아가니 코끼리의 왕국이 있었다. 인구가 조밀하였다. 그 나라의 옛 왕은 코끼리를 수백 마리 가지고 있다고 하였다. 그 아래 수령들도 몇백 마리씩은 가지고 있었다고 하였다. 기후가 무척 더워서 수목과 화초가 일 년 내내 푸르렀고 흙으로 만든 솥으로 밥을 지어 먹고 있었다. 사람들은 살생을 싫어하여 고기 파는 곳이 없었다.

-우리가 살던 곳과 얼마 떨어지지 않은 것 같은데 날이 이렇게 차이가 나다니….

수부티가 중얼거렸다.

어느 사이에 옷은 해어지고 머리는 어깨를 덮었다. 헤어진 발에 헝겊을 감고 모래바람 부는 벌판을 밤낮으로 걸었다. 입술이 불어 터지고 그 입술 사이로 모래알이 씹혔다. 목이 말라 모랫바닥에 쓰러져 죽기를 기다리다 지나는 행상이 구해 주어 겨우 목숨을 부지하기도 하였다. 그렇게 가다 보니 전주국이 나왔다. 주위가 2천 리가 되는 나라였는데 도성은 갠지스강을 바라보고 있었다.

대설산 북쪽에 음악을 배우는 사문이 있다기에 그리로 갔더니 대뜸 이렇게 물었다.

-오다가 신선을 보지 못했소?

-사람을 도끼로 잘라 새에게 먹이를 주는 신선을 보았소.

수부티가 대답했다.

-그에게 무엇을 배웠소.

-양생하는 법을 배우려 했으나 반쯤 익혔을 뿐이오. 갈 길이 멀어 그냥 떠나왔소.

이번에는 데바가 대답했다.

-비서를 주지는 않습디까?

데바는 적이 놀랐다.

-아니 그걸 어떻게 아시오?

데바에게 비서가 있다는 사실을 안 그가 환하게 웃으며 다가들었다.

-갈 길이 급하다는 것을 아오만 그 비서를 좀 보여주시오.

데바가 비서를 내어주자 다 읽고 난 그가 밖으로 뛰쳐나갔다. 그는 흙으로 단을 쌓고 그 비서가 시키는 대로 신주를 외워대었는데 그날 새벽 데바를 깨웠다.

-나는 드디어 본래의 내 모습을 보았소. 이제 죽음이 겁나지 않소. 그 비서에 적힌 대로 했더니 나의 본생을 볼 수가 있었소.

-그래요?

-나도 한때 그의 제자였다오. 단 귀퉁이에 장검을 들게 하고는 언제나 세워놓고 굶기는 통에 도망을 왔었소. 이곳에 와 보니 마하 샬라라는 광야귀가 있는데 죽지를 않는 짐승이오. 이곳으로 온 첫날 누군가 찾아와 그 광야귀를 물리치려면 이 피리를 불면 된다기에 그래서 오늘날까지 피리를 불며 지내고 있소만 그를 죽일 수는 없구려. 제발 저와 힘을 합쳐 죽인다면 아랫마을 사람들이 평온하게 지내게 될 것이오.

-어떻게 그를 죽일 수 있단 말이오?

데바의 말에 그가 비서를 들춰보았다.

-이 비서에 이렇게 쓰여 있군요. 살려고 한다면 죽을 것이오. 죽으려고 한다면 살 것이다.

-그럼 우리가 죽어야 한다는 말이 아니오?

-진정한 양생의 첫째 원칙은 내가 너가 되고 너가 내가 되는 것이오.

데바는 눈이 번쩍 뜨였다. 붓다에게 많은 말을 들어 왔지만 이런 말을 들어보기는 처음이었다.

-무슨 말이오? 그렇다면 타인은 본질의 문이란 말이지 않소?

그가 고개를 끄덕이며 웃었다.

-그렇소. 쉽게 생각합시다. 우리가 만약 광야귀에게 잡혀서 먹히면 광야귀는 곧 우리가 될 것이오. 그게 본질이오.

데바는 그때 자신을 던져 몸을 주어 버린 토끼를 생각했다. 토끼의 죽음. 그 죽음의 의미.

밤이 되자 광야귀 찾아오는 소리가 쿵쿵 들렸다. 잠시 후 문이 열리고 눈에 불을 켠 광야귀가 나타났다. 족히 어른 키의 수 배는 될 것 같았다. 온몸이 푸른 털로 뒤덮였고 눈이 세 개였다. 눈과 눈 사이 미간에 붙은 눈은 네모졌는데 툭 앞으로 튀어나와 있었다. 양 머리에는 소처럼 뿔이 나 있었고 허리 밑은 말의 형상을 하고 있었다.

사문이 칼을 버리고 앞으로 나섰다. 그리고는 옷을 벗으며 소리쳤다.

-자! 내 몸을 먹어라. 너에게 기꺼이 보시하마. 배고픈 짐승을 위해 내 어찌 자비심을 베풀지 않겠는가!

광야귀가 이상한 낌새를 느꼈는지 잠시 멈칫했다.

-왜 망설이는 게냐?

사문이 광야귀를 올려다보며 외쳤다.

-왜 스스로 내게 목숨을 주려는 것이냐?

광야귀가 물었다. 그의 음성이 어찌나 큰지 꼭 하늘에서 뇌성이 우는 것 같았다.

-나는 전생에 너의 아비였기 때문이다.

광야귀가 말이 안 된다는 듯이 웃었다. 그리고는 물었다.

-나의 나이가 몇 살인 줄 아느냐?

-너의 나이는 정확하게 팔백 살이다. 너의 아버지 이름은 샤샤라였다. 나는 그때 암곡에 숨어 살고 있었다. 나라의 녹을 먹던 나는 죄를 지었기 때문이다. 중춘의 달 아래 홀로 피리를 불고 있을 때 암사슴이 물을 마시고 와서 여인으로 변해 너를 낳은 것이다. 그래서 너의 외모가 그런 것이다.

-그럼 그 여인의 이름이 무엇이냐?

-연서상사가 아니냐.

그제야 데바는 알 것 같았다. 왜 그가 그토록 광야귀가 있는 이곳을 거처로 삼고 떠나지 못했는지.

광야귀가 눈물을 흘리며 무릎을 꿇었다.

-그대는 나의 아버지가 맞습니다. 나는 오랜 세월 나를 이렇게 낳아준 부모를 원망했습니다. 어머니를 잡아먹었고 아비를 찾아다녔으나 찾을 수가 없었습니다. 그때부터 못된 짓을 하며 살았습니다. 그런데 아버지가 환생하여 내 앞에 있으니 이제야 알 것 같습니다. 생사는 둘이 아니요. 하나라는 것을.

-아직도 나를 죽이고 싶다면 내 몸을 주리라.

결연히 그가 말했다.

-제가 죽으면 다시 새로운 생명으로 태어난다는 사실을 안 이상 더 바랄 게 무엇이겠습니까. 오히려 저를 죽여주십시오. 그러면 나

는 다시 태어날 것입니다.

그가 머리를 저었다.

-네가 그런 모습으로 태어난 것도 다 전생의 업이다. 이생은 그 업대로 살다 가는 것. 잘못을 깨달았다면 해탈하여 대자유를 얻어야 할 것이니 나와 여기에서 수도를 하자. 그러면 대자유를 얻을 수 있으리라.

그러나 광야귀는 그 길로 몸을 돌려 사라져 버렸다. 잠시 후 벼락 치는 소리와 함께 광야귀가 죽었다는 소리가 들려왔다.

그와 소리 나는 곳으로 가 보니 천 길 벼랑 끝에 횃불이 퍼덕이고 있었다. 벼랑 아래로 내려가 보니 광야귀가 죽어 있었다. 벼랑 위에서 떨어져 죽은 것이다.

그는 광야귀의 시신을 거두어 묻은 다음 그 자리에 앉아 피리를 불었다. 광야귀를 천상으로 인도하듯이.

그의 피리 소리를 들으며 생사의 이치를 또 한 번 그렇게 체험한 데바는 수부티와 함께 갠지스강 남북 쪽으로 거슬러 올라갔다. 갠지스강 북쪽 구릉 지대에 걸쳐 있는 브리지국으로 들어가기 전 데바는 키베타푸라 정사 근처 그러니까 갠지스강 남북 기슭에서 강을 건너려 하자 배가 없었다. 어떻게 강을 건너야 하나 하고 서성이고 있는데 갑자기 강 한복판에서 물기둥이 솟아오르더니 큰 고기 한 마리가 그들을 향해 다가왔다. 그리고는 이내 사람의 형상으로 변해 물 위에 선 채 물었다.

-그대는 데바닷다가 아니십니까?

데바는 깜짝 놀라 그렇다고 대답했다.

-저는 이 강을 지키는 신입니다. 일찍이 그대의 명성을 들어 존경해 오던 터였습니다. 제가 저 언덕으로 그대를 모실 터이니 허락해 주십시오.

-보아하니 배도 없는 것 같은데 어떻게 우리를 저 언덕으로 데려갈 수 있단 말이오?

그러자 그는 들고 있던 지팡이로 물을 쳤다. 물 바닥에서 배가 한 채 두둥실 떠올랐다.

-오르시지요.

데바는 그의 신통력이 놀라워 물었다.

-참으로 놀랍구려.

-놀라실 것 없습니다. 저는 나이가 팔백 살이나 됩니다. 그 옛날 붓다께서 이곳을 지날 때도 제가 모셨지요.

-그래요?

-그때 저는 이 강의 작은 물고기에 지나지 않았습니다. 하루는 어부가 나를 잡았는데 붓다께서 강기슭에 나타나셨습니다. 그가 어부에게 말했지요. 그 고기를 놓아주라고. 어부는 고개를 내저었지요. 이것은 내 생활입니다. 그대가 이래라저래라할 수는 없습니

다.

  -그럼 그 고기를 나에게 파시오.

  -보아하니 그대는 수행승인 모양인데 무슨 돈이 있소?

  붓다는 자신의 밥그릇인 바리때를 꺼내었다.

  -내 이것을 그대에게 주겠소. 그 고기의 값은 될게요.

  어부가 보니 붓다를 흠모하던 양치기 처녀 수자타가 가져다 바친 황금 바리때였다.

  -좋소. 그것을 주신다면 이 고기만이 아니라 배까지 주겠소.

  한 마리의 고기를 살리기 위해 자신의 바리때를 어부에게 바친 붓다는 고기를 놓아준 뒤 그 배를 타고 강을 건넜다.

  붓다는 가면서 뒤따라와 눈물을 흘리는 고기에게 이런 말을 하였다.

  -나에게 고마워할 것 없다. 너는 이 강에서 수 천년을 살 것이다. 수 백 년 후 데바란 승이 강을 건너게 될 것이다. 그때 그를 이 언덕으로 건네주어라.

  고기의 말을 들은 데바는 너무 놀라, 말도 하지 못했다. 눈만 크게 뜨고 있는데 수부티가 고개를 주억거렸다.

  -붓다의 불성이 오늘에 이르다니…. 나무 석가모니불!

  그가 데바와 수부티를 배 위에 태우고 노를 저었다.

  이미 붓다께서는 내가 8백 년 후에 올 것을 아시고 계셨다니.

데바가 그런 생각을 하는데 그가 말했다.

　-며칠 전이었습니다. 비가 몹시 쏟아지는데 갑자기 바다가 어두워졌습니다. 무슨 일인가 하고 머리를 내밀어 보았더니 한 걸승이 여자를 안고 구름을 타고 이 강을 건너고 있었습니다. 돌아와 용왕에게 아뢰었더니 용왕이 말하기를 그분이 곧 붓다시라고 했습니다. 지금 그분을 찾아가고 있습지요?

　-그걸 어떻게 아십니까?

　-그분이 붓다라고 안 용왕이 친히 뭍으로 올라 맞이했기 때문입니다. 그래서 알았습지요. 그대께서 잠시 후면 오시리라는 것을.

　-그래 붓다께서 어디로 갔소?

　-불의 연못으로 간다고 했습니다.

　-불의 연못이라니요?

　-네팔라국에 가시면 보게 될 것입니다. 도성의 동남쪽에 있는 작은 연못입니다. 무엇이든 던지면 곧바로 불이 되어 버립니다.

　-아니 물 위로 던지면 불이 되어 버린다니 그게 무슨 말이오?

　-이런 사연이 있습니다.

　옛날 어떤 바라문이 있었는데 학업 때문에 사랑하는 사람과 헤어졌다. 그는 학업을 마치고 돌아왔지만 기다리겠던 여인은 이미 남의 아내가 되어 있었다. 그는 그 길로 산으로 올라 머리를 깎았다. 그러나 속세의 인연을 끊을 길 없었다. 그는 강을 건너 마가다국으로 들어갔다. 갠지스강 남쪽에 성이 하나 있었는데 그는 그곳에서 수행했다. 그러나 그 여자를 잊을 길은 없었다. 늘 홀로 나무 밑에 앉아 그녀를 그리워하고는 했는데 도반들이 찾아와 위로했다.

 -잊어버리게. 설령 그 여자가 그대에게 온다고 해도 이제는 사문이 아닌가. 계율을 어기고 파문할 수는 없지 않은가.

 그때 스승이 그곳을 지나가 그 말을 듣고는 그를 불렀다.

 -그렇게 못 잊겠느냐?

 스승의 물음에 제자는 눈물을 흘리며 고개를 끄덕였다.

 -그렇다면 내가 그 여자를 데려다주마.

 -안 될 말입니다. 비록 제가 그 여자를 못 잊어 하지만 파문하고 싶지는 않습니다.

 -그렇다면 좋은 수가 있다.

 스승은 그에게 꽃을 한 다발 꺾어다 주었다. 다른 사람의 눈에는 그것이 분명 꽃인데 그 사람의 눈에는 그것은 꽃이 아니었다. 그 여자로 보였다. 아니 그렇게 생각되었다. 그 사람은 그 꽃과 결혼을 했다. 그런데 얼마 안 가 꽃은 시들기 시작했다. 꽃잎이 다 져 앙상한 가지만 남자 그는 그 가지를 붙들고 통곡했다. 그러자 그날 밤 그녀가 연기처럼 흘러왔다. 그리고는 이 연못으로 데려왔다. 그리고는 연못으로 들어가 버렸다. 그도 연못 속으로 뛰어들었다. 연못 속에는 용궁이 있고 그녀는 그곳에 있었다. 인근 마을을 괴롭히던 폭도 한 사람이 그 소문을 들었다. 머리를 깎은 승이 용궁에서 여자를 안고 희희낙락하고 있다는 말을 듣자 그녀를 빼앗아야겠다는 생각에 칼을 들고 용궁으로 들어갔다. 여자 혼자 용궁을 지키고 있었는데 폭도가 와 겁간하자 여자는 스스로 자진하고 말았다. 남자가 돌아와 보니 여자는 죽었고 폭한은 마침 자리를 뜨려는 찰나였다. 그는 폭한을 죽이려 했으나 오히려 그의 칼에 목숨을 잃고 말았다. 그러자 먼저 죽은 여자와 그의 몸뚱이는 하나가 되었고 그들은 불이 되어 폭한에게 달려들었다. 폭한은 그 불길에 휩싸여 죽었다.

-그 후로 연못은 불의 연못이 되어 버린 것입니다. 그 누가 돌멩이라도 던질라치면 그 돌멩이는 이내 불덩어리가 되어 버리니까요.

데바와 수부티가 불의 연못으로 가 보니 두 남녀가 산책이라도 나온 것인지 연못 근처에 앉아 얘기를 나누고 있었다.

데바는 나뭇잎을 따 연못에 담가보았다. 나뭇잎이 둥둥 그냥 떠다녔다. 손을 물에 넣어보았으나 그냥 물일뿐이었다. 헛소문이었구나 하면서 일어나는데 연못 근처에서 말을 나누고 있던 사내가 웃으며 다가왔다.

-소문을 들었던 모양이구려?

-그렇습니다.

-이제 이 연못은 불의 연못이 아닙니다.

-네에?

-한 걸승이 이곳을 지나가다가 우리를 제도했지요. 우리 마음속에 끓고 있는 정염의 불을 끄고 가신 것입니다.

-그럼 그대들이…?

사내가 고개를 끄덕였다.

-그렇습니다. 바로 이 연못 속에서 살던 사람들입니다. 그분이 연못으로 들어오기에 내가 묻기를 '어떻게 그대는 불이 되지 않고 우리 앞에 올 수 있는가?' 그러자 그가 대답했습니다. '불길은 위로 타오르느냐, 아래로 뻗느냐?' '내가 위로 타오릅니다.' 하고 대답하니까 그가 불 가운데로 들어왔습니다. 자연히 그녀와 나는 떨어지게 되었는데 그가 말했지요. '너희들은 불이 되어 몇 명의 자식을 두었는가?' 나는 애들이 있는 곳을 가리켰습니다. '모두 12명이나 됩니다.' 그러자 그가 말했지요. '불이 어울려 그 기운을 아래로 쏟으면 윤회가 된다. 그러나 위로 뻗치면 대자유를 얻을 수 있다. 정신을 집중하고 모든 기운을 정수리로 뻗쳐라.' 우리는 그가 시키는 대로 했습니다. 정말 불길이 정수리를 향해 올라가 터져 나왔습니다. 드디어 대자유를 얻은 것입니다. 우리는 같이 있어도 같이 있음이 아니요. 떨어져 있어도 떨어져 있음이 아닌 경지를 이제

야 터득한 것입니다. 이제 비로소 우리는 하나가 된 것입니다. 내가 누구이겠습니까? 남성과 여성이 갈라진 것이 나인 줄 아시겠지만 그렇지 않습니다. 여성성과 남성성의 복합체가 곧 생명체인 것입니다. 진정한 그녀는 내 속에 존재하고 있었던 것입니다. 그것이 곧 불성이란 것이었습니다.

데바는 깊이 머리 숙여 그에게 합장했다. 꼭 자신을 보고 있는 것 같았다. 그녀를 향한 불길이 이렇게 타오르고 있는데 그 불길을 끄고 대자유를 얻을 수 있었다니.

-그분 어디로 가신다는 말씀은 없으셨습니까?

사내는 동쪽으로 몸을 돌려 마가다국을 가리켰다.

-마가다국으로 간다고 하셨습니다.

마가다국이라면 붓다의 친구였던 빔비사라 왕의 아들 아자따삿투 왕이 다스리는 나라다. 사람 죽이기를 즐겨할 정도로 포악한 왕. 대단히 난폭하여 뇌옥을 만들어놓고 사람들을 살육하고 있다는 말을 들었다. 제 아버지를 옥에 가두고 제 자식이 죽자 왕사의 책임이라며 칼을 들었다. 그를 피해 가 있었던 곳이 수부티 사형과 만난 그곳이었다. 붓다를 가만둘 수 없다는 생각에 다시 이곳에 나타났지만, 아직도 아자따삿투 왕은 자신을 찾고 있을 것이었다.

데바는 옷에 달린 모자를 머리에 둘러쓰고 마가다국으로 들어갔다. 성 이곳저곳에 아자따삿투 왕의 성정이 여기저기 드러나 있었다. 망루는 높았고 사람들을 고문하던 큰 화로, 섬봉이라고 하는 날카로운 창들이 그대로 방치되어 있었다. 그는 법을 어기면 죄의 경중을 따지지 않고 옥졸들을 시켜 사람을 죽였다. 감옥을 지나가는 사람만 보여도 그를 잡아들여 죽였다. 나중에는 아무나 잡아 와 살육했다. 그래도 소문이 새 나가는 법이 없었다. 잡아 오기가 무섭게 무조건 죽여 버렸기 때문이었다. 산 사람이 있어야 소문이라도 날 터인데 모조리 죽이니 소문이 날 리 없었다.

그러던 어느 날 한 사문이 그곳을 지나갔다.

옥졸이 잡아다 목을 치려고 하자 사문은 이미 생사의 경계를 뛰어넘은 높은 경지에 있었으므로 죽음을 두려워하지 않았다.

옥졸이 물었다.

-너는 죽음이 겁나지 않느냐?

-죽음이 왜 겁나겠느냐. 죽음도 생의 연장이니라.

옥졸은 사문의 말에 현혹되어 왕에게 이 사실을 아뢰었다.

-죽음을 겁내지 않는다? 그럼 그를 죽이는 게 무슨 의미가 있느냐?

-그래서 아뢰는 것입니다.

-그렇다. 죽음을 겁내지 않는 자를 죽일 이유가 없다. 죽음을 겁내는 자에게 죽음을 내리는 것이다. 죽음을 겁내는 자가 있다면 무조건 잡아다 죽여라. 그 누구라도 죽여라.

왕의 명령에 옥졸이 물었다.

-대왕이시여, 무례한 질문인 줄 압니다만 대왕께서는 죽음이 겁나지 않습니까?

막상 그렇게 묻자 왕은 할 말이 없었다. 그래도 가만히 있을 수는 없어 한마디 했다.

-내가 만약 이곳을 지나가다가 너희에게 잡혀 왔다고 하자. 죽음을 겁낸다면 나 역시 죽음을 면치 못할 것이다.

-왕이라도 죽이시라는 말씀입니까?

-그렇다.

자신은 결코 감옥 앞을 지나칠 일이 없을 것임으로 그렇게 대답했다.

그런데 사문을 죽인 그날 밤이었다. 사문이 왕을 시험하기 위해 여자로 변해 왕을 홀렸다. 왕은 그때 침상에 비스듬히 누워 여자를 불러들일까 말까 하고 망설이고 있었다. 그때를 기다리고 있던 사문이 허공에서 내려와 왕 앞에 섰다. 사문이 입은 천의가 가볍게 하늘거리고 그럴 때마다 사문의 몸이 드러났다.

왕이 보니 기가 막힌다. 그만 여자에게 홀려 그녀를 잡으려고 뛰쳐나갔다. 여자는 감옥 앞으로 뛰어갔다. 왕은 자신도 모르게 그녀를 향해 뛰었다. 감옥 앞을 지나치려 하자 여자는 사라져 버렸고 그 대신 사나운 옥졸들이 그를 에워쌌다.

-누구냐?

-나다.

옥졸들이 보니 왕이었다.

-대왕마마 어쩐 일이십니까?

-이 앞을 지나는 여자를 보지 못했느냐?

-못 보았사옵니다.

그때 한 옥졸이 왕의 팔을 뒤에서 잡아 꺾었다.

-필시 첩자가 분명합니다. 왕과 모양새가 비슷한 놈으로 골라 적국이 보낸 것일 겁니다.

-그렇구나.

앞에 선 자가 그제야 동요의 빛을 나타내었다.

-아니, 이놈들 나를 첩자라고 하다니 무엄하다!

-허어, 이놈 이거 완전히 대왕마마 행세하려고 드네! 그려. 이놈아, 네놈이 대왕마마일 리가 없지. 그분은 이 앞을 지나는 사람이 있다면 무조건 목을 베라고 명령하셨다. 심지어 당신 자신이라도 말이다. 그런 분이 스스로 이 앞으로 오겠느냐.

그들은 왕을 끌고 가 단두대에 목을 늘어뜨렸다. 그리고는 말했다.

-너는 가서 대왕마마에게 보고하여라. 적국에서 사람을 대왕마마로 변장시켜 잠입한 놈을 잡아 왔으니 어서 나오시라고….

-알겠습니다.

명령받은 병졸이 왕에게 달려갔다. 잠시 후 왕은 나타나지 않고 그의 아우가 나타났다. 마헨드라 이복동생이었다. 그는 조용한 곳을 찾아 산속에서 살았는데 왕이 그를 궁으로 끌어들여 석실을 만들어 주고 조용히 지내게 했던 인물이었다.

-감히 누가 내 형님 행세를 한단 말이냐?

마헨드라가 왕 앞으로 왔다.

왕이 단두대에 목을 늘어뜨리고는 고개도 들지 못하고 눈만 치떠

-아우야. 나다. 너의 형이다. 이놈들이 글쎄 나를 죽이려 하는구나.

마헨드라가 웃었다.

-어허 그놈 정말 내 형님과 닮긴 아주 닮았네. 네 이름이 무엇이냐?

-아우야. 어떻게 해서 나를 몰라보느냐. 내 비록 너를 잘 돌보지 않았지만 그래도 형이다. 형에게 이러면 쓰겠느냐?

-네놈이 자꾸 내 형이라고 하니 하나만 묻자.

-?

-내 석실은 누가 지었느냐? 그것은 형과 나만 아는 비밀이니 말해 보아라. 만약에 네가 안다면 살려주마.

-왕이 동생을 가까이 오게 했다.

그리고는 그의 귀에다 말했다.

-귀신들이 6일 동안 돌을 들어다 쌓지 않았느냐.

-왜 하필이면 귀신들이 쌓았는가?

-귀신들이 아니면 그런 돌을 구하지도 못했을뿐더러 들어 올릴 수도 없었기 때문이다.

그만큼 마헨드라의 석실은 웅장하고 불가사의하게 지어졌다는 말인데 그제야 제 형임을 알아본 마헨드라는 병사들을 칼로 쳐 죽이고 형을 살렸다.

그래도 아자따삿투 왕은 자신의 죄를 뉘우칠 줄 몰랐다. 즉시로 감옥을 폐쇄할 줄 알았으나 여전히 살육을 감행했다.

그는 어느 날 기녀를 태우고 뱃놀이를 하는데 배가 갑자기 물길에 휩쓸려 마구 흔들렸다.

문득 큰 산이 앞을 가리고 두 개의 태양이 연달아 보였다.

왕이 소리쳤다.

-누구냐? 대왕을 희롱하는 놈이?

그러자 곁에 있던 사공이 이런 말을 했다.

-저것은 산이 아닙니다. 이 바다를 지키는 마카라는 물고기입니다. 저 산은 그 등이며 저 두 개의 태양은 그 고기의 눈입니다. 오히려 큰 위기가 닥쳤습니다.

-그럼 큰일 아닌가. 나는 일찍이 죽을 고비를 한번 넘겨본 일이 있다만 이제는 영락없이 죽게 되었구나.

그러자 사공이 심각하게 말했다.

-나는 석가모니 붓다에 대해서 들어 알고 있습니다. 여러 가지 위험에 처할 때 일심으로 그분을 찾으면 안락하게 해 준다는 말을 들었습니다.

-그 사람이라면 짐도 알고 있다. 그 사람 순 사기꾼인데….

그러면서도 그는 살아야겠다는 생각에 석가모니 붓다를 불렀다.

그러자 이내 파도가 자고 마카라는 물러갔다.

그 길로 돌아온 왕은 그래도 반성을 몰랐다. 마침 날이 들어 산 것이라며 붓다의 존재를 인정하지 않으려고 했다. 오히려 데바를 잡으려고 군사를 더 풀었는데 데바의 행적은 찾을 길이 없었다.

데바가 사람들의 눈길을 피해 화룡의 언덕으로 갔을 때 붓다가 화룡을 굴복시킨 곳에서 사람들이 몰려 웅성거리고 있었다. 옛날 붓다의 방에 불이 난 일이 있었다. 화룡이 불길을 내뿜었던 것이다. 대중들이 붓다께서 화를 입을까 안절부절못했는데 붓다는 불타 버린 방에서 천천히 걸어 나왔다. 대중들이 살펴보았더니 화룡이 붓다의 발바닥 안에 불길을 물고 갇혀 있었다.

그런데 그 화룡이 수백 년 동안 갇혀 있다가 붓다의 자비로 풀려났는데 본심을 못 버리고 이곳저곳을 불태우고 다녔던 모양이었다.

이를 괘씸하게 여긴 걸승이 이곳에 들러 화룡을 잡아 큰 돌로 눌러놓았다.

들어보니 스승 붓다였다. 화룡이 돌을 이기지 못하고 머리와 꼬리만 파닥이는데 이제는 불을 쏘아댈 힘마저 없어 보였다.

보리수담 동문 옆에 수토파가 있었다. 바로 이곳이 마신이 붓다를 협박한 곳이었다. 붓다가 정각을 이루리라는 것을 알고 유혹했으나 성공하지 못하자 마신들을 시켜 붓다를 협박한 곳이 이곳이었다. 그러나 그들이 붓다의 신심을 꺾을 수는 없었다. 붓다가 그들의 병기를 모두 연화로 바꾸어 버렸기 때문이었다.

그곳을 떠나 나란자나강을 건넜다.

영취산에 이르러 산성 북문 서쪽에 비폴라라는 이름의 산이 있었다. 온천이 많았는데 온천 서쪽에 석실이 하나 있었다. 옛날 붓다가 머문 곳이라고 했다. 뒷벽에 있는 동굴이 아수라궁이었는데 선정을 학습하는 이들이 있었다.

아수라궁을 가볼까 하고 생각하는데 한 수도승이 말했다.

-그곳에는 안 가는 게 좋을 것이오. 때로 용사(龍蛇)나 사자의 모습을 한 인사(人獅)가 나와 사람을 잡아 먹기도 하오.

-내 스승이 불과를 구하려는 비구를 도우려 그곳으로 갔다고 하는데 천마가 무서워 어찌 돌아설 수 있겠습니까.

그렇게 대답하고 데바는 수부티와 함께 아수라궁으로 올랐다.

문득 이런 생각이 데바는 들었다.

내가 이 길을 감으로써 실체의 절대가 드러날 수 있을까?

-여래가 여래 아님을 인정했다면 모순이지 않습니까?

문득 묻는 데바를 수부티가 이상한 표정으로 돌아보았다.

-그렇지 않습니까?

-뭐가?

-붓다께서 성도하고 다섯 제자에게 한 첫 말이 나는 붓다이다였습니다. 그런데 이제 와 붓다가 붓다가 아니다? 그럼 모순이지 않습니까? 금강경에 이르러서야 그 사실을 고했다는 사실. 이거 좀 불손해 보이지 않습니까?

수부티가 흐물흐물 웃었다. 그걸 모르겠느냐는 듯이.

-긍정과 부정의 틈바구니에 끼인 느낌이라 그렇습니다.

수부티가 고개를 주억거렸다.

-맞아. 때로는 긍정이 필요하고 때로는 부정이 필요하지. 아 하면 어 하고 받고, 어 하면 아 하고 받으면 되는 것이니까. 낮에는 해 뜨고 밤에는 달 뜬다. 달 뜨면 하는 말이 있고 해 뜨면 하는 말이 있다. 그러나 긍정과 부정이 존재한다고 해도 그것은 말이다.

아수라궁으로 올라 보니 이미 그곳에 붓다의 모습은 보이지 않았다. 그 대신 천마를 물리친 흔적만이 즐비하였다. 용사와 인사들이 여기저기 죽어 넘어져 있었다.

불과를 얻으려는 사문들이 땀을 뻘뻘 흘리며 단장을 쌓고 붓다가 주고 간 주문을 외워대고 있었다.

데바가 돌아 나올 즈음 한 소녀가 가까이 다가왔다.

-그대는 데바 존자가 아니십니까?

-그렇소이다 만….

대답하면서 데바가 보아하니 숨이 막히게 아름답다.

-그대는 누구시오?

묻기가 무섭게 이내 소녀는 몸을 뒤틀었다. 인사(人蛇) 한 마리가 허공으로 솟구쳤다. 머리는 사람이었고 몸은 뱀이었다. 그는 빛을 쏘며 혓바닥을 날름거렸다.

-이놈아, 네놈의 스승이 이렇게 내 혈족들을 모두 죽였다. 사문들이 그가 준 신주를 외우며 나의 근접을 허락지 않으니 복수를 할 수가 없다. 만약 저들이 신주를 외우지 않게 해 준다면 너에게 이곳에 쌓아 놓은 보물을 모두 주리라.

인사는 그러면서 한곳을 가리켰는데 보물이 산처럼 동굴 구석에 쌓여 있었다.

데바는 머리를 내저었다.

-나는 이국의 수행승이다. 내가 어떻게 악충의 부탁을 들어줄 수 있겠는가. 내 이 목숨을 너에게 주는 한이 있더라도 그럴 수는

없다.

그러자 인사가 데바를 감아올렸다. 수부티가 놀라 소리치며 인사를 발길로 찼다.

인사는 꼬리로 수부티를 쳤다. 수부티가 저만큼 날아가 처박히자 인사는 데바를 삼키려 했다. 이때 한 사문이 신주를 종이에다 써 기둥처럼 솟아오른 인사의 몸뚱이에다 붙였다. 그러자 인사의 몸에 불이 일었다. 데바를 삼키려던 인사가 데바를 땅 위로 팽개치고는 불덩이가 되어 아수라궁을 빠져나갔다. 궁을 빠져나간 인사의 포효 소리가 쩌렁쩌렁 산천을 울렸다.

사문들이 와 데바를 일으키고 예를 올렸다.

-누구신지 모르겠으나 그대로 인하여 인사의 두목을 해치웠습니다. 이제 마음 놓고 여기서 수행할 수 있게 되었습니다.

데바와 수부티는 그들과 헤어져 날란다 사원으로 갔다. 역대의 왕들이 세운 사원들이 웅장하고 장엄했다. 힌두교 사원이 분명했다. 칼라피나카 유에 이르자 읍 안에 왕들이 세운 수토파가 있었는데 이곳이 붓다의 오른팔이나 다름없던 장로 사리풋다의 고향이었다.

사리풋다 장로를 낳기 전에 그의 어머니는 다음과 같은 꿈을 꾸었다고 한다. 이상한 사람 하나가 갑옷을 거치고 금강저(金剛杵)로 산(山)을 두드려 깨웠다. 산이 깨어 일어나자 그는 물러나 기슭에

섰다.

남편은 그 말을 듣고 무릎을 쳤다.

-길몽이요. 당신은 반드시 사내를 낳을 것이며 붓다를 스승으로 가져 학예에 통달함이 일세에 빼어날 것이오. 모든 학자를 논파할 것입니다.

과연 그의 어머니는 남자애를 낳았다. 이름은 사리풋다라고 지어졌다. 존자의 성격은 순박하고 심기는 자비로웠다. 8살에 번뇌를 깨고 진실한 이법을 터득했다. 옆집에 나중 붓다의 제자가 되는 마리야갈라야나가 살았는데 그와 사이가 좋았다. 그들은 나중 산자야라는 외도에게 출가했는데 이 가르침은 최상의 도리가 아니므로 생사의 고뇌를 구명할 수 없다고 하고는 훌륭한 지도자를 찾다가 대아라한 마승을 만났다.

사리풋다는 마승에게 물었다.

-당신의 스승은 누구입니까?

-그분은 세상의 이치를 깨달은 분입니다. 본래 카필라국의 태자로서 출가한 위대한 분이십니다. 나는 그분의 제자입니다.

-그럼 그분의 가르침을 저에게 해주십시오.

그러자 마승은 자신이 들은 바를 말해주었다.

말을 듣고 난 사리풋다는 곧 초과를 증하고는 제자 2백 50명을 데리고 붓다를 찾았다.

붓다는 그가 오는 것을 멀리서 보고는 이렇게 말했다.

-저기 지혜가 가장 뛰어난 자가 오고 있다.

사리풋다는 붓다의 가르침을 받았다. 지혜제일의 아라한이 된 것이다.

그는 깨달음을 깨달아 얻은 후 붓다의 열반을 보았다.

-붓다를 먼저 보낼 수는 없다.

그렇게 생각한 사리풋다는 고향으로 돌아가겠다고 했다. 사리풋다의 생각을 꿰뚫은 붓다는 허락했다. 소문을 들은 사람들이 몰려들었다. 그는 고향에서 마지막 설법을 마치고 열반에 들었다.

사리풋다의 고향을 떠나 동쪽으로 나아가는데 두 사람은 배가 고파 견딜 수가 없었다.

-어디 가서 한 술 얻어먹고 가세. 허기져서 걷지를 못하겠으니.

수부티가 말했다.

-그럽시다.

마을을 향해 가는데 기러기 한 마리가 그들 앞으로 날라오더니 풀썩 떨어지며 죽어갔다.

-위대한 성인들이시여, 이 한 몸 바쳐 그대를 배를 불리게 할 수 있다면 저를 구워 드십시오.

수부티가 깜짝 놀라며 두 손으로 기러기를 감싸 안았다.

-왜 이러시는가?

-저에게 짐승의 보를 벗을 수 있는 자비를 베푸십시오.

-우리가 어찌 그대를 구워 먹을 수 있단 말인가.

-나는 대덕 들이 이곳을 지날 것을 알고 있었습니다.

-무슨 말이오?

지켜보고 있던 데바가 물었다.

-며칠 전 대덕 들의 스승이신 붓다께서 저의 다리를 고쳐주셨습니다. 올가미에 걸려 다리 한쪽이 부러져 곧 사람의 손에 잡혀 죽을 판이었는데 그분이 저의 다리를 고쳐주셨던 것입니다. 그리고는 말씀하셨지요. 생사의 이법을 깨달을 두 수행승이 이곳을 지날 터인데 내 제자들이다. 내가 너의 다리를 고쳐주었으니 너는 그들에게 먹을 것을 물어다 주어라. 그러면 후생에는 짐승의 보를 벗고 인간으로 태어날 수 있을 것이다.

-그런데 왜 자신을 죽이겠다는 것인가?

-저는 짐승의 보를 벗기 위해 아침부터 먹을 것을 찾아다녔습니다. 그러나 대덕 둘에게 드릴만 한 과일도 꽃도 얻을 수가 없었습니다. 열매를 발견하긴 했는데 이 부리로는 그대들의 배를 불릴 만큼 딸 수도 없었으며 따 모아놓았더니 여우가 와 먹어 치웠습니다. 그렇다고 물속의 고기를 잡을 수도 없었습니다. 하는 수 없어 제 몸을 바치겠다고 결심한 것입니다.

그렇게 말하고 기러기는 눈을 감았다. 머리를 보았더니 스스로 부딪친 모양이었다. 상처가 있고 피를 흘리고 있었다.

데바와 수부티는 땅을 파 그를 묻어주고 떠났다.

한참을 가노라니 비가 쏟아졌다. 비를 피하려고 이리저리 자리를 찾는데 큰 바위가 보였다. 그 바위 밑에서 비파 소리가 들려왔다. 바위 밑으로 들어갔더니 사문 하나가 비파를 뜯고 있었다.

-비파소리가 아름답습니다.

수부티가 사문에게 말했다.

-나는 알고 있었습니다. 붓다께서 두 수행승이 이곳을 지날 것이며 그들의 지친 몸을 위로해 주라고 하지 않겠습니까.

-그랬구나.

수부티의 눈가에 눈물이 맺혔다.

그들은 비파 소리를 들으며 참파국을 거치고 카푸리라국을 거쳐 푸나밧다나국을 지났다. 카마루파국을 지나 사마타타국을 거치자 탐랄리프티국이 눈앞이었다. 그 나라와 경계한 카르나수바르나국에 들어서자 락타마디 승사원이 보였다. 뜰은 넓고 건물은 광대하였다. 뒷산으로 들어가 여장을 풀고 잠시 쉬고 있는데 왕이 보낸 사람이 찾아왔다. 마침 바위 밑에 앉아 있었는데 그가 물었다.

-어디서 오는 누구시온지요?

-지나는 나그네이외다.

수부티가 대답했다.

-저의 대왕께서 어젯밤 꿈을 꾸었는데 그대들이 도성으로 들어와 외도와 논쟁을 하는 꿈이었습니다. 그래서 대왕께서 그대를 모셔 오라고 하는 데 가시지요.

하도 청하는 모습이 지극해 두 사람은 따라나섰다. 궁 안으로 들어서기가 무섭게 왕이 친히 나와 그들을 맞았다.

-어서 오십시오.

왕이 자리를 권하고 얼마 후 외도가 나타났다. 데바가 보니 이상한 차림새였다. 배에다 동판(銅版)을 감고 머리에는 밝은 불을 이고 지팡이를 짚고 있었다.

그의 등장을 보고 있던 왕이 데바에게 말하였다.

-어느 날 갑자기 이 나라에 들어와 자신과 논쟁할 이를 찾았는데 어찌나 지혜로운지 감당할 사람이 없습니다. 참으로 수치스러운 일입니다. 저자는 자만에 차, 이 정도밖에 안되느냐고 호령질이니 저자만 이겨주신다면 무엇이든지 해드리겠습니다.

-우리가 이길 수 있을지 모르겠습니다.

데바가 말했다.

-분명히 어젯밤 꿈에 그대가 이겼습니다.

왕이 데바를 보면서 말했다.

-한번 해 보겠습니다.

그렇게 말하고 데바가 외도에게 물었다.

-그대는 왜 그런 모습을 하고 계십니까?

그가 웃었다. 아주 거만한 웃음이었다.

-보아하니 이곳 사람이 아닌 것 같은데 그대가 나를 대적할 수는 없을 것이다. 왜냐하면 나는 아주 학예에 다능하여 이런 모습을 하고 있기 때문이다. 내 배는 지식으로 꽉 차 있다. 그래서 동판으로 배를 두른 것이다.

-그럼 머리에 왜 불은 밝히고 있는 것입니까?

-무명에 신음하는 어리석은 자들을 위해서이다. 그들을 슬퍼한 나머지 머리에 불을 밝힌 것이다.

드디어 논쟁이 시작되었다. 외도는 그가 믿는 바를 3만 송이나 외워댔다. 참으로 심원하고 내용은 간단했다.

다 듣고 난 데바가 곁에 선 병사의 칼을 뽑아 들었다. 그는 칼로 병사의 목을 겨누었다. 그리고는 외도에게 이렇게 외쳤다.

-나는 내 스승을 찾아 이곳까지 오면서 생사의 이법을 깨치기 위한 수행승들을 보았다. 그대가 외워대는 수만 송의 말들이 진리라고는 생각지 않는다. 그 종의(宗義)를 밝혀라. 대답하면 이 자의 목을 칠 것이요. 대답하지 않는다 해도 이 자의 목을 칠 것이다. 자 진리가 무엇인가?

외도는 그만 입을 다물고 몸을 떨었다. 참으로 무서운 질문이었던 것이다. 진리는 입 밖에 있는 것이 아니었다. 어떤 말로도 문자로도 그 종지를 세울 수 없다. 이미 소리가 되어 나올 때 본질을 상실하기 때문이다.

수부티가 지켜보다가 데바의 어깨를 툭툭 쳤다.

-장하이.

외도가 졌다는 사실을 확인한 왕은 뛸 듯이 기뻐하였다. 데바는 얼떨떨한 모습으로 왕을 쳐다보았다. 그저 들은 대로 용기를 내어 행동했을 뿐이었다.

-소원을 말하시오. 그 무엇이든지 들어주겠소.

데바는 머리를 내저었다.

-저자를 중심으로 이 땅에 불법을 받아 펴십시오. 그것이 저의 청입니다.

-그러리다. 그러리다.

데바는 그들의 배웅을 받으며 우드라국으로 들어갔다. 주위가 7천여 리나 되는 우드라국은 토지기 비옥하여 농업이 성대했다. 꽃들이 지천이고 이상한 초목 하며 과일도 다른 나라 것들보다 더 커 보인다.

그 나라를 거쳐 콩고다국, 칼링가국, 코살라국에 이르렀는데 코살라국은 카필라국을 친 나라다.

대도성이 주위 40여 리가 될 정도로 큰 나라였다.

그곳을 지나자 비루다카에게 멸망한 조국이 눈앞이었다. 감회가 새로웠다.

수부티는 이곳저곳을 둘러보자고 했으나 데바는 그를 끌다시피 하며 벗어나 버렸다. 자꾸 속에서 주먹 같은 것이 치솟았기 때문이었다.

큰 숲속을 남쪽으로 하여 안드라국으로 발길을 옮기자 8백 리를 가서야 소행 나한들의 사원이 보였다.

그곳을 지나 다냐카타카국을 넘어 청변의 옛터에서 한 논사를 만났다. 수염이 길고 키가 큰 노인이었다. 이름을 물었더니 바비베카 라고 하였다. 한눈에 봐도 논사는 덕이 깊고 도량이 넓어 보였다.

그날 밤 노인과 불을 피우고 밤을 보내면서 많은 말들을 나누었다.

나란 존재에 대해 노인은 데바의 견해를 물었는데 그때 데바는 이렇게 대답하고 있었다.

-이곳까지 오면서 배운 것이 많았습니다. 이것은 대답이 아닐지도 모릅니다. 왜냐면 진리는 입 밖에 있는 것이 아니라고 들어왔기 때문입니다. 하지만 나란 존재는 남과 상반되는 개념임에는 분명하다는 생각입니다. 그렇다면 내게 있어 아는 주체가 될 것입니다. 내가 있다는 생각이겠지요. 바로 영원히 변하지 않을 주체가 있다는 생각입니다.

-유아(有我), 무아(無我)라? 그 두 세계가 중생에게는 대립되어 있다?

-아실성(亞實性)이지요.

-아실성?

-주체의 본성을 보는 자에게는 이 두 가지 생각이 있을 리 없다는 말입니다.

-무서운 말이로다. 영원히 변하지 않은 주체까지도 인지할 수 없다? 그런데 주체가 없는 것을 어떻게 인지할 수 있겠느냐?

-맞습니다.

-그렇구요. 나의 본성을 봐야 한다는 말이로다.

-지혜를 지혜로써 집착하지 않을 때 생겨나는 것이 무엇이겠습니까?

-절대 평등?

노인이 데바의 말을 혼잣말처럼 되물었다.

-법이 일어날 때 내가 일어나는 게 아닙니다. 그러므로 법이 멸할 때도 내가 멸한다고 할 수 없습니다.

-그럼 그곳으로부터 어떻게 벗어날 수 있단 말이요?

-바로 진실(實)과 허위(不實)입니다.

-그러나 진실과 허위는 서로 대립해 있지 않소?

-진실을 보는 사람은 진실까지도 보지 않습니다. 거기 이 문제

의 핵심이 있습니다.

-내 오늘 무량한 법문을 들었습니다.

그가 일어나 데바에게 두 번 절하고 무릎을 꿇었다.

데바와 수부티는 노인을 뒤로한 채 그곳을 떠났다. 여러 나라를 거쳐 싱갈라국으로 들어갔는데 마침 사자(獅子) 몰이가 한창이었다. 병사들이 창과 방패를 들고 어마어마하게 큰 사자를 잡으려 하고 있었는데 사자는 몸이 검고 눈에서 불이 일었다. 병사들이 달려들자 그는 앞발을 이용하여 그들을 쳐버렸다.

그러자 한 사내가 나섰다. 키가 작고 턱이 모나고 눈이 사자처럼 생긴 청년이었다. 청년이 다가가자 병사들이 수군거렸다.

-사자의 아들이다.

사연을 들어보니 이러했다. 남인도의 한 국왕이 나라가 망해 딸만을 업고 이 나라를 지나가게 되었다. 그런데 도중에 사자를 만나고 말았다. 사자는 아비를 잡아 먹고 딸은 자기 등에 태워 자신이 사는 동굴로 갔다.

몇 년 후 딸은 사자 새끼를 낳았는데 사자 보다는 사람에 가까운 모습이었다. 그는 사람들 속에서 살아야 하겠다는 생각에 어머니를 업고 도망쳐 버렸다. 사자 아비는 그들을 찾아다니며 사람들을 많이 해쳤다.

왕이 병사들에게 그 사자를 잡으라고 했지만, 도저히 잡을 수가 없었다.

왕은 엄청난 상금을 걸었다. 사자를 잡는 자에게 자기 딸과 나라 반을 떼주겠다고 했다.

먹을 것이 없어 어미와 죽어가던 사자 아들은 상금이 걸린 제 아비를 잡겠다고 나섰다. 어미가 그를 말렸다.

-비록 짐승이긴 하지만 그래도 네 아비가 아니냐.

-나는 사람입니다. 짐승의 자식이 아님을 이번 기회에 만천하에 알릴 것입니다.

그는 칼을 차고 활을 메고 거리로 나갔는데 국왕이 그를 보고 물었다.

-너는 사람이냐, 사자냐?

반은 사람 같고 반은 사자 같은 그를 보고 한 물음이었다.

-저는 사람입니다.

-그런데 꼭 사자 같이 생겼구나.

-제가 사자의 자식이라면 어떻게 사자를 잡으려 나섰겠습니까. 제가 저 사자를 죽일 터이니 약속이나 지키십시오.

-그것은 염려하지 마라.

청년이 다가가자 제 아들임을 알아본 사자가 꼬리를 내렸다. 청년이 사자의 왼쪽 가슴을 몇 번 찔렀다.

사자는 오히려 눈물을 흘리며 죽음을 맞았다.

그때 그의 어미가 달려와 소리쳤다.

-이 이 짐승만도 못한 놈아. 짐승도 제 새끼를 알아보거늘….

왕이 그 사실을 알고는 상은커녕 그를 멀리 추방하도록 명령했
다. 어미가 아비를 죽인 아들이지만 그 뒤를 따랐다.

모진 매를 맞고 사라지는 그들 모자를 보다가 수부티와 데바는
한 재상의 집 처마 밑에서 하룻밤을 보내기로 했다.

밤이 되자 수백 명이나 되는 나찰 즉 마녀들이 재상의 집으로 날
아들어 갔다. 등불을 들고 지나가던 사내가 혼비백산하여 데바가
있는 처마 밑으로 와 몸을 웅크리고 떨었다.

-왜 그러시오?

데바가 물었다.

-저들은 마녀들입니다. 저들의 왕이 바로 이 나라의 후궁이지
요. 벌써 궁은 쑥밭이 되었을 것입니다. 저들의 주식이 술과 인육
이니까요. 이제 재상의 집을 노리고 날아드는 것입니다.

데바가 믿기지 않아 재상의 집으로 가 열린 대문 안으로 들어가
보니 불이 환하게 켜졌는데 마녀들이 벌써 모두를 죽이고 그들을
잡아 먹고 있었다. 마녀 왕이 사람의 살을 뜯다 말고 데바를 보더
니 몸을 날렸다. 마녀가 턱밑까지 와서는 물었다.

-네놈은 누구냐?

-지나가는 나그네이외다.

-네놈은 먹기가 좋겠구나.

-무슨 말씀이오.

-머리카락이 없어서 말이다. 흐흐흐

마녀가 뜯어먹던 인육을 던져 버리고 데바에게로 달려들었다.

그 순간 멀리서 검은 말들이 질풍노도처럼 달려왔다. 말 위의 사람들은 검은 갑옷을 입은 사자(死者)들이 분명했다. 그들은 긴 창과 칼, 그리고 쇠 방망이를 들고 있었다. 담장을 뛰어넘어 날아들어 온 그들은 닥치는 대로 마녀들을 쳐 없앴다.

마녀 왕이 몸을 날려 도망가려 했으나 흑 사자가 올가미로 그녀의 발을 걸어서 당겼다. 마녀의 오른쪽 발에 밧줄이 감겨 마녀는 땅에 굴러떨어졌다.

마녀를 죽이고 난 흑 사자 하나가 데바 앞으로 와 무릎을 꿇었다.

-그대들에게 흑마 두 필을 드릴 터이니 그 말을 타고 쿠사타나 국으로 가십시오.

-나는 흑마를 타고 갈 마음이 없소. 그냥 걸어가겠소.

데바가 말했다.

-갈수록 험할 것입니다. 사양하지 마십시오.

참으로 먼 길이었다. 가도 가도 끝이 없는 길이었다. 물어 가고 물어 가고 묻고 또 묻고 그래도 소나마르크는 보이지 않았다.

앙리사르를 거쳐 소나마르크에 도착해 상카라 하이야 언덕에 올라서자 이게 꿈인가 싶었다. 한눈에 내려다보이는 소나마르크 전경. 연꽃이 만발한 달 호수.

수부티가 두 손을 번쩍 치며 들고 아 하고 소리쳤다.

-붓다의 말씀이 하나도 틀리지 않는구나. 가장 높고 바른 깨달음의 마음을 일으킨 자는 법이 끊어지고 사라진다는 상을 말하지 않는다고 하시더니 보살이 온 세상을 칠보로 보시하더라도 이보다 좋은 손가. 그러나 이 풍광을 마음에 두지 말지어다. 마땅히 보살은 탐내거나 집착하지 아니한다. 그 복덕을 받지 않으므로 무아법으로 인욕을 성취하는 공덕이 이보다 더 뛰어나리라.

-생각나네요. 왜 그렇게 어설픈 사람들은 감동을 잘하는지 몰라. 생각이 나네요. 붓다가 어디로 갔다 오면 그저 감격하여, '아아, 여래여 어디서 오십니까?' 또 어디를 갈라치면 그저 감격하여, '오는 바도 없고 어디로 가는 바도 없이 어디로 가시나이까? 적정의 세계로 가시나이까?'

-금강경을 설하시던 날 붓다는 이렇게 말씀하셨지. 이 세계는 수많은 티끌이 합쳐진 것이라는 어리석은 관념을 버려라.

-말로 할 수는 없는 것이다?

데바가 말을 알아듣고 되물었다.

-여래가 설한 이 모든 것들은 다만 이름이니, 이처럼 믿고 이해

하여 그 뜻에 견해와 상을 만들지 말라. 인연 따라 생멸하는 일체의 현상계는 꿈 같고, 허깨비 같고, 물거품 같고, 그림자 같고, 이슬 같고, 또한 번개와 같으니 마땅히 이처럼 볼지니라. 육신의 모습으로는 여래를 볼 수 없다. 무릇 있는바 형상은 모두 헛된 것이니 만약 모든 형상이 형상이 아님을 본다면 바로 여래를 보리라.

수부티가 제풀에 감격하여 붓다가 있는 정사를 향해 삼배를 올리고 허공을 우러러 부르짖었다.

-진리의 수호자시여, 이제 그대 곁으로 가옵니다.

4구계

데바가 붓다의 소식을 결정적으로 듣게 된 것은 소나마르크 칸자르 마을에 도착해 이곳에 정착한 제자 삼문의 집으로 찾아들었을 때였다. 겨우 집을 찾았는데 산기슭 한켠에 오두막 한 채가 지어져 있었다. 뻗어 오른 산봉우리들로 인하여 눈앞이 어지러웠다. 마을 서쪽으로는 스리나가르가 있고 동쪽으로는 조질라를 넘어 드라스, 카르길로 이어지는 곳이었다. 마코이 빙하의 녹은 물이 신드 강을 형성하며 서쪽으로 흐르고 붓다가 와 있다는 소나마르코 와호마 호수는 그 중앙에 자리 잡고 있었다. 그 호수 아래 아사프라고 하는 수라다니 비구가 살고 있었는데 그 역시 이곳에서 생활할 때 물심양면으로 도와주던 이었다.

　-수부티 사형, 우선 저곳에서 쉬었다 가십시다.

　-왜? 다왔으면서 붓다를 바로 만나지 않고…?

　-시장기도 나고….

　-우리가 쉬겠다고 해서 저 집 사람들이 받아 주겠는가?

　-예전에 함께 수행하던 도반의 집입니다. 수라다 비구의 제자인데 내가 가르침을 펴고는 했지요.

　-그래?

두 사람은 삼문의 집으로 들어갔다. 집주인 삼문이 나와보다가 눈을 크게 떴다.

-아니 스승님이 아니십니까?

-잘 있었는가?

-어인 일입니까? 기별도 없이 이 먼 길을?

-그리되었네.

-들어가십시다. 아, 수부티 사형도 오시었군요.

-그동안 잘 있었는가?

-들어가십시다. 누추하지만.

두 사람은 방 안으로 들어가자마자 차려주는 음식물로 배를 채우고 물어보았다.

-이곳에 붓다께서 와 계시다면서?

데바의 물음에 삼문이 고개를 끄덕였다.

-네. 저도 그렇게 알고 있습니다.

-그 양반이 어디 있는가?

삼문이 아랫것을 불렀다.

아랫것이 오자 삼문이 그에게 물었다.

-자네 붓다가 있는 곳을 알고 있지?

-제 아들이 알고 있습니다.

-아들을 데려오게.

잠시 후 이제 열두 살 먹은 애가 달려왔다. 머리를 이마 뒤로 넘겨 동그랗게 깎았는데 얼굴이 햇볕에 그을러 까맸지만 귀엽게 생긴 아이였다.

꼬마가 앞장서서 길을 가다가 산 중턱에 있는 동굴을 가리켰다.

-저기에 그 할아버지 있어요.

아이가 몇 번 와 보았던지 손가락으로 가리켰다.

돌아오자 수부티가 보이지 않았다.

-이 양반 어디 갔는가?

-한 바퀴 둘러본다며 나가시던데요.

-그래? 나 좀 누워야겠네.

-그러십시오. 제가 잠자리 보겠습니다.

| 2 |

열린 창 너머로 암라꽃잎들이 분분히 떨어지는 게 보였다. 데바는 눈을 감았다. 감는 눈 사이로 지나온 세월이 물살처럼 흘러갔다. 한동안 쓸쓸한 애상이 그를 사로잡았다.

하기야 생각해 보면 내가 무엇이던가. 우후죽순처럼 생겨나던 도시국가들. 바이샤 알리, 마가다, 칼링가 등이 중남부 일대에서 각축을 벌이는 사이 코오살라, 아반티 등이 세력을 확장하고 있다. 오직 힘 있는 자만이 살아남는 그 생존경쟁의 틈바구니에서 겁 없이 그 세상을 끌어안으려 했다. 한 나라의 왕자로 태어나 일국을 구하기보다는 세상을 구하겠다는 일념 하나로 수행에 몸 바쳐 왔다. 그것은 일국을 버리고 출가했던 붓다의 꿈이었고 자신의 꿈이기도 했다.

주위를 둘러보다가 아직도 수부티 사형이 돌아오지 않았다는 생각이 들었다.

어디로 간 것일까?

행여 붓다에게?

데바는 고개를 내저었다. 그럴 사람은 아니었다.

데바는 주위를 둘러보았다. 좀 전까지 곁에 앉아 있던 삼문의 아들 미투라는 꽃잎이 떨어져 내리는 창밖의 풍경을 내다보고 있었다. 여느 때 같았으면 따뜻하게 둘러앉아 차를 앞에 하고 화기애애한 얘기를 나눌 시간일 것이었다. 삼문의 딸 바루라는 암라꽃송이를 꺾어 와 곱게 제 어미의 머리에 꽂아 줄 것이고 어미는 살가워하면서도 주위의 눈치를 살폈을 것이었다.

데바는 알고 있었다. 그들이 믿고 따르는 대주(大主)의 병이 무엇 때문이라는 것을. 아침에 데바는 그들이 나누는 말을 들었다.

-아버지 오늘 와호마 호숫가에서 큰 법회가 있다고 했습니다. 그래서 데바닷다 스승님께서 오신 거 같군요.

-그래?

-그런데 이상한 꿈을 꾸었습니다.

-?

-법회를 주관하시는 붓다께서 못가라나 존자를 이곳으로 보내시지 않으셨겠습니까.

-그래서?

-못가라나 존자가 누구이겠습니까. 신통 제일로 붓다가 가장 아끼는 사람입니다. 그가 무서운 얼굴을 하고 큰 칼을 들고 이곳으로 오더이다. 나와 바루라가 그의 앞을 가로막았는데 도저히 막아낼 재간이 없었습니다.

-그래서 어떻게 되었느냐?

-사람들이 구름처럼 모여들었는데 데바 스승님과 못가라나 존자 간에 언쟁이 벌어지더이다. 지상의 모든 생물이 숨을 죽이고 천상천하의 보살들이 그 귀추를 주목하고 있었습니다. 결국은 데바님이 신통력에 져서는 못가라나 존자의 칼에 목을 베이고 엎어지더이다.

너무 끔찍한지 삼문이 머리를 내저었다.

-그만하거라. 별 요망한 꿈도 다 있구나. 스승님이 아시면 어쩌

려고.

-사실은 아버님도 아시잖습니까 스승님이 어떤 분이시라는 것을. 붓다의 설법 자체를 지혜종도라 못 박으며 논박하는 것을 말입니다.

-말이 지나치구나. 스승님은 오늘날까지 근엄하고 형식적인 불교관을 가진 사람들이나, 스스로 수기 받았다고 자만하는 무리를 누구든지 질책하고 논박했을 뿐이니라.

-결국은 그러다가 존경받는 붓다 님에게까지 지금 적의를 품고 있으니 일이 이 지경까지 된 것 아닙니까.

-하지만 나는 스승님이 옳다고 생각한다.

-물론 저도 그렇게 생각하기에 그분을 따르고 그분을 사랑합니다.

-그렇다. 네가 붓다라고 하는 그 구담(붓다)은 위선자이다. 수행자라면 마땅히 지켜야 할 정신의 의지처인 고행을 버리고 무사안일에 빠져 중생을 현혹하고 사기 치고 있으니 그게 마구니가 아니고 무엇이겠느냐. 중생이 고행을 좋아할 리 없다는 그 속을 여우처럼 교활하게 내다보고는 얄팍한 언변으로 진리를 표방하고 있는 것이야.

-하지만 아버님, 그렇게만 생각하고 있을 일이 아닙니다. 그들이 누굽니까, 신통력으로 치자면 스승님에게 못지않을 사람들이

수두룩하다고 들었습니다. 소문에 의하면 붓다의 신통력은 못가라나 존자도 넘지 못할 경지에 있다고 들었습니다. 생각해 보세요. 못가라나가 그에게 꼼짝 못 하고 있다면 말은 다 한 것 아닙니까.

삼문이 머리를 내저었다.

-아마도 그것은 걱정하지 않아도 될 게다. 구담은 제 나라가 멸망해도 신통을 쓰지 않았으니까. 그건 무엇 때문이겠느냐. 그에게는 신통력이 없기 때문이다. 만약 신통력이 그에게 있었다면 제 혈족이 그렇게 쓰러지는데 가만히 있을 성인이 어디 있겠느냐.

-그렇다면 못가라나 장로 같은 이들이 왜 그를 따르며 신봉하는 것입니까?

-신통 제일이라는 못가라나가 그를 따르는 것은 그의 언변 때문이다. 생각해 보아라. 그는 자신의 법을 설함에서도 언제나 정확하지 않다. 미꾸라지처럼 궤변으로 가득 차 있단 말이다. 그는 자기 법인 중도를 이렇게 설명한다. 두 극단을 버려라. 하나는 욕망에 탐닉하는 것이니 이것은 어리석고 추하다. 다른 하나는 고행에 열중하는 것이니 이것 또한 어리석고 추하다. 나는 이 두 극단을 버리고 중도를 깨달았다. 생각해 보아라. 그는 중도를 팔정도로 정의하고 있지만 욕망도 버리고 고행도 버리라니. 고행은 바로 수행의 지름길이요 브라흐만의 전통인데 그것을 버리라고 한다. 그렇다면 어떻게 이 우주의 이치를 깨달을 수 있을 것인가. 그의 팔정도,

바른 눈, 바른 생각, 바른말, 바른 행위, 바른 생활, 바른 노력, 바른 상념, 바른 마음의 통일을 중도라고 내세우고 있지만 어찌 그것만으로 우주의 이치를 깨달을 수 있단 말인가. 그래서 누군가 물었다. 세계는 영원한가? 무상(無常)한가? 무한한가? 유한한가? 생명이 곧 육신인가? 생명과 육신은 다른 것인가? 여래는 마침이 있는가? 없는가? 아니면 마침이 있지도 않고 없지도 않는 것인가? 내 생각은 진실한 것인가? 허망한 것인가? 그러나 막상 붓다는 그런 질문에 답하지 못한다. 왜냐면 중도의 법으로는 그것을 답할 수 없기 때문이다. 그렇기에 그는 허울 좋은 사기꾼에 지나지 않는 것이다. 자신의 경지를 은폐하기 위해 요리조리 빠져나가는 그의 설법 한 토막만 들어보랴. 그는 이렇게 말한다. 법에는 중생이 없다. 중생의 때를 벗었기 때문이다. 법에는 내가 없다. 자아(自我)란 없기 때문이다. 자아가 없기에 욕망의 더러움을 떠나 있는 것이다. 법에는 수명이 없다. 생사를 떠나 있기 때문이다. 법에는 사람이 없다. 앞뒤의 시제가 끊어졌기 때문이다. 법은 모양에서 벗어난다. 반연(攀緣)하는 것이다. 법은 글로나 말로 할 수 있는 것이 아니다. 모든 사상의 물결과도 끊어진 것이기 때문이다. 형상이 없으니 그것은 허공과 같다. 색채도 없고 공통된 성질도 없고 형태도 없고 오로지 그것은 공이기 때문이다. 그래서 법에는 내 것이 없다. 나를 초월했기 때문이다. 법은 분별이 없다. 모든 식(識)을 초월했기 때문이다. 법은 비교되지 않는다. 필적한 상대가 없기 때문이다. 무엇에 대응할 원인인 인(因)도 없고 그렇기에 연(緣)으로 설정될 그 무엇도 없다. 법은 움직이지도 흔들리지도 않는다. 법은 가고 오는 게 없다. 항상 머물지 않기 때문이다. 법은 공에 따르고 차별을 떠났으며 바라고 구하는 생각이 없다. 법은 곱고 추함을 떠난 것이다. 분별이 없기에 더하고 덜함이 없고 나고 멸함이 없고 돌아가 마지막 의지할 곳도 아니고 눈, 코, 입, 귀, 혀, 몸, 마음 그런 것들을 모두 초월한 것이며 높낮이가 없고 머물러서는 움직이지 않는 것이며 모든 움직임을 떠나있는 것이다. 그러므로 법을 설하는 자는 설하지 아니하고 보여주지 아니하고 법을 듣는 사람 역시 법을 듣지 못하고 얻은 것이 없으니 비유하면 환영으로 만들어진 사람이 환영으로 만들어진 사람을 위해 법을 설함과 같으니 마땅히 이러한 뜻을 세워서는 법을 설해야 하는 것이다.

삼문은 여기서 잠시 말을 끊었다.

아들은 그의 말이 너무 어려워 무슨 말인지 모르겠다는 듯이 멍청히 듣고만 있었다.

-그렇다면 아들아, 생각해 보아라. 그 법을 설할 이유가 어디 있겠느냐. 법이 없는데 법을 설할 이유가 어디 있느냐는 말이다. 그래서 스승님을 그것 자체를 지혜종도로 본 것이다. 불필요한 정보, 불필요한 인식이나 논리는 깨침에 있어 걸림돌이 될 뿐이오. 알음

알이의 병폐에 지나지 않기 때문이다. 우주와 하나가 되어 그 이치를 궁구함에 있어 무슨 지식이 필요하며 그런 설법이 무슨 소용이겠느냐. 더욱이 그의 설법을 생각해 보아라. 그는 중도를 표방하면서 이것도 아니고 저것도 아니라고 한다. 그는 언제나 주장한다. 항상 중도의 법을 생각하라. 항상 중도에 서 있으라. 누군가 진리가 무엇입니까? 하고 정작 물으면 그는 대답하지 않는다. 지옥이 있는가 천상이 있는가 하고 물어도 그것은 마찬가지다. 성인으로서 중생의 궁금증을 풀어주지는 못할망정 의구심만 조장한다. 왜냐면 그도 그걸 모르기 때문이다.

아들이 무슨 생각에서인지 머리를 내저었다.

-하지만 뒤집어 생각해 보면 그 참뜻을 우리가 모르고 있는 게 아닐까요? 저도 왜 그가 그러는지 확실히는 모르겠지만 그만한 뜻이 있는 것은 아닐까 싶네요. 가령 천상이 있다 지옥이 있다 하고 그가 대답해 준다면 우리는 어떻게 될까요? 아마도 지옥이 없다고 한다면 자신의 본성대로 살아가게 될 것이며 천상이 없다고 한다면 선행을 일삼는 사람이 몇이나 되겠습니까?

-그것은 말이 안 된다. 데바 스승님도 언젠가 말씀하셨다. 천상이 있다고 한다면 그 천상에 나기 위해 더 매진할 것이며 지옥이 있다고 한다면 그 지옥에 나지 않기 위해 더 선행을 많이 베풀게 될 것이다. 그리하여 이 사회는 더 살기 좋은 사회가 될 것이다. 그

런데 왜 그것을 숨기고 고언을 주어 고통스럽게 해야 하는가.

-한마디로 데바 스승님이나 아버님 그리고 수라다 대 스승께서는 붓다의 중도 사상에 회의를 느끼고 퇴출하였다고 알고 있습니다. 하지만 제가 생각하기엔 그분은 이미 잘 수순하여 불퇴의 법륜을 굴리고 법상을 잘 해득하여 중생의 근기를 알아 무소의를 얻게 할 사람임이 분명합니다. 그가 왜 제 나라가 망하는데도 신통력을 쓰지 않았는지 그걸 잘 모르겠사오나 그럼 데바 스승님은 어떻습니까? 왜 그분은 신통력으로 카필라를 구하지 않으셨습니까?

-그것은 나도 모르겠다. 하지만 문제는 터무니없는 변설로 깨침의 세계를 얻을 수 없다는 사실이다. 그것은 정보일 뿐 수행에 도움이 되지 않는다. 이것은 데바 스승의 신념이기도 하다. 오로지 무심한 정적, 그곳에 깨침만이 있을 뿐이기 때문이다. 구담은 바로 자신이 좀 깨쳤다고 해서 그 깨침의 세계를 그렇게 변설로써 막고 있는 것이다.

-붓다의 모든 설법이 선정에 방해물일 뿐이라는 사실이 이해되면서도 이해할 수가 없습니다. 생각해 보십시오. 불법을 알아야 선정에 들든지 말든지 할 것 아닙니까?

-그건 그렇지 않다. 불법을 알고 모르고가 문제가 아니다. 그대로 묵연히 선정에 들 때 우주의 이치는 저절로 체득되는 것이며 그것이 곧 붓다 되는 길, 참다운 인간이 되는 길인 것이다.

-그렇다면 붓다께서는 그걸 모르고 중생을 잘못 이끌고 있다는 말씀입니까?

-불필요한 변설로 중생을 현혹하고 있다는 말이다. 설명은 필요 없다. 우주의 실상을 알려 줄 이유도 없다. 알 필요도 없다. 그것은 구속일 뿐이다.

-아버님, 저도 그 정도는 압니다. 내가 옳다 네가 옳다는 그런 시시비비를 가리려는 수준이 아니라는 것쯤은. 그러나 아버지나 데바 스승님의 진리에 관한 생각이 그들에 의해 옳지 않다고 판명되면요?

-아직도 데바 스승님을 믿지 못하는구나. 내가 누구더냐? 내가 누구이기에 스승님을 끝까지 모시겠느냐.

-하지만 잘못하면 우리도 죽음을 면치 못할 것입니다. 데바 스승님이 붓다를 비방하기 위해 여기까지 왔다는 걸 안다면 교단의 장로들이 가만 있겠습니까. 더욱이 아자따삿투 왕이 데바 스승을 찾고 있다고 하지 않습니까.

하기야 삼문의 아들의 걱정도 무리는 아니었다. 붓다를 시해하기 위해 여기까지 온 것을 안다면 교단의 수행승들이 자신을 노릴 터였다. 정말 붓다란 인물을 자신이 넘을 수 없는 벽일지도 몰랐다. 가장 신임하는 제자의 아들 하나도 제도하지 못하는 데바는 자신의 처지가 열패감이 되어 가슴을 찢어왔다. 데바는 나직이 한숨을 쉬어 물었다.

　그러고 보니 아자따삿투 왕과의 그 일이 있고 난 뒤 몸을 숨긴 지도 벌써 반년이 넘어가고 있었다. 못가라나와 사리풋다에 의해 제자들은 거의 붓다의 교단에 귀의해 버렸고 이제 남은 제자들은 심복인 삼문과 고가리가 가다문 라가딧사, 간다데비야풋다 그리고 삼문의 식솔들이 다였다.

　그런데다가 엎친 데 덮친 격으로 아자따삿투 왕마저 제 아비를 죽이고 제 어미를 죽이고 그리하여 제 아들이 병들자 이제는 자신을 원망하고 있었다. 아니 원망 정도가 아니라 병사들을 풀어 목을 노리고 있었다.

　그나마 다행스러운 것은 삼문의 식솔들이었다. 그들은 삼문이 붓다 교단으로 출가했다가 데바를 따라 교단을 퇴출했다는 것을 알고 있었다. 그리고 퇴출할 당시 데바가 붓다를 척파해 오백 제자를 이끌고 교단을 나왔다는 것도 알고 있었다. 그리고 그들 역시 누구보다도 데바를 존경하고 있었다는 사실이었다.

　잠시 생각에 잠겼는데 그들의 말소리가 다시 들려왔다.

　-아버지, 제 말뜻을 모르시는군요. 데바 스승님이 아무리 모든 것에 구애받으시는 법이 없으시다고 하나 붓다에게 논파 당한다면 우리는 이제 끝장이란 말입니다. 신통술의 제일인 못가라나 같은 장로가 가만 있겠습니까.

-그렇게 된다면 나도 그분의 뒤를 따를 것이다.

-그럴까요? 나는 데바 스승님의 무례하기 조차한 행동 속에서 무엄을 보았습니다. 붓다의 수행 태도를 논박하면서 나 역시 붓다의 제자나 보살들의 경지가 단지 그 정도일까 생각했었으니까요. 그렇다면 그건 불손입니다. 안다는 것은 깨달음과 동일시될지 모르나 그 실질적인 방법은 문자의 이해와는 다를 것이니까요. 그렇다면 데바 스승님은 붓다의 열성적인 훈도를 논박하면서 다 알고 있었을까요? 정말 스승님은 불법의 끝까지 모두 알고 있는 것일까요? 제가 알기에는 아라한이나 보살의 경지에 든 사람이라 할지라도 완전한 붓다의 경지는 아니라고 알고 있습니다. 그럼 스승님은 어느 정도일까요? 아라한? 아니면 보살? 아니면 붓다의 경지에 들었을까요? 설령 그분이 위없는 붓다의 경지에 들었다 하더라도 그렇습니다. 법에는 정도가 있을 것입니다. 그렇다면 데바 스승님은 붓다에 비해 어느 정도일까요? 만약 붓다에 미치지 못한다면 아버지나 스승님은 붓다에게 논파 당할 수 있다는 말이 아닌가요?

-만약 논파 당한다고 하더라도 그때 나는 그분의 그 진리를 따를 것이다.

그들의 말을 듣다 말고 데바는 눈을 감았다. 그리고는 과연 그럴까 하고 생각했다. 자신이 믿어왔던 세계, 깨침의 세계, 아직 한 번도 그 세계에 대해 의심해 본 적은 없었다. 만약 단 한 번이라도 자신의 신념을 의심했다면 중생을 위해 이렇게 나서지도 않았을 것이었다.

그러고 보면 삼문의 아들 염려에도 일리가 있었다. 아들은 그들에 대한 논박 자체를 공명심으로 보고 있었다. 그 짧은 소견으로 생각해 볼 때 그럴 만도 한 일이었다. 가장 존경받는 붓다를 논박했고 이제 그 제자들이 교단의 실추를 회복하기 위해 칼을 들고 올 것이 뻔하기 때문이었다.

하지만 그들이 어떤 목적에서 오든 물러설 수는 없는 일이었다. 오로지 중생을 위해 한 발자국도 물러설 수는 없는 일이었다. 오로지 자신이 싸워야 할 것은 중생의 이익이요 오로지 부숴 버려야 할 것은 아직도 그들의 위악과 미혹 그 자체일 것이었다.

못가라나의 신통에 목이 날아 간다고 한들 물러서서는 안 될 것이었다. 그것이 곧 중생을 이익 되게 하는 것이기 때문이었다. 그 때 분명 일어설 것이었다. 붓다가 일어서고 내가 일어서고 중생이 일어설 것이었다.

침상에 누워 데바는 가만히 허공을 올려다보았다. 거기에 그가 다가가 넘어야 할 붓다의 모습이 둥두렷이 떠올랐다. 언제 그려보아도 아름답고 거룩한 모습이었다. 하지만 그 은은한 미소 속에는 아직도 그가 이해할 수 없는 그 무엇이 숨겨져 있었다. 이제 그것을 보려면 그를 넘어서야 할 것이었다. 오히려 못가라나의 칼을 빼앗아 내려쳐야 할 것은 바로 붓다의 정수리였다. 그 정수리가 쪼개어졌을 때 지금까지 그가 보지 못했던 장엄한 세계가 눈 앞에 펼쳐질 것이었다. 바로 그 세계가 지금 다가오고 있는 것이었다.

그는 천천히 일어나 앉았다. 이제 가야 할 시간이 되어간다고 생각하면서.

| 3 |

삼문의 딸 바루라가 차를 나르는 사이 삼문은 아무 말 없이 그대로 앉아 있다가 스승 데바를 쳐다보았다.

수척해진 모습을 보고 있자 삼문은 가슴이 뜨거워 왔다.

그 먼 길을 오신다고 얼마나 고생하셨을까?

언제였던가. 붓다에게 출가하고 수행하면서 문득 보았던 얼굴. 스승은 지금 그 표정을 짓고 있었다. 세상 욕심이라고는 없는, 어찌 저런 표정의 소유자가 자기 스승이었던 붓다를 해칠 생각을 하고 있는지 도저히 이해가 가지 않았다.

사실 그가 붓다의 교단으로 출가하여 제일 먼저 마음을 빼앗겼던 사람은 붓다가 아니라 바로 데바 비구였다. 그는 그로서는 감히 범치 못할 위엄을 갖추고 있었다. 그 역시 붓다처럼 한 나라의 왕족이어서가 아니라 그는 분명히 성인의 상을 타고나 있었다. 그래서인지 그의 눈에는 붓다보다 하나도 못 한 것이 없어 보일 정도로 그 인물 됨됨이가 빛나 보였다. 꼬불거리는 검은 머리와 넓은 이마 우뚝한 콧날 목덜미로 흐르는 성스럽도록 아름다운 볼의 선, 거기에서 풍기는 결코 범할 수 없는 고결함. 그것만으로도 한 성인의 면모를 읽어낼 수가 있었다.

그렇게 데바 비구는 당당했고 본시부터 성인의 상을 타고 나 있었다. 분명히 그는 성자의 상을 타고 나 있었다. 그 당당한 위용이 어느 사람들과는 달랐다. 동작 하나하나에서 보이는 중후함이 과연 성인의 반열에 들 수 있는 기품과 품격이 배어나고 있었다.

그런데 수도를 계속하면서 느낀 것이지만 붓다는 그런 그를 시기하듯 사리풋다나 못가라나, 마하가섭이나 그런 자신의 직계 제자들에게만 애정을 쏟는 것 같았다.

삼문은 그게 이해가 되지 않았다. 또 자신이 좋아하는 사람이 그런 대우를 받는다는 것이 괜스레 억울하고 분하기도 하였다. 저 정도 인품이라면 장차 교단은 그의 것이 되고도 남으리란 생각이었다. 그러나 붓다는 오히려 그답지 않게 그를 미워하였다. 사실 데바는 그때쯤 붓다의 법을 무조건 받아들이고 있지는 않았다. 그는 붓다의 법을 분석하고 비판하기를 좋아하였고 그의 수행내용에 강한 불만을 나타내고 있었다. 그 불만이란 것이 붓다의 비위를 상하게 하고도 남을 것들이었다. 그 당시 교단은 보수 성향(上座部)의 제자들과 진보성향(大衆部)의 제자들이 점차 무리를 지어 나누어지고 있었다. 상좌부는 지율주의(持律主義)였다. 붓다의 말씀과 행위를 그대로 따르는 제자들이 중심이 되어 있었고 대중부는 지법주의(持法主義)로써 붓다가 행한 행위와 정신과 의도를 따르고 있었다. 그러니까 붓다의 가르침에 대한 형식보다는 그 목적을 파악하여 실천하는 데 중점을 두고 있었다. 자연히 상좌부는 데바보다 먼저 출가한 무리들 즉 장로들이 주축이 되어 있었고 대중부는 데바와 같은 무리들, 즉 혁신적인 정신이 강했던 제자들이 주축을 이루고 있었다. 그 대중부를 실질적으로 이끌고 있었던 사람이 바로 데바였다. 데바 비구는 소승교도들 위에 존재하고 있었다. 붓다를 자기들보다 높은 존재로 보는 무리를 경멸했다. 바로 아라한의 반열에 들기 위해 사제 팔정도를 중심으로 하는 계율주의자들이 그들이었다. 그는 계율주의에 빠져 민중 구제를 지향한 본래의 불교 정신에서 벗어난 것을 통렬히 비판했다. 그는 대중부의 핵심이었다. 대중부 즉 대승은 아라한과 보다는 단숨에 불과를 지향해야 한다고 언제나 외쳤다. 그러므로 붓다는 붓다 한 사람만이 아니라는 것이었다. 붓다처럼 보살로서의 수행하면 누구나 붓다가 될 수 있다고 혁명적인 사상을 펼쳤다.

그런데 이상한 것이 하나 있었다. 데바 비구는 실질적으로 그렇게 대중부를 이끌어나가면서도 대중부 역시 완전한 것이 못 된다고 했기 때문이었다. 언제나 자성에 찬 목소리를 내는 것이었다. 말하자면 그는 그때쯤 소승과 대승을 객관적으로 평가하고 있었다. 그게 보통 신랄한게 아니었다. 소승은 이론적 학문적으로 붓다의 말씀을 공고히 하는 장점이 있지만 엄숙하고 철저한 계율주의에 의해 독선에 흐를 단점이 있다. 그리고 무엇보다 붓다의 말을 공고히 하는 탓에 그 알음알이가 방해되어 깨침의 세계를 놓치기 쉽다. 그런 반면 대승은 자비와 공덕으로 더 많은 사람을 구원할 수 있지만 세속화될 위험을 안고 있다. 더욱이 중생구제가 우선이다 보니 수행내용이 너무 육바라밀(六波羅蜜)에만 치우쳐 자기 성불의 시간을 놓쳐버릴 함정이 있다. 그런 그를 향해 사리풋다가 한 마디 했다.

-육바라밀 자체가 바로 붓다의 길인데 왜 성불의 길을 다른 데서 구하는가?

그럼 그는 이렇게 반박했다.

-붓다가 되지 않고 붓다를 논할 순 없습니다.

-붓다처럼 중생을 위해 보살로서의 수행을 하다 보면 붓다가 되는 게 아니던가?

-붓다는 붓다 한 분 뿐이 아니며 그대들 자신이 붓다인 것이오.

보살이 그것을 일깨우는 사람일진대 그렇다면 보살은 먼저 붓다의 경지를 알아야 할 것이오.

이 역설적인 말은 바로 상좌부와 대중부의 단점을 신랄하게 꼬집는 것이었는데 그래서 제자들은 다시 물었다.

-그렇다면 데바 비구의 주장은 무엇이오?

-먼저 중생을 위한 붓다의 설법을 그만두게 해야 할 것입니다. 왜냐면 그것은 깨침에 있어 알음알이밖에 되지 않기 때문입니다. 붓다가 누군가의 도움으로 붓다가 된 사람이었습니까? 아닙니다. 그는 오로지 선정을 통해 이 우주의 실상을 본 사람이었습니다. 그런데 그런 구차스러운 설명이 왜 필요하단 말입니까. 그것이 곧 소승의 씨가 되고 있지 않습니까. 진정한 대승이란 붓다의 본래 정신으로 돌아가야 할 것입니다. 대승의 길이 소승에 앞서 있는 것은 사실이나 소승의 장점도 그렇게 과감히 받아들여야 할 것입니다. 저기를 보십시오. 나태하고 무능한 수도승들을. 무엇보다 무사안일에 빠져서는 안 될 것입니다. 그러기 위해서는 정신의 의지처인 고행 위주로 수행 태도를 바꾸어야 할 것입니다. 그것이 곧 브라흐만 수행의 전통이며 그 사상입니다. 그것이 지켜지지 않는 이상 아무리 큰 법이라 하더라도 하등에 받들 이유가 없습니다.

도반들은 하나같이 데바의 말에 혀를 내둘렀다. 그만큼 반대 세력들에게 거센 반발을 불러일으킨 것도 사실이었다. 먼저 붓다가 되고 나중 중생을 구해야 한다는 그대의 이론은 다시 원론적으로 소승으로 돌아간 것이며 붓다 역시 깨달았다고 하나 가르침을 펴고 있는 것은 그 붓다 됨의 본성을 잃지 않기 위한 것이라는 것이었다. 그러므로 독각을 통해 붓다로 가는 것이 아니라 아라한이 되고 보살이 되어 붓다의 길로 점차 나아간다는 것이었다.

그러나 그는 그들을 비웃으며 머리를 내저었다. 그의 그런 주장은 가끔 붓다에게 알려져 호된 꾸지람을 듣기도 했다. 하기야 그의 그런 주장이 그 당시 중생을 구제하려는 붓다의 본의에 역행하고 있었으니 그럴 만도 한 일이었다.

그러나 그는 붓다의 수행내용에 대해 계속해서 강한 불만을 나타내었다. 그는 여전히 붓다의 설법 자체가 전혀 무의미한 것이라고 주장하고 있었다. 수행인에게 있어 그것은 알음알이에 지나지 않는다는 것이었다. 오히려 붓다의 설법은 깨침에 있어 방해되었으면 되었지 도움이 될 게 없다는 것이었다. 진정한 깨침의 세계는 그러한 알음알이를 모두 지워버리는 곳에 해탈의 길이 있다고 했다. 그는 적연히 선정에 들어 우주를 관함으로써 개오 할 수 있다고 주장했다. 그는 붓다 스스로가 그 과정을 통해 해탈했으면서도 왜 중생들에게 자기 말을 금언처럼 지키게 하고 형식적 표면적으로 해석하고 있는지 그것을 이해 못하겠다고 했다. 붓다의 가르침이 몽매하고 무지한 중생들에게 한낱 위안이 되고 그 지침이 될 수 있을지는 모르나 그런 설법 위주의 형식에서 벗어나 입체적으로 융통성 있게 붓다 본래의 정신으로 돌아가지 않는다면 아무 소용이 없다고 주장했다. 그는 나중 그 도를 더해 왜 중생들에게 그대 본연의 자세를 버리고 알음알이를 심어 대며 중생들을 괴롭히느냐고 대들었다. 그때 붓다는 이런 말을 하였다.

-데바야, 내 너의 마음을 모르는 게 아니다. 그러나 여래는 깨닫고 제일 먼저 생각한 것이 바로 그것이었느니라. 나의 깨달음은 너무도 미묘한 것이기에 어떻게 미천한 중생들에게 이해시킬 것인가 하고. 만약에 내가 나의 깨침을 중생들에게 설파한다면 그때 이미 깨침이 아닐지니 이 일을 어떡할 것인가 하고. 하지만 나는 중생을 위해 그 깨침의 세계를 가르쳐주어야 한다고 생각했느니라. 만약에 내가 그 길을 가르쳐주지 않는다면 그 누가 깨침의 세계를 가르쳐주겠느냐. 그것은 나의 소명이었고 중생에 대한 의무이었느니라.

그에 대해 데바는 이렇게 맞대응하고 있었다.

-붓다시여, 붓다는 언제가 붓다가 깨쳤을 때 이미 모든 일체중생 아니 세상 만물이 두루 함께 깨쳤다고 했습니다. 그렇다면 그렇게 세상을 조복 받으셨는데 다시 중생을 일깨울 이유가 어디 있겠습니까. 붓다시여, 언젠가 말씀하시지 않으셨습니까. 저 중생의 마음이 곧 붓다의 마음이라고. 그렇다면 그들 속에 있는 불성의 싹

을 틔우기 위해 사과를 따는 방법만 가르쳐주면 되는 것이지 사과의 맛까지 가르칠 이유는 없다고 생각합니다. 생각해 보십시오. 붓다께서 아무리 변제에 능하다고 하나 어찌 붓다께서 맛본 깨침의 본질을 중생이 느낄 수가 있겠습니까. 그 사과의 맛은 오로지 실천 즉 체험으로 중생 자체가 맛보는 것일 뿐입니다. 그리고 느껴 깨칠 뿐이지요.

　-그렇다. 데바야, 나는 화살이 나아가는 방향만 일러줄 뿐이지 한번도 그 화살이 가 꽂히는 결과에 대해서는 말한 적이 없다.

　-그럼 그 숱한 설법들은 어떡하실 건가요?

　붓다는 그런 그를 향해 언젠가 자신의 진실을 알 날이 있을 것이라며 머리를 내젓곤 하였다. 그런 붓다에 대해 데바는 실망하고 있었다. 사람들은 그런 그를 당장에 물리치지 않는 붓다를 두고 말들이 많았다. 분명히 붓다는 자신의 뒤를 이을 인물로 그를 마음에 두고 있으며 그렇기에 그에게 특별한 애정을 보이는 것이라는 것이었다.

　하지만 붓다의 미움은 계속되었다. 그렇게 되자 데바는 교단을 떠날 결심을 하기에 이르렀다. 더욱이 그때쯤 논쟁을 일삼던 비말라라는 자가 나타나 도대체 그대의 도는 어떤 모습이냐고 물었을 때 붓다는 침묵했고 그 침묵을 견디지 못한 데바는 미련 없이 그곳을 떠나면서 이런 말을 남겼다.

-더 이상 붓다의 법을 믿을 수가 없다. 그가 지혜종도를 만들고 있다는 사실을 알고 있었지만, 그 법 역시 믿을 수가 없다. 물론 그가 설파하는 중도의 법은 미묘하다. 하지만 미묘한 만큼 보통 사람으로서는 다가가기 힘든 것이다. 그것이 그가 설하는 법의 함정이 아니겠는가. 좀 더 그의 법은 확실해야 할 이유가 있다. 이것도 저것도 아니라면 무엇이겠는가. 그것은 미묘한 경지 속에 자신의 무지를 숨기려는 수작에 지나지 않는다. 진리는 차갑고 냉엄한 것. 오로지 실상이 존재할 뿐이다. 칼이면 칼이고 창이면 창이며 진리면 진리다. 중도가 아니다. 중도는 지혜종도가 내세우는 허망한 그물. 그 중도의 세계를 쳐 없앴을 때 진리의 참모습이 보일 것이다. 나는 이제 그 세계로 가리라.

삼문은 그때 데바 비구를 따라 교단을 나오고 말았지만, 데바 비구는 그 길로 수라다 비구를 만나고 있었다. 그리고 열심히 수행한 결과 성인의 반열에 들었다. 그 모습을 곁에서 지켜보면서 삼문은 역시 사람을 잘 보았다고 생각했었다.

그것을 증명이나 하듯 데바는 그 길로 마가다국의 왕사가 되었다. 그리고는 붓다를 찾아가 그를 논파해 버리고 오백 비구를 데려왔다. 그때야 뉘 알았으랴. 그 비구들이 다시 못가라나의 신통에 의해 다시 붓다에게 귀의해 버릴 줄.

그러나 삼문은 한 번도 데바 스승을 의심해 본 적이 없었다. 그

는 붓다가 놓아 버린 고행을 제 일로 여기는 수행승이었고 그에 입
각해 불퇴전의 길을 몸으로 열고 있는 사람이었다. 붓다만이 중생
을 위해 왕위를 버린 것이 아니었다. 그 역시 중생을 위해 왕위를
버리고 세속의 기쁨도 버렸고 자신의 한 몸 고행에 바쳐가며 오로
지 중생만을 생각하는 사람이었다. 그리하여 그는 대각을 이루었
다. 무슨 일이든 할 수 있는 불타가 된 것이었다. 그는 모든 일을
성취할 수 있고 관찰할 수 있는 붓다였다. 구담은 말로만 자신이
깨달았다지만 스승은 행동으로 그 깨달음을 증명하고 있었다.

그렇기에 구담의 제자들에게 있어 스승이 소중하듯이 그에게 있
어 데바 스승은 하늘이요 부모요 붓다였다. 그의 기쁨이 곧 자신의
기쁨이요 그의 분노가 곧 자신의 분노였다. 사리풋다와 못가라나
가 구담의 부탁받고 이곳으로 올 때까지만 해도 스승은 그들을 의
심하지 않았었다. 그들 역시 자신의 경지를 믿고 귀의하러 온 것으
로 생각했던 것이다.

그런 면에서 데바 비구의 동생 아난의 배은망덕은 끔찍했다. 이
미 오백의 비구를 붓다에게서 데려올 때 스승은 아우에게 말했었
다.

-이제 늙은 붓다의 시대도 갔느니라. 오백의 제자들이 이곳을
떠나는 게 그 증명이지 않겠느냐. 더욱이 나는 너의 형이니라. 이
제 그의 곁을 떠나 내게 귀의하여라.

그러나 아난은 이상하게 그때까지도 머리를 내젓고 있었다. 데 바 스승은 그런 동생이 못내 아쉬운 모양이었다. 제자 오백 비구를 데리고 교단을 나서면서도 마음이 바뀌면 찾아오라는 말을 데바 스승은 잃지 않고 있었다.

그런데 아난이 갑자기 앞장서서 못가라나와 사리풋다를 데려온 것이었다. 그리고는 능청스럽게 그들과 함께 귀의하러 왔노라고 하였다. 그때야 어찌 데바 스승인들 넘어가지 않고 베길 수 있었으랴.

그에 충격받고, 카필라가 망하는 광경에 충격받고, 그를 보고 앉은 고타마의 위선에 충격받고, 아자따삿투 왕의 광기에 충격받고, 결국은 갈 곳 없는 스승을 버리고 이곳으로 오고 말았다. 이곳은 수라다 대스승이 한때 머물던 곳이었다.

그런데 데바 스승이 온 것이다. 위선과 위악에 꽉 찬 붓다를 처 없애기 위해.

데바 스승은 이제 곧 구담을 처지하고 중생들을 위해 올바른 수행 법을 가르칠 것이었다. 문자도, 정보도 없는 그 어떤 구속도 없는 오로지 선정의 세계로 중생들을 이끌 것이었다.

삼문은 말없이 앉아 있는 스승을 돌아보았다. 스승은 고개를 숙인 채 무슨 생각엔가 잠겨 있었다.

이상스런 긴장감이 그의 주위에 흘렀다.

삼문은 그 긴장감을 알고 있었다. 말 많던 스승이 어쩌다 침묵하면 그의 주위에는 언제나 이상스런 긴장감이 감돌았다. 그럴 때마다 그가 말을 하지 않아도 그의 속을 뻔히 들여다볼 수 있을 것 같았다.

아마도 그는 지금 이런 말을 속으로 하고 있을 것이었다.

-그렇습니다. 이 몸이 우선이지요. 하나 이 몸은 너무도 소중하면서도 한편으론 너무나 강하지 못하고 견고하지도 못해 믿을 바가 못 된다는 것을 알겠습니다. 보십시오. 내 몸 구석구석은 썩어가고 있고 이렇게 괴로움과 번뇌가 모이고 있질 않습니까. 물거품입니다. 물거품이기에 잡거나 건드릴 수 없는 것입니다.

삼문은 속으로 쯧쯧 혀를 차 본다. 데바 스승은 분명 교화의 차원에서 그런 생각을 하고 있을 테지만 이제 스승의 속을 강 건너 불 보듯 할 수가 없다.

데바 스승은 혀 차는 제자에게 이런 말을 하고 싶을 것이었다.

-그렇다. 이 몸은 불꽃인 게다. 번뇌와 애욕의 불꽃, 갈애의 불꽃, 우리의 몸은 거기에서 태어난 게다. 그렇기에 이 몸은 파초요. 그 속에는 단단한 심이 있을 리 없다.

삼문은 다시 혀를 차본다.

허망한 양반, 그걸 누가 모르랴. 육신이 그저 뼈와 힘줄로 결합된 기계와 같은 것인 줄 그 누가 모르랴. 도착에서 생겨난 것이기에 이 육신이 헛것이란 것쯤은 알고 있다. 당신 곁에서 산지가 벌써 몇 해째인가.

언젠가 데바 스승은 사람들을 모아 놓고 이런 말을 한 적이 있었다.

-그대들은 진리가 무엇이라고 생각하시오?

누군가 대답했다.

-본질입니다.

-본질이라!

그가 감개무량한 목소리로 되받았다.

또 누군가 대답했다.

-천둥입니다.

-하늘의 울음이라!

또 누군가 대답했다.

-전생의 나입니다.

-기연으로 일어난 메아리로다!

그는 그렇게 되받고 헛헛하고 웃었다. 그리고는 이렇게 중얼거렸다.

-아, 물처럼 흘러가고 바람처럼 지나가겠구려?

그렇게 말할 때 보면 스승은 제정신이 아닌 것 같았다. 오로지 무엇엔가 미쳐 있는 사람 같았다. 말이 없다가도 말을 한 번 내뱉으면 폭포수가 쏟아지듯 쏟아진다.

딸 바루라가 스승에게 차를 대접한 뒤 정중히 묵례를 한 다음 밖으로 나갔다. 삼문도 이내 뒤따라 나왔다. 밖에는 아들이 안의 기척을 살피고 있었다.

그는 다시 나무 밑으로 가 멀리 보이는 소나마르크 와호마 호수를 바라보았다. 거기 데바 스승이 이제 가 처치해야 할 붓다가 있었다.

문제는 데바 스승이 어떻게 붓다를 시해할 것인가 하는 것이었다. 못가라나가 아니더라도 그곳에는 불퇴전을 이룬 아라한들이 얼마든지 있다. 도저히 혼자 몸으로는 그들을 대적하지 못할 터인데도 데바 스승은 가겠다고 했다. 그리고는 붓다를 시해하겠다고 하였다. 도대체 어떻게?

그런 생각을 하고 있어서인지 몰라도 어젯밤 꿈은 참으로 이상했다. 못가라나가 데바 스승을 가만두지 않겠다고 칼을 들고 달려왔는데 스승이 그 칼을 도로 뺏더니 그대로 호숫가로 달려갔다. 스승을 부르며 뒤따라갔는데 어느새 붓다 앞에 다다른 스승이 그 칼로 붓다의 정수리를 단칼에 내리쳤다. 그 순간 그는 보았다. 시뻘건 피가 허공으로 솟아오르는 것을. 아니 그것은 환영이었다. 정수리가 소리를 내며 쪼개어지는 순간 그곳에서 시퍼런 빛줄기가 터져 나와 하늘로 내뻗고 있었다. 칼을 내리쳤던 데바 스승이 비명을 지르며 넘어졌다. 이내 그 빛이 스승을 감쌌다. 스승은 회오리바람 속에 선 사람처럼 그 빛 속에서 몸부림쳤다.

그 모습을 보다가 잠을 깨었는데 딸 바루라가 어느새 다가왔는지 자신을 내려다보고 있었다.

-몸이 많이 허약해지셨나 봐요?

그렇게 말하고 딸은 시선을 거두었다.

그는 어린아이처럼 낯을 붉히며 딸을 향해 물었다.

-내가 잠꼬대하더냐?

-알아들을 수 없는 소리였습니다.

밖으로 나왔을 때 달이 암라수나무 잎에 걸려 있었다. 그는 달빛에 젖어 있는 희미한 소나마르크 와호마 호수를 바라보았다. 아무래도 불길했다. 무엇인가 잘못되어 가고 있다는 생각이 들었다.

삼문은 돌아서서 걱정스러운 모습으로 데바 스승이 든 방을 향해 돌아섰다. 스승을 말려야 한다는 생각 때문이었다. 그러나 이상하게 발걸음이 떨어지지 않아 그냥 돌아서고 말았다.

잠시 생각에 잠겨 있는데 아들과 딸이 다가왔다.

-아버지, 걱정하지 마세요.

딸이 젖은 음성으로 말했다.

-스승님은 뭐 하시든?

그는 아들에게 물었다.

-주무십니다.

-수부티 사형은 아직도 돌아오지 않았느냐?

-예.

어디를 간 것일까?

혹시 데바 스승의 결심을 알고 붓다에게 먼저 알리려 갔을지도 모른다.

그렇다고 해도 어쩔 수 없는 일이다.

-그냥 놔두세요. 그 길을 걸어오셨다니….

딸이 아비의 내색을 살피며 말했다.

삼문은 딸의 마음 씀씀이가 고마워 가슴이 후끈 더워와 머리를 끄덕였다.

-그러자꾸나. 우리가 스승님을 이해하지 않으면 누가 이해하겠느냐. 우리가 먼저 이해하고 따르면 모든 사람도 다시 따르게 될 것이야.

세 사람은 문 앞으로 다가들었다. 언젠가 스승이 하던 설법이 생각났다.

-이 몸뚱이가 왜 헛것이냐 하면 그건 이렇습니다. 옛날에 어떤 사람이 자기가 기르고 있던 코끼리를 못 살 게 군 적이 있었습니다. 코끼리는 참다못해 주인을 해치려고 달려들었지요. 그 사람은 코끼리를 피해 달아나다가 낡은 우물로 가 숨었습니다. 그는 칡

넝쿨을 잡고 우물 속에 매달려 있었습니다. 그런데 갑자기 어디서 흰쥐와 검은 쥐가 나타나더니 그가 매달려 있는 칡넝쿨을 갉아먹기 시작하는 것이었습니다. 밖에는 성이 난 코끼리가 기다리고 있고 우물 안에는 흰쥐와 검은 쥐가 교대로 칡넝쿨을 갉아먹고 있었으니 어떻게 하겠습니까. 그뿐만이 아니었습니다. 아래를 내려다보았더니 악룡이 독을 품고 있고 다섯 마리의 독사가 혀를 날름대며 그가 떨어지기를 기다리고 있는 게 아니겠습니까. 칡넝쿨이 끊어지는 날이면 그는 우물 바닥에 떨어져 그들의 밥이 될 것이 뻔했습니다. 그렇다고 밖으로 나가면 성난 코끼리에게 짓밟혀 죽을 것이니 천상 칡넝쿨에 매달려 있다가 죽는 수밖에 없었습니다. 그런데 이게 웬일입니까. 칡넝쿨에 매달린 벌집에서 단 꿀이 방울방울 그의 입 속으로 떨어지는 게 아니겠습니까. 그는 그만 그 단 꿀맛에 잠시 잠깐 시름을 잊었는데 이것이 바로 우리의 인생사요 나를 이루는 육체란 것입니다. 온갖 기연에서 생겨나는 것이기에 그것을 지배하는 주체가 없으므로 이런 현상이 일어나는 것입니다. 그렇다면 그것은 바로 주인 없는 땅과 강이 아니겠습니까. 내가 없으니 불과 같은 것, 물과 같으니 무아(無我)인 것, 수명이 없으니 바람이요, 자성(自性)이 없으니 허공과 같은 것, 땅, 물, 불, 바람의 그릇이니 내 것도 아니요. 남의 것도 아니요. 오로지 공일 뿐인 것입니다. 그러니 풀과 나무와 기와와 자갈처럼 감각이 있을 리 없지요. 오로지 바람의 힘이 굴리는 대로 도는 풍차와 같은 것이니 감수성이 있을 리 없습니다. 아무리 씻어도 시들어 가는 것이어서 텅 빈 것일 뿐이고 더러운 고름과 더러운 쓰레기로 가득 차 있을 뿐인 것입니다. 그런데 그 누가 건질 것입니까. 바로 언덕 위의 낡은 우물가에 매달린 그 몸뚱이가 바로 우리인 것입니다. 그러니 어찌 묵연히 선정을 찾지 않을 수 있겠습니까. 어지신 이들이여, 그렇기에 이제 모든 것을 털어 버리고 수행에 힘써야 합니다. 너무 많은 것을 알려고 하지 마십시오. 알면 알수록 오히려 그것은 자신의 깨침을 막는 마구니가 될 뿐입니다. 모든 것을 버리고 모든 것을 놓아 버리려고 노력하세요. 그리고 묵연히 우주와 하나가 되십시오.

그의 말이 끝났을 때 실내엔 숨소리조차 들리지 않았다. 모두 숙연했는데 그는 피로한 듯 눈을 감았다.

삼문은 몸을 돌려 다시 소나마르크 와호마 호수 쪽으로 시선을 던졌다. 암라수꽃잎이 분분히 떨어져 내리던 동산에서 데바 스승을 기다리고 있을지도 모르는 붓다의 모습이 보였다. 그는 알고 있는 것 같았다. 중생을 제도하다 그들의 아픔에 겨워 병들어 버린 이 보잘것없는 자의 열망과 신심을.

열린 문틈으로 향기로운 바람이 스며들어 왔다. 그것은 분명 붓다가 있는 소나마르크 와호마 호수로부터 흘러오는 향기였다.

금잔화가 무더기무더기 피어 있는 화단 가에 앉아 잠시 생각에 잠겼던 바루라가 먼 하늘을 올려다본다. 좀 전까지도 들려오던 말소리도 들려오지 않는다. 고가엔 이상스런 정적만이 감돌고 있다. 아버지는 아무 내색도 안 하고 있지만 오라버니와 언젠가 닥쳐올 일들에 대해 어떤 위기감을 느끼고 있는 게 분명했다.

바루라는 옷자락을 걷어 올리고 연못가로 나가 본다. 연못으로 가는 오솔길에도 이상스런 정적이 내려앉아 있다. 그녀는 손차양 하고 하늘을 올려다본다. 무성한 나무 잎새 사이로 햇살이 보인다. 바람에 나뭇잎이 흔들린다.

어제 오빠와 이곳을 거닐었다. 아직도 오빠에게는 금강 법회의 감동이 남아 있는 것 같았다. 그것은 마투라가 동생 바루라를 볼 때도 마찬가지였다. 그 법회에 함께 다녀온 후 동생은 말이 없어졌고 자주 이 연못가로 와 걷고는 했다.

하루는 이런 말을 했다.

-아직도 잊히지 않아요. 그날 붓다가 말씀하신 것들이. 아상, 무아, 집착…. 그래요. 아상이나 집착이란 말씀을 많이 쓰셨어요.

그랬다. 마투라에게도 그 상이란 말이 마음에 와 수를 놓았었다.

붓다의 법회가 있다고 해서 동생과 길을 나섰던 참이었다. 아버지가 붓다를 싫어해 쉬쉬하면서 참가했었는데 그날의 금강 법회는 다른 법회와는 달라 보였다. 수보리 장로께서 법회의 의미와 필요성에 대한 설명도 없이 바로 본론으로 들어가는 것 같았다.

붓다가 금강경을 설법하는 내내 고개를 갸웃대었다. 특히 인상에 남는 말들이 있었다. 붓다는 붓다임을 알지 못한다는 말이었다. 이게 무슨 말인가 싶었다. 붓다가 붓다임을 알지 못한다면 붓다임을 모른다는 말인데 그럼 중생제도는 어떻게 하나?

그런데 점차 법회가 진행되면서 이해가 되기 시작했다. 붓다는 특히 4구게 설법에 공을 들이는 것 같았다. 그래서인지 4구게의 기억이 잊히지 않았다. 4구게 속에 그날 설법의 요지가 다 들어 있는 것 같았기 때문이었다.

모든 상의 허망함을 깨쳐야 한다는 것이 1구게의 요지였다. 무릇 형상이 있는 것은 모두가 허망하다는 것이다. 만약 모든 형상을 형상이 아닌 것으로 보면, 곧 여래를 보리라고 했는데 그렇다는 생각이 들었다. 모든 상에는 고정된 실체가 없다는 말일 터이다. 상에 대한 집착을 버릴 때 비로소 세상의 참모습을 보일 테니까 말이다. 그때 자유로운 삶을 살아갈 수 있을 것이다.

그래서인지 붓다는 금강경을 설하는 내내 상(相)이라는 말을 썼다. 언젠가 데바 스승은 이 세상이 자연적으로 이루어진 형상(形

相)과 인위적으로 이루어진 형상(形相)이 있다고 했다. 붓다는 금강경을 설하면서 모든 상이 다 허상(虛相)이라고 하였다. 고정불변의 실체가 없으므로 사라져 버리는 것이 상의 실체라는 것이다. 그러므로 진정한 무아(無我)의 경지에 들어, 사상심(四相心:아상, 인상, 중생상, 수좌상)에서 완전히 벗어나야 본래청정심을 얻을 수 있다고 하였다.

깨달음에 이르지 못하면 참된 자기가 아닌 것을 참된 자기로 착각하며 본다고 했다. 그것이 사상심(四相心)의 본질이라는 것이다. 사상심에서 벗어나려면 신심(信心)으로 수행하여 무아(無我)의 경지에 들어야 할 것 같다고 동생이 말했다. 그것이 금강경의 교설일 것 같다는 말이었다. 여전히 어려운 것은 무아(無我)라는 말이었다.

나라고 하는 바다가 나인가? 파도가 나인가? 결국 그것은 하나일 것이다. 바다라고 하는 것. 그것이 유아(有我)일 것이다. 그것은 파도가 된다. 파도는 시련이다. 시련을 거치고 난 뒤에야 아상이 무너지고 자만심이 무너져 나의 실체를 볼 수 있을 것이다. 그때 무아가 된다는 말인가? 자신이 무아임을 체득할 때 여여(如如)한 상태에 계합하게 된다고 언젠가 데바 스승이 말한 적이 있었다. 그때 여여한 상태가 온다는 것이다. 그래서 어떤 것에도 물들지 않는 붓다를 여래라고 한다고 했다. 무아를 보지 못하고 여여한 경지를 이루지 못한 유아 상태의 인간에게는 마음으로 그린 모양이든 어떤 대상이든 허망(虛妄)이란 그물이 내려앉는다는 데 문제가 있다고 했다. 우리는 허망이란 말을 '인생이 허무하다'라는 말로 이해하는데 깊이 들어가면 다른 뜻이 된다는 것이다.

-다른 뜻요?

그렇게 물었을 때 데바 스승은 이렇게 말했다.

-〈허무〉는 허전하고 쓸쓸한 마음이고, 〈허망〉은 인간의 감정이 아닌 상태를 말하는 것이다.

그럼 상이 물거품과 같아서 거짓되고 망령된 것이라는 뜻으로 이해되어야 한다는 생각이 그때 들었다. 그러므로 우주는 성주괴공하고, 육신은 생로병사 하며, 생각은 생주이멸하는 것이 아닌가. 그렇다면 그 어느 것도 영원하거나 고정된 실체는 없다는 말이다. 그런데도 우리는 죽어라고 상에 집착하고 있다. 자연히 그것은 괴로움의 씨앗이 되고 과보를 피하지 못하는 원인이 되리라.

그래서 생각해 보고는 했다. 내가 그녀에게 집착하고 있구나 생각하면 그렇게 알아차리는 것이 깨우침일 것이다. 그럼 내 방식대로 사람을 보고 판단하고 있구나 하는 생각이 들고 그래야 진실을 알게 되고 괴로움이 사라진다면 바로 이것이 보살의 삶일 것이라는 생각이 든다.

제 2구게는 더욱 심오했다.

마땅히 머무는 바 없이 그 마음을 낼지어라

처음엔 헷갈렸다. 거기다 부연 설명을 해주는 장로 스님의 해석이 더 어려웠다,

-마땅히 색에 머물러서 마음을 내지 말라는 말씀이다. 색, 소리, 향기, 맛과 감촉과 법에 머물러 마음을 내지 말라는 말이다. 마땅히 머문 바 없이 그 마음을 내라는 말이다.

색, 소리, 향기, 맛, 감촉, 법이라면 육진(六塵)이다. 그 근본이 눈, 귀, 코, 입, 몸, 법이다. 이것이 6근(六根)이다. 그것을 데바 스승에게 배웠다.

-어려워요. 좀 쉽게 말해주세요.

누군가 그랬다. 육진과 육근을 모르니 어려울 수밖에 없다.

-허어, 뭔 말씀이냐면 어떠한 상도 짓지 않아야 한다 그 말이야. 그 무엇에도 집착하지 않는 걸림 없는 마음, 안의비설신의 육근의 경계에 머물지 않는 마음을 내어야 한다 그 말이야. 그것이 '청정한 마음'인 것이야.

-깨끗한 마음요? 그럼 더러운 마음을 내어서는 안 된다는 말인데….

장로 스님이 손을 홰홰 내저었다.

-아니야. 아니야. 그런 뜻이 아니야.

-네? 무슨 말이에요?

-청정한 마음을 내어야 한다는 것은 더러운 마음과 반대되는 깨끗한 마음을 말하는 것이 아니라 머문 바 없는 마음을 말하는 것이야.

-그게 무슨 말이에요?

-어떠한 상에도 머물지 말고 인연 따라 청정한 마음을 갖는 것을 말하는 것이야.

-정말 어렵네요.

보살은 색과 소리, 향기, 맛, 감촉, 법에 머물러 보시하지 않고, 또 그 육근 경계로 지은 상에 집착하지 않고 보시해야 한다는 건 상식이다. 그렇게 중생을 제도하고 불국토를 건설해야 상에 머무르지 않는 마음이다.

그래도 어렵다면 할 말이 없다. 법은 넓은 바다에 있는 것도 아니고 깊은 산속에 있는 것도 아닐 터이다. 붓다의 말에도 있는 것이 아니라고 하지 않는가. 그럼 내가 몸담은 현실 그 속에서 매일매일 부딪치며 살아가는 사람들 속에 있다는 말이다. 응무소주 이생기심의 도리를 모르고서는 그 참뜻을 이해하기 힘들 것이다.

제 3구게는 더욱 심오했다. 깨달음이란 붓다의 형상이나 소리에 있지 않고 마음의 경지에 있다고 했다.

누군가 또 장로 스님에게 물었다. 그러자 장로 스님이 그녀에게 물었다.

-나이가 지금 뭣인가?

갑자기 묻자 그녀는 왜요? 하는 표정을 지었다.

-이 마을 사람이 아니지?

-담바도에서 왔어요. 왜요?

-이 마을 사람들은 아무리 멍청이라도 그 정도는 알 거든.

-멍청이라고요?

-아니, 말이 그렇다는 거지 뭐.

-그럼 안 가르쳐주셔도 돼요.

빈정이 상해 그녀가 뿌루퉁하게 말했다.

-화낼 것 없어. 모르면 알아야지. 내가 잘못했구먼. 그러니까 뭐
냐. 만약 색신으로, 혹은 음성으로 나를 구하면, 사도를 행함이다
뭐 그런 말이야. 그러므로 여래를 보지 못한다는 말이야.

-아니 눈은 보라고 내놓은 것이 아닌가요? 눈으로 색을 보잖아
요. 그런데 색으로 보면 사도다?

그게 말이 되느냐는 듯이 그녀가 눈을 치떴다.

-모든 것이 공한데 색이 어디 있겠는가? 처자는 여기 왜 왔나?

-붓다 님이 유명하다고 해서요. 법문을 너무 잘하셔서, 그리고
여기 오기만 해도 소원이 풀린다고 해서요.

장로 스님이 알겠다는 듯이 고개를 주억거렸다.

-바로 그것이야. 여기 붓다가 유명하다고 해서 소원을 빌어보려

고 왔다 그 말 아니야?

-맞아요.

-그럼 그분을 만났는데 소원이 이루어질까?

-그럴지도 모르지요. 기분이 이래 좋으니.

-그럴 수도 있겠다. 그런데 욕심은 아닐까?

-욕심이라니요?

- 그런데 왜 집착하지? 사랑하는 사람이 있나?

-스님이 못 하는 말씀이 없으시네.

그녀가 낯을 붉히며 말했다.

-아이고, 있는 모양이네. 왜 사랑할까? 왜 그 사람이 그리울까? 왜 집착할까? 그게 욕심이지.

-사랑이 아니구요?

그녀가 생뚱맞게 물었다.

-원(願)이지. 사랑은 욕심이 아니라 원이 되어야 해. 그래야 바라는 대로 이루려고 노력하지.

-욕심은 바라는 대로 이루려고 노력하는 게 아닌가요?

-그저 탐하여 내는 것이 욕심이지. 저것을 가져야겠다. 가져도 많이. 꼭 내 것으로 가질 거야. 가져봐야 모두 사라질 허상이야. 그런 허상 차원이 아니라 괴로움에 시달리지 않는 원을 내어야 사랑이지. 다시 말해 자신의 욕심이 원이 되지 않고 허상을 찾아다니게

만드는 욕심이라면 붓다를 보지 못할뿐더러 사도(邪道)다 그 말이야.

-정말 어렵네요.

하긴 문외한이 들으면 어려울 만도 하다. 눈을 떠 보면 다 꿈일 뿐이라니. 그거 너무 허망하게 세상 보는 게 아니냐는 질문이 있을 법하다.

장로 스님이 그래도 이해가 안 되느냐는 얼굴로 쳐다보다가 다시 입을 열었다.

-사랑하는 사람이 죽었다고 생각해 봐.

-네? 시방 뭔 소리를 하는 거예요?

-그렇다는 말이지 뭐. 그럼 허망하기가 이를 데 없겠지?

-그렇겠지요.

-그와 같이 모든 것이 꿈과 같고 꼭두각시와 같고 그림자와 같다는 것이야, 이슬 같고 번개와 같아 붓다의 법도 무아다 그 말이야. 고정된 실체가 없다 그 말이야. 모든 것이 이슬 같고 번개 같으니 한순간에 불과한 것 아니야. 무상의 실상을 비유한 것이지. 그렇게 모든 상이 상 아닌 줄 알면 존재의 참모습을 보게 된다 그 말이야. 이것이 오늘 설법하신 금강경의 골자야. 이제 이해가 돼?

-솔직히 모르겠어요.

-그럼 공부해야지. 붓다의 말씀을 더 열심히 들으러 오고.

-들어도 모르겠으니 어떡해요.

마투라는 그들의 실랑이를 하는 것을 보고 있다가 돌아와 생각해 보았다.

내가 그녀를 생각하는 것은 원인가? 욕심인가?

잠시 오빠 마투라를 생각하고 있던 바루라는 나뭇잎 사이로 하늘을 올려다보다가 걸음을 옮겨 놓았다. 지지한 잡목 숲이 어우러진 저쪽으로 연못이 그 모습을 드러냈다. 연못은 온통 연꽃으로 어우러져 현란한 꽃밭이다. 단단하게 진흙 속에 뿌리를 박은 채 어떤 줄기는 아직도 물속에 코를 박고 있고 어떤 줄기는 줄기차게 수면에 떠 올라 꽃을 피우고 있다. 활짝 핀 연꽃들 사이사이로 막 피기 시작한 꽃들도 있다. 색깔도 각양각색이다. 흰색도 있고 푸른색도 있고 분홍색도 있다.

아버지도 오빠처럼 특히 이 연못을 좋아하였다. 그는 인간 세상이 이 연못과 다를 바 없다고 언제나 말했었다. 인간은 진흙 바닥 같은 곳에 몸을 부리고 살지만, 정신만은 저 연꽃처럼 피어나야 한다고 말했었다.

언젠가 그녀는 저 연꽃의 상징이라는 붓다에 대해 아버지에게 물은 적이 있었다. 그때 아버지는 붓다의 제자였다. 아마도 아버지를 찾아 붓다의 설법은 들으러 갔을 때였을 것이다. 그때 처음으로 데바 수행승을 만났다. 데바 수행승도 그때 아버지와 함께 붓다의 제자였다. 데바 수행승을 보는 순간 가슴이 천 길 벼랑으로 떨어지는 것 같았다. 우선 그 빼어난 용모가 마음을 사로잡았다. 자신을 쳐다보는 젖은 눈매에서 그녀는 이상스런 우수를 보았다. 그것은 불이었다. 그 젖은 눈 속에 이상스런 우수의 불이 타고 있었다. 그날 그녀는 결코 저 불 속에서 나는 벗어나지 못할 것이라는 느낌에 사로잡혔다. 그리고 그를 사랑하고 연모하는 마음은 하루도 끊일 날이 없었다. 그러다 그분을 이제야 모시게 되었지만, 그날 아버지는 이렇게 말하고 있었다.

-과거에 닦은 선근에 의해 이곳에 와 큰 법을 전하는 분이니라.

그래서 언젠가 데바 스승이 이 연못에 나앉아 있기에 물었었다.

-어떤 선근을 심었기에요?

그때 데바 스승은 이외에도 붓다의 오백 생이나 되는 과거의 생을 들려주었다.

-그분은 과거 생에 흙도 되었고, 돌도 되었으며 바람도 되었고, 이슬도 되었고, 물도 되었고, 불도 되었고, 이끼도 되었고, 나무나 풀도 되었고, 곤충도 되었고, 물고기도 되었고, 거북이도 되었고, 포유류도 되었고, 사슴도 되었고, 인간도 되었고, 그러면서 오랜 세월 좋은 인연을 지으며 살아오시다가 붓다가 되었단다. 그렇기에 그분이 깨달은 법은 바로 인연의 법이란다.

그리고 또 말하였다.

-나는 알고 있단다. 그렇게 오랜 세월을 거쳐 그가 이 세상 붓다로 오실 때의 모습을.

그때 그녀는 눈을 동그랗게 뜨고 물었다.

-스승님이 아신다고요? 그분이 태어나시기 전에 꼭 거기에 계신 것처럼 말씀하시는군요

-왜냐면 나도 흙이 되고 물이 되고 바람이 되고 그렇게 과거 생을 이어왔기 때문이다. 결국은 이렇게 또 한 생을 같은 시대에 태어나 살고 있지만 마음이 거울같이 맑으면 흐린 날 보이지 않던 저 산정이 보이는 법이란다.

-그럼 스승님이나 붓다 님의 과거 생을 말해 주세요?

스승은 허허허 하고 웃었다.

-나와 붓다의 인연만큼 질긴 인연도 없을 것이니라.

데바 스승은 그날 붓다와 자신의 인연을 이렇게 말해 주었다.

옛날 구화리라는 이름을 가진 궁술사가 한 명 살고 있었다. 그의 밑에는 산야라고 하는 제자가 있었는데 그는 궁의 대무사였다. 그에게는 어릴 때 같이 자란 여동(女童)이 있었다. 사람들은 그녀가 너무 아름다웠으므로 천상에서 내려보낸 사람이라고 천상일녀라고 불렀다. 나중 그녀는 비로 간택이 되어 궁으로 들어가 그 나라의 왕비가 되었다.

한편 산야도 궁으로 들어갔다. 그녀를 잊지 못해 무과시험에 합격해 어전의 대무사가 된 것이다.

어느 날 그들은 궁에서 다시 만났고 그 후 남의 눈을 피하는 사이가 되었다. 왕이 그녀를 찾지 않는 밤이면 대무사가 그녀를 찾았다.

나중 왕이 눈치를 채자 왕비는 왕을 죽일 꿈을 꾸었다. 왕비는 손톱에 독을 발라 왕을 시해했다. 그 사실이 어전의에게 드러나자 그녀는 아랫사람을 시켜 어전의까지 죽였다.

대무사가 어전의를 죽일 즈음 대무사에 버금가는 직책의 상무사가 그녀를 찾았다. 그녀가 궁으로 들어올 때부터 그녀의 미색에 빠져 있던 상무사는 자신이 모실 테니 궁을 나가자고 한다. 이미 상무사에서 그녀의 소행을 모두 알고 있다는 것이었다. 그러나 그녀는 상무사의 마음을 받아주지 않는다. 상무사는 그녀를 살리기 위해 대무사와 왕비의 탈출을 도와준다. 그들이 궁을 빠져나가고 그 사실이 알려지자 그도 궁에 머물지 못하고 내쫓김을 당한다.

궁을 탈출한 대무사 산야는 왕비를 데리고 옛날 자신에게 활 쏘는 법을 가르쳐주던 스승을 찾아간다. 그의 밑에서 6년 동안 배웠으나 단 한 번도 활 쏘는 일이 없었다.

6년이 지난 후에야 그는 시험 삼아 큰 나무를 향해 활을 쏘았는데 그가 쏜 화살은 큰 나무를 꿰뚫고 땅에 깊이 박혔다.

스승이 크게 기뻐하며 그에게 말하였다.

－이제 나는 너에게 더 가르칠 것이 없다. 너는 궁술의 오의를 어느덧 얻었으며 그러하니 이제 저잣거리로 내려가 대중을 괴롭히는 대적을 평정하여라.

스승은 그에게 활 하나와 금으로 된 화살 5백 개를 주었다. 그리고 그의 밑에서 밥을 짓던 처녀와 마차 한 대를 주었다.

그는 그 길로 그 마차를 몰고 천상일녀와 함께 저잣거리로 내려왔다.

저잣거리로 내려와 한곳에 이르니 적의 우두머리가 5백 인의 부하를 거느리고 왕래하는 사람들을 기다리고 있었다.

산야의 마차를 본 그들이 앞을 가로막았다. 우두머리가 부하들을 제지하며 어디서 온 누구냐고 물었다. 그는 이미 그들이 누구라는 것을 알고 있었다.

그러자 산야와 함께 산에서 내려온 천상일녀가 바루를 들고 마차에서 내려와 우두머리에게 정중히 인사한 다음 먹을 것을 먼저 구했다.

적장은 얼굴을 숨기고 부하들에게 바루에다 먹을 것을 담아 주라고 명령했다. 그러나 부하들은 산야의 시건방짐에 참지를 못하고 수레 위에 있는 산야를 향해 돌진했다.

이미 짐작하고 있던 산야는 수레를 종횡으로 몰며 적들을 향해 화살을 날렸다. 이곳저곳에서 아우성이 일었다. 피바람 속에 산야가 정신을 차려보니 그가 죽인 적들이 4백 99명이나 되었다. 오백 개의 화살은 정확하게 적들을 하나하나 쓰러뜨린 다음이었고 마지막 한 개의 화살이 남아 있었다. 마지막 화살 하나를 시위에 걸고 적장을 찾았으나 보이지 않았다.

활을 겨눈 채 이리저리 적장을 찾았다. 쉽사리 적장을 찾아낼 수가 없었다. 가만히 지켜보고 있던 처녀가 무슨 생각에선지 그의 가까이 다가왔다. 그리고는 옷을 벗기 시작했다.

깜짝 놀란 산야가 그녀에게 소리쳤다.

-왜 그러느냐?

-우선 승리에 취한 듯 저를 안으십시오. 그가 사내라면은 음욕을 일으키게 될 것이고 그대를 죽일 기회로 삼을 것입니다. 그때 그를 죽이십시오.

실오라기 하나 걸치지 않은 여인의 몸이 나타났다. 그 몸은 상상할 수 없을 정도로 아름다웠다. 희디흰 두 몸이 달빛처럼 숲 사이로 흘렀다. 불어오던 바람도 숨결을 멈추어버린 것 같았다. 지저귀던 새들도 숨을 죽였다. 그들이 곧 활이었고 살이었다.

멀지 않은 곳에서 그들의 동태를 보고 있던 적장은 승리에 취해 얼싸안은 두 남녀를 죽이기 위해 모습을 나타내었다. 여인의 밑에서 활을 손에 잡은 채 기다리고 있던 산야는 가까이 다가와 그들을 내려치려는 적장을 활로 쏘아 죽였다.

그 후 스스로 옷을 벗어 활이 되어준 그녀를 천상천하제일궁(天上天下第一弓)이라 부르는 이도 있었고, 어떤 이들은 세상에서 가장 깊은 집의 소유자라고 하여 천상천하제일궁(天上天下第一宮)이라 부르는 이도 있었다.

데바 스승은 거기까지 말하고 멀리 산등성이를 바라보았다. 그리고는 나직이 한숨을 지어 물다가 다시 말을 계속했다.

-바루라야, 그때의 산야가 누구인지 아느냐. 지금 붓다가 제일의 제자로 꼽는 사리풋다이니라. 그리고 그 처자는 지금의 너이니라. 너는 너무나 아름다워 천상일녀(天上一女)로 불리워지고 있었는데 너에게 눈멀어 버린 나는 언제나 네게 묻고는 하였다. '내 상사(想思)의 영(靈)이 보이지 않습니까?' '상사의 영에 방울을 달아도 저는 볼 수 없고 들을 수 없습니다.' '그대를 죽여 내 무간 지옥에 간다고 한들 이 염이 풀리지 않을 것이오.' '그이를 위해서라면 이 한목숨 바치겠습니다. 저를 죽이십시오.' 그것이 전생의 산야, 이생의 사리풋다를 향한 너의 마음이었지. 결국 나는 너와 산야를 도울 수밖에 없었고 그런 나도 내쫓김을 당했다. 그때 5백의 무리가 나를 따랐느니라. 그들이 오백 비구이며 그 적장이 나였느니라. 그리고 그 궁술의 스승은 바로 붓다였느니라.

그녀는 그렇게 말하는 스승의 음성 속에서 선근이 모자란 자로

서의 눈물을 보는 듯했다. 그는 그렇게 제자 앞에서도 자신의 전생마저도 속이지 않는 분이었다. 그녀에게 있어 스승은 그렇게 이 세상 누구보다도 큰 지혜의 소유자였다.

특히 그의 마지막 말이 너무 가슴이 아팠다.

-전생의 너를 잃고 너무 아픈 세월을 살았느니라. 무려 몇 생을. 이 생에 와 전생을 볼 수 있는 신통을 얻은 지금에도 내 마음이 이리 아픈 것은 그때의 기억이 너무 아프기 때문이다. 그때 네가 천상일녀였을 때 나와 하나가 되었다면 어떻게 되었겠느냐? 지금도 꿈꾸고는 하느니라. 꼭 현실 같으니라. 세상을 모두 놓아 버린 나의 몰골이. 너의 이름을 부르다 부르다 보면 그 옛날 산야에게 궁술을 가르쳤던 스승이 붓다가 되어 있느니라. 그를 죽이고 싶으니라. 저 사람이, 저 사람이 그때도 금강의 도를 팔아 천상일녀와 헤어지게 했다는 생각이 들고는 했느니라. 술에 취해 자다 보면 그를 찾아가고 있느니라. 나중에야 알았다. 내가 이 생에까지 너를 그리다 몽유병에 걸려 버렸다는 것을. 이 생에 신통을 얻고 너를 만났으나 참 인연이라는 것이 묘하더구나. 막상 너를 만나자 그리움이 생기지 않는 것이야. 그때 알았느니라. 너를 향한 나의 사랑이 집착임을. 그 집착이 나의 삼생을 물고 있었다는 것을. 이제 집착이 사라졌으니 오로지 붓다의 도를 구할 뿐이다.

그날 그녀는 데바 스승을 눈부신 듯 쳐다보았다. 그냥 뛰어가 안고 싶었다.

그러나 그는 범접할 수 없는 비구의 몸이었다.

그날 보았다. 옆집 아이 하나가 마침 연못가의 연꽃을 구경하기 위해 와서는 잘못하여 가지고 있던 황금 동전 한 닢을 연못에 빠뜨려버렸다. 울고 있는 아이에게 데바 스승이 다가갔다.

-왜 그러느냐?

-황금 동전을 연못에 빠뜨렸어요.

-그렇다면 들어가서 찾아야 하지 않겠느냐?

-전 헤엄을 치지 못하는걸요. 스님이 찾아주세요.

스승이 웃으며 머리를 내저었다.

-이번만은 내가 찾아준다고 하더라도 다시 동전을 연못에 빠뜨리면 어떡하겠느냐? 매번 내가 들어가서 찾아줄 순 없는 일 아니냐?

스승은 그런 사람이었다. 스승은 그녀에게 불법을 가르치면서 그 점을 언제나 강조하였다. 불교란 중생이 불쌍하여 동전을 건져다 주는 우매한 종교가 아니다. 불교란 바로 그 개념을 부숴 버리는 데서 시작하는 종교라고 하였다. 불교란 동전을 잃어버린 자의 옷을 벗기고 헤엄을 가르쳐 스스로 동전을 찾아내게 하는 그런 종교라는 것이다.

그러나 그녀는 세상을 살아오면서 그렇지만은 않다는 사실을 뼈아프게 느끼며 살아왔다. 세상 사람들은 데바 스승을 어떻게 생각하는지 모르겠지만 성자 대부분은 동전을 빠뜨린 사람을 나무라기만 한다. 너희들은 미흑하다. 너희들은 무지하다. 그러니 구원받지 못한다. 내가 너희들을 구하리라. 나를 따르라. 가는 곳마다 중생의 죄업을 일일이 벗기고 죄의식과 그로 인한 근심과 고통을 던져준다. 그러면서 그들은 그 동전을 구할 사람은 자신들밖에 없다고 떠들어댄다.

-그대들이여, 연못 주위를 돌아라. 그리고 동전이 물 위로 떠 오르기를 기도하라. 그대의 믿음이 진실할 때, 그대의 뜻이 하늘에 닿을 때, 동전은 물 위로 모습을 나타내리라.

그러나 아무리 연못 주위를 돌며 기도해도 동전은 떠오르지 않았다. 나중에야 알았다. 구원은 그보다 실제적이라는 것을.

동전을 찾으려면 옷을 벗고 물속으로 들어가는 수밖에 없었다. 그와 마찬가지로 참구원이란 자신이 하는 것이요, 남이 나를 이끌어 천상으로 올리는 게 아니었다. 내가 가는 것이었다.

짧은 시간이었지만 데바 스승은 모든 것을 그렇게 가르쳤다. 어쩌면 그 가르침으로 인해 그를 더 존경하고 사랑하게 되었던 것인지도 몰랐다. 그리고 이만큼이라도 자신을 지탱하게 하는 힘이 되고 있었는지도 몰랐다. 남자들이 자신의 미색에 속아 청혼을 하다 못해 집에다 돌을 던지고, 칼을 품고 들어오고, 불을 지르겠다고 협박할 때마다 그녀는 오로지 데바 스승만을 생각했었다. 그때마다 그녀는 이상하게 불을 보았다. 엄청난 불을 보았다. 불을 보고 나면 이상하게 편안했다. 이제야 스스로 옷을 활활 벗어 던지고 연못 속으로 헤엄쳐 들어가 잃어버렸던 황금 동전 한 닢을 찾아낼 수 있을 것 같았다.

한편으로는 데바 스승을 사모하는 마음이 집착이 아닐까 하는 생각이 들 때도 있었다. 그래서 전생에 사랑했다는 사람 사리풋다 장로를 멀거니 바라볼 때도 있었다. 이상했다. 그가 전생의 내 사람이었다는데 일말의 느낌도 느껴지지 않았다. 그를 위해 죽음도 불사했었는데, 그는 그저 늙은 비구일 뿐이었다. 이것이 인연이라는 것일까?

얼마 전에 집회가 있다고 하여 먼 길을 걸어 정사로 갔었다. 수부티 장로가 주관하는 법회였다. 거기서 붓다는 금강경을 설했는데 왜 그렇게 눈물이 나왔는지 몰랐다. 설법을 듣다 보니 다른 집회 때와는 뭔가 다르다는 생각을 지울 길이 없었다. 보통 법회가 있어 설법이 시작되면 서론이 시작되고, 핵심이 드러난다. 그런 후 결론에 이르는데 이번 법회는 시작부터가 본법 같고 그것이 끝나는 순간까지 그랬다. 긍정으로 이어지다가 부정되고 부정으로 이어지다가 다시 긍정되는 그러다가 하나가 되어 버리는. 무엇보다 진리를 언어로 설명하기가 어렵다는 사실을 붓다께서는 느끼시는 것 같았다. 〈집착을 버리고 머무르는 바 없는 마음을 내라〉는 것이 요지인 것 같았는데 무아나 무상이란 말을 많이 쓰고 계셨지만, 더 알게 하지 못하는 마음이 크게 느껴졌었다. 한곳에 집착하여 마음을 내지 말고 항상 머무르지 않는 마음을 일으키라는 말씀이었다. 모든 모습은 모양이 없는 것이므로 붓다를 모양으로 보지 말고 진리로서 봐야 한다는 말씀이었다. 그렇게 본다면 진리인 여래를 보게 된다는 것이다.

보살은 수레를 일으키지만 나아가려는 자를 위한다고 이름할 얼마간의 법도 존재하지 않는다

이 한마디로 붓다는 금강경의 요지를 분질렀는데 쇠꼬챙이로 가슴을 지지는 것 같았다. 무릎을 꿇고 합장했다. 어떻게 합장하지 않고 절하지 않을 수 있을까.

돌아오는 내내 〈내가 나임을 알지 못한다〉는 말이 입속에 씹혔다.

무슨 말인가?

붓다가 붓다임을 알지 못한다는 말이었다. 붓다가 붓다임을 인식했을 때 붓다는 이미 붓다가 아니라는 말이었다. 분별의 덩어리요 마구니일 뿐이라는 말이었다. 그러므로 붓다는 중생도 붓다도 따로 없다고 했다. 중생을 제도한 일도 없으며 제도 받은 중생도 없다고 했다.

이 무섭고 큰 법 앞에 다시 합장했다.

나의 모든 인연이 오늘의 나를 이루고 있음을 알겠나이다. 어제의 나를 고집하거나 오늘의 나에게 집착하지 않겠사오며, 내일의 나를 바라지도 않겠나이다. 오늘 내 본래면목을 찾기 위해 오로지 마음공부 게을리하지 않겠나이다.

그녀는 멀리 붓다가 있는 소나마르크 와호마 호수를 바라다본다. 거기 언제나 데바 스승이 눈물겨워 하는 붓다가 계신다.

처음 붓다를 뵈었을 때 곁에 선 어머니의 탄식 소리가 들려오는 것 같았다.

-오오, 참으로 거룩하구나!

그날 처음으로 그분의 설법을 들었다. 그것은 자비와 용서와 사랑에 관한 것이었다.

그러나 이제 그분의 그 거룩함은 이 집안에는 더할 수 없는 불행의 그림자로 다가오고 있다.

제발 무슨 일이 없어야 할 텐데….

그녀는 연꽃을 흔들고 스쳐 가는 바람 속에 앉아 다시 소나마르크 와호마 호수를 걱정스레 올려다본다.

| 5 |

데바는 물사발을 당겨 목을 축인 뒤 삼문을 찾았다.

삼문이 문을 열고 나타났다. 뒤따라 그의 아들 바루라가 들어왔다.

-문을 좀 열어다오.

들어오는 삼문에게 그는 말하였다.

-바람이 찹니다.

아들이 뒤따라 들어오다가 참견하였다.

-아니다. 문을 좀 열어다오.

삼문이 조용한 몸가짐으로 문을 열었다. 만개한 암라꽃이 그의 눈 속으로 파고들었다.

-꽃이 참 곱게 피었구나!

데바는 향기를 맡으려는 듯이 깊은숨을 들이쉬었다.

아이들의 손을 잡은 삼문의 딸 바루라의 모습이 그 암라나무 아래 나타났다. 이제 예닐곱 살 먹은 똘망똘망한 애들의 옷차림이 유난히 눈부셨다. 마을 아이들이 분명했다.

바루라는 그들을 망고나무 아래 모아놓고 우선 코코넛 과자와 바나나 그리고 사과 한 알씩을 나누어주었다.

-손님이 오셨으니까 조용히 놀다 가야 해요.

-알았습니다. 선생님.

애들은 그녀를 깍듯이 선생님이라 부른다. 가끔 먹을 것도 주고 노래도 불러 주고 옛날얘기도 들려주고 그러는 모양이다.

삼문의 아들 바루라가 방을 나가는 것 같더니 그들 속으로 끼어든다. 그들 가까이 다가가 서있는 바루라를 지켜보노라니 이곳에 오던 날 삼문이 아들을 두고 하던 말이 생각났다. 아들은 남자애답지 않게 꽃을 너무 좋아했다고 하였다. 언제나 화단 가에서만 놀았는데 하루는 금잔화 더미에 코를 박고 있다가 그만 코에 벌침을 맞고 말았다. 금세 코가 딸기처럼 부풀어 올랐다. 눈물을 흘리며 고통스러워하는 걸 보며 그가 한 말은 이 한마디였다.

-오로지 우리는 그 향기 속에 있어야 하거늘.

아들은 총명했다. 천성이 고상했다. 그날 이후 아들은 그 무엇에 집착하지 않았다. 향기를 찾아 꽃 속에 코를 박는 짐승 같은 짓은 하지 않았다. 그런 자기 모습을 부끄러워했다. 그렇게 그는 삼계에 대한 집착을 여의려 노력하는 아이였다. 그는 그 향기 속에 늘 있고자 했다. 성격이 내성적이라 사랑했던 사람과 헤어지고는 아픔을 속으로 삭이며 제 누이처럼 결혼은 꿈도 꾸지 않는다고 했다. 결혼 얘기가 나오면 그냥 웃기만 한다고 했다. 그 웃음을 보면 아들의 아픔이 손에 잡힐 듯이 느껴진단다. 아들은 그냥 가난한 이웃

이나 도우며 혼자 살겠다고 한다는 것이다. 처자를 거느리고 있으면서도 범행(梵行)을 닦는 일을 게을리하지 않으면 될 것이 아니냐고 일러주어도 머리를 내젓기만 한다는 것이다. 세속인이면 세속인답게 살아야 한다고 일러주어도 아들은 그저 웃기만 한다는 것이다. 오누이가 그런 면에서는 똑 닮았다고 했다.

마주 보고 웃는 남매의 모습이 아름답다. 서로를 사랑하고 긍정하고 사는 저 모습.

모든 모습 저러해야 한다. 형제간도, 부모와 자식 사이도, 스승과 제자 사이도, 군신 간의 사이도….

사실 붓다를 배척하고 있기는 하지만 그에 대해 긍정할 점도 없는 게 아니었다. 아니 오히려 긍정할 점이 더 많다고 할 수 있었다. 붓다가 고행을 저버리지 않았다면 그리고 난해한 중도 사상을 지혜라는 지게에 얹어 깨달음의 세계를 고집하며 죄 없는 중생들에게 고언을 일삼아 괴롭히지만 않는다면 나무랄 것이 없는 사람이었다. 지금도 그가 부정하지 못하고 인정하고 긍정하는 사항이 바로 붓다의 대기설법이었다. 그 설법이 얼마나 무서운 가르침이란 이를 통해서도 알 수 있는 바였다. 그는 분명히 근기에 대한 차별을 두고 있었고 그 마지막에 모든 길의 회향(廻向) 점을 만들어놓고 있었다. 그 꼭짓점이 바로 정각이었다.

분명히 가르침에는 점차가 있다. 그래서 붓다는 대기설법을 통해 낮은 데서 높은 데로 항상 가르쳤다. 그 내용은 반복되며 그것이 인격적 교감을 형성한다. 데바는 알 수 있었다. 그의 가르침은 천편일률적이 아니었다. 직업과 취향과 지적 수준에 맞게 다채롭게 설법한다. 그러나 그 법을 받은 자신은 아직도 이 세상을 초월하지 못했다. 이 진흙 바닥에 발을 묻고 있으면서 정신은 수미산 상봉에 가 있다고 외치고 있지만 때때로 이 혼탁한 세상에 젖어 들 때도 있기 때문이다. 하기야 초인이란 내가 다른 곳에서 발견하는 것이 아니었다. 내가 또 하나의 나를 베어내고 내 안에서 이루어내는 나의 본모습이었다. 거기에 붓다를 겨냥한 자신의 정당성이 있다. 성자를 표방하며 무사안일에 젖어 있는 붓다. 중생들에게 알음알이를 일삼는 붓다. 그런 붓다를 또 하나의 망령된 씨로 규정하는데 나의 정당성이 있다. 그럼 알음알이를 부정하고 선정을 표방하면서 천하를 칼질하려는 나의 망령됨은 어떤 응징을 받아야 하는 것일까. 그런 생각이 들 때면 눈을 감는다. 무섭다. 붓다가 무섭다. 그의 침묵을 처단하는 것은 마땅하지만 아직도 모를 것은 그때 참된 진리를 볼 수 있겠느냐 하는 것이다. 진리를 표방하는 붓다의 침묵을 처단하겠다고 하면 할수록 오히려 시퍼런 칼날은 자신을 향해 겨누어지고 있다. 그것은 붓다가 중생을 교화하면 할수록 그에게 겨누어지는 칼날과 같은 것이다.

이제 자신도 가야 할 것이다. 어쩌면 그로 인해 이 평화로운 안

식처도 깨어질지 모른다. 그러나 물러설 수는 없는 일이다. 하늘이 무너지고 땅이 깨어지는 한이 있더라도 진리를 위해서라면 단 한 번 맞서야 한다. 그러기 위해서는 일어나야 한다.

그는 휘청거리며 자리에서 일어났다. 삼문이 밖을 향해 서 있다가 다가와 그를 부축했다.

그는 일어나다가 허청거리며 주저앉았다. 주저앉는 그의 눈길에 호숫가의 희미한 그림자가 불길한 예감처럼 스쳐 갔다.

| 6 |

검광이었다. 푸른빛의 검광. 그 서늘한 빛이 가슴으로 날아들었다. 칼날이 불에 달구어져 심장을 향해 날라와 박혔다. 시뻘건 피가 솟구쳤다. 누군가 웃어 대었다.

데바는 순간 진리에 사로잡힌 영혼들이 얽히고설켜 자신의 영혼을 불러대고 있다는 생각을 문득 했다.

마음을 다잡아야 한다는 생각이 문득 들었다.

왜 내가 그를 죽이려 하는가?

그것은 간단하다. 붓다의 깨달음. 그 깨달음이 문제다. 그의 깨달음은 어디서 온 것일까? 가슴으로? 머리로? 심장으로? 그의 말 주변을 보면 머리로 온 게 분명하다. 아는 것만 많지, 정작은 깨닫지는 못했을지도 모른다. 거리의 중생은 다 아파 누웠는데 그는 멀쩡히 살아 있다. 어떤 거사는 중생이 아프면 보살이 어찌 가만히 있을 수 있느냐고 했다. 그런데 그는 정작 멀쩡하다. 그렇다면 그것은 진정한 보살심이 아니요 진정한 자비에서 나온 행동이 아니다. 그렇다면 붓다일 리 없다. 멀쩡히 시줏물만 걷어 먹는 무뢰한이다.

그래도 무섭다. 정말 나는 붓다에게 칼을 들 수 있을까? 붓다는 이미 알고 있을지도 모른다. 내가 칼을 품고 찾아오리라는 것을. 그렇다면 그라고 나를 향한 비수를 장만하고 있지 않을까. 붓다의 가슴에 품고 있는 비수. 그 서슬 푸른 비수.

무섭다. 만약 그가 진정한 붓다라면? 진정한 붓다에게는 공포가 있을 리 없다. 문제는 내가 아닌가. 무엇엔가 조금이라도 흔들리고 있다는 건 아직도 붓다의 경지에 들지 못한 까닭이다. 이것은 내가 아직은 깨달음의 세계에 머물러 있다는 사실이 아니고 무엇인가. 완전한 깨침이 아닌 것은 분명하다. 그럼 그 칼날 앞에서도 흔들리지 않는 여여한 법은 어디 있는가. 분명히 붓다는 그것을 알고 있을 것이다. 그리하여 내가 그들을 힐문했던 것처럼 그도 나의 미천한 근기를 칼질해 들어올 것이다. 내가 지금 느끼고 있는 이 인간적인 불안. 이 원초적인 불안, 이런 모든 것들을 송곳처럼 내다보고는 그것이 곧 범부의 소치임을 역설할 것이다. 그럼 그에게 나는 뭐라고 대답해야 할 것인가. 아니 도대체 나 자신이 그렇게 지향해 왔던 법이란 게 무엇인가.

데바가 그렇게 마음을 다잡고 있는 사이 삼문의 아들 미투라는 잠시 생각에 잠겼다가 눈을 떴다. 가슴이 칼을 맞은 듯 아파왔다. 그가 생각하기에도 이미 데바 스승이나 아버지 그리고 자신들도 언제 아자따삿투 왕의 칼날에 목을 베일지 모를 시점에 와 있었다. 아마도 아버지는 남은 도반 몇몇과 못가라나 장로가 수도하고 있다는 암굴로 갈 모양이었다. 분명 데바 스승이 시키지도 않은 일을 계획하고 있는 것이 분명했다.

무엇보다 데바 스승이 붓다를 시해하기 위해 소나마르크 와호마 호수로 간다는 사실이었다.

아무리 생각해도 무엇 하나 가능성이 있어 보이지 않는다는 데 문제가 있다. 아버지와 도반들이 못가라나 장로를 찾아간다는 것이 첫째 말이 되지 않는다. 아자따삿투 왕에게 쫓겨난 후 아버지는 몇몇 도반들을 이끌고 이곳으로 왔는데 어떻게 신통 제일인 못가라나를 꺾는다는 것인지 모를 일이었다. 그들의 신통력이 못가라나의 신통력을 꺾어 놓을 만큼 신통치 않고 보면 그것은 곧 자신들의 죽음을 초래한다는 말이다. 그리고 병든 몸으로 붓다를 찾아가 마지막 일전을 열망하고 있는 데바 스승도 역시 딱하기는 마찬가지다. 그들은 모두가 중생을 위한다는 명목이 앞서 있지만 미투라의 눈에는 어리석은 욕망의 부산물로밖에는 보이지 않았다. 도대체 무엇이 잘못되었다는 말인가? 데바 스승의 주장을 생각해 보면 알다가도 모르겠다는 생각이 든다. 그는 깨침과 깨달음을 구별하고 있다. 깨달음은 알음알이로 보고 깨침은 오도로 본다. 붓다의 말씀에 의지하는 것은 알음알이의 소산이므로 깨달음이라고 보고, 오로지 명상에 의지하여 깨치는 경지를 깨침으로 본다.

아무리 생각해도 두 세계를 모르겠다. 깨침이란 것이 무엇이고 깨달음이란 게 무엇인가? 모두가 하나같이 붓다의 법임이 분명하다면 스승이었던 붓다가 좀 어긋난 길을 간다기로 서니 그것 역시 중생을 위한 방편이라고 생각할 수도 있는 게 아닌가. 생각해 보면 붓다의 말을 무시하고 선정만을 고집하는 데바 스승에게도 문제가 없지 않아 보인다. 첫째 데바 스승은 너무 강한 종파주의적인 태도를 취하고 있다. 붓다의 말씀을 금언처럼 여기며 그에 기초하여 점차 닦아나가는 사람들을 그는 이단시하고 있지만 붓다의 측면에서 보면 오로지 지혜를 버리고 선정만을 고집하는 그의 태도가 이단일 수도 있다. 왜냐면 지혜를 버린 선정의 세계 즉 깨침의 세계 역시 붓다의 본래 정신이라면 말이다. 그렇다면 그걸 붓다가 알면서도 지혜종도들을 양성해 자신의 깨침을 합리화하고 영원하기를 술책하고 있다는 말인데 그것 역시 중생을 향한 자비심에서 나온 것이라면 어떻게 되는가. 그렇다면 바로 데바 스승 자체가 깨침(悟)을 헛짚고 미증(未證)을 위증(謂證)하는 이단이 아니고 무엇인가.

그렇기에 데바 스승이 이런 말을 한 적이 있다는 걸 그는 기억하고 있었다.

-지혜로 인한 깨달음이란 없다. 오로지 선정을 통한 깨침만이 있다. 나는 이렇게 깨달았노라. 그것이 무슨 소용인가. 어린아이는 가르치지 않아도 본능적으로 어미의 젖을 빤다. 그 속에 불성(佛性)이 있기 때문이다. 그것이 법이다. 어미의 젖 맛은 그 아이만이 안다. 그것이 깨침이다. 내가 누구에게 그 젖 맛을 아무리 설명해도 그것은 불가능하다. 직접 맛을 보지 않고는 결코 그 맛을 전해 줄 수가 없다. 붓다는 바로 그 세계를 언설로 표현하려 하고 있다. 이 얼마나 어리석은 일인가. 그러므로 지혜는 무용하다. 그가 가르치지 않아도 우리는 어미의 젖을 그리워하고 있으며 그 품에 안기면 되는 것이다. 그리하여 우주의 자양분을 우리 것으로 하면 되는 것이다. 그런데 누구의 도움이 필요하단 말인가. 붓다는 자신이 깨쳤다고 외쳐대지만, 그는 제자들에게 외치고 있다. 계속 닦아라. 너희들의 깨침은 해오(解悟)에 불과하다.

데바 스승의 말대로 하자면 붓다는 제자들에게 바로 그 깨침의 세계를 가르치지 않고 고언(苦言)을 일삼으며 자신의 법을 후세에 전하기 위해 지혜종도들을 양성하고 있다는 말인데 그런 면에서는 데바 스승의 말에도 일리가 있었다.

깨친 자는 역사를 두려워하지 않는다는 사실. 역사 속에 남을 이유도 없다는 사실. 그저 이 우주와 하나가 되어갈 뿐이라는 사실. 그리하여 중생과 하나가 될 뿐이라는 사실.

그러나 그것이 붓다의 본래 정신이었다면 어떻게 되는가. 붓다의 처지에서 보면 그 역시 이단인 것이다.

어젯밤 꿈에 보았다. 교단의 내로라하는 장로들, 그리고 무엇보다 시방세계의 신령들과 신장과 금강역사들의 시퍼런 눈길….

그렇다 분명히 그들은 데바 스승과 아버지의 목을 베려고 달려오고 있었다.

자리에 누운 채 미투라는 가만히 허공을 올려다보았다. 거기에 붓다의 모습이 둥두렷이 떠올랐다. 언제 그려보아도 아름답고 거룩한 모습이었다. 그것은 이제 아버지를 향해 칼을 들고 달려올 그의 제자들과는 다른 모습이다. 그 은은한 미소 속에는 아직도 그가 이해할 수 없는 그 무엇이 숨겨져 있었다.

문득 그녀가 떠올랐다. 그녀와 함께하던 세월이 떠올랐다.

아아, 그 세월들. 한 소녀를 사랑하지 않으면 안 되었던 세월들. 소녀를 만난 후 꿈이란 것이 무엇인가를 알았다. 그녀는 비 온 뒤

무지개가 뜨면 그 무지개 너머에 천국이 있다고 말하곤 했다. 그리고는 그 무지개가 끝나는 곳으로 데려다 달라고 졸랐다. 싸우기도 많이 했다. 그녀가 보는 일곱 색의 빛깔과 자신이 보는 일곱 색의 빛깔이 언제나 달랐다. 그가 푸른색이라고 하면 그녀는 꼭 붉은색이라고 했다. 그가 검은색이라고 하면 그녀는 언제나 흰색이라고 우겼다. 그가 붉은 꽃이라고 하면 그녀는 푸른 꽃이라고 했다. 그것이 그들을 갈라놓은 이유가 되었다. 화가 난 그녀는 그를 만나주지 않았고 나중에야 그녀가 색을 바꾸어 보는 병(色盲)이 있다는 걸 알았다. 그걸 안 부모들은 어린것에게 충격을 줄까 봐 언제나 쉬쉬하며 그녀를 길렀다. 그러니 그녀에게는 지천으로 핀 붉은 장미가 푸른 장미일 수밖에 없었고 그에게 세상에 하나뿐이라는 푸른 장미는 그녀에게는 세상에 하나밖에 없는 붉은 장미일 수밖에 없었다. 그녀는 결국 그가 보고 있는 이 세계마저도 진실이 아니라는 것을 가르쳐 주고 떠났다.

그녀는 부모들의 뜻을 어기지 못하고 왕족에게 시집을 갔다. 성질이 불같았던 남편은 자신이 검다고 하면 희다 하는 아내를 끝내 이해하지 못하고 불을 질러 죽이고 말았다. 하기야 결혼 지참금 때문에 선한 아내마저도 불 질러 죽이는 이곳에서 흰옷을 내달라고 하면 상가에서나 입을 검을 옷을 내주었다면 살아남기란 힘든 노릇이었다. 사사건건 그렇게 세상을 뒤집어 보다가 그녀는 죽고 말았다.

어느 날 이 말을 들은 동생은 머리를 홰홰 내저었다.

-참으로 못 믿을 소리군요.

미투라는 그런 그녀를 보며 고개를 끄덕였다.

-그렇겠지. 너에게는….

-그럼 오빠의 아픔을 우리만 몰랐다는 말인가요?

-아니다. 아버지는 출가하기 전 알고 있었다.

-그래서 결혼 말만 나오면 펄펄 뛰셨군요?

-글쎄.

그때 바루라가 오라비의 손을 잡았다.

-미안해요. 오빠의 그런 마음도 모르고.

-아니다. 괜찮아.

그때 미투라는 먼 산을 바라보았었다. 산줄기 줄기마다 꽃들이 피어나고 있었다. 붉은 꽃, 푸른 꽃, 흰 꽃…. 그러나 그녀의 모습은 그 산 어느 모퉁이에도 없었다.

그때 그는 신을 생각했었다. 신통력을 생각했었다. 신이 따로 있겠는가. 불가사의한 신통력을 내보이는 사람이 신이 아니고 무엇인가. 그래서 출가한 아버지를 찾아갔다. 그때 아버지는 붓다의 교단을 뛰쳐나온 데바 스승과 함께 있었다. 그에게 눈물을 머금고 그 말을 했다. 이미 저세상 사람이 되어 버린 그녀가 죽어 돌아오지 못한다는 걸 누구보다도 잘 알면서도 피 흘리는 가슴을 아버지에게 열었다. 아버지의 스승이신 데바에게 신통력이 있다면 그녀를 살려주십시오. 그렇게 아버지에게 눈물을 흘리며 애원했다.

생각했던 대로 아버지의 반응은 냉담했다.

-그런 일로 스승을 시험할 수는 없다. 그 분은 평생을 금강화를 찾아다녔던 분이시다. 이 세상에서 가장 강한 꽃, 피안의 세계에나 핀다는 바로 그 꽃.

결국 홀로 피 흘리는 세월을 이겨내야 했다. 그러나 미투라는 그 누구도 원망하지 않았다. 자신의 섣부른 편견에 의해 그 누구의 생각도 재단해서는 안 된다는 겸손이 되살아났기 때문이었다.

미투라는 먼 산등성이를 향하여 시선을 돌렸다. 산등성이에 지천으로 피어난 꽃들이 눈에 들어왔다. 그는 문득 그 꽃 무더기 사이에서 그리던 사람이 화사하게 웃으며 일어나는 모습을 보았다. 그리고 신통을 거두고 죽음을 맞이하고 있을 한 사문의 얼굴이 그림처럼 떠올랐다.

1각을 위하여

| 1 |

얼마나 시간이 흘렀는지 몰랐다. 벌써 삼문의 집을 나온 지도 한참이 지나가고 있었다. 데바는 허리춤을 오른손으로 확인하곤 하였다. 붓다에게 다가들어 순식간에 뽑아 들 수 있도록 꽂아놓은 칼이었다. 옷깃으로 가리기는 했으나 걸을 때마다 칼끝이 신경 쓰인다. 손톱 밑에 독을 발라 죽일까 했으나 작은 상처라도 있다면 오히려 생명을 잃을 수도 있다는 생각에 단도를 택한 것이다.

데바는 가면서 쉬고 또 쉬고 하였다. 가끔 길옆으로 늘어선 암라나무에서 꽃잎들이 떨어져 내렸다.

데리고 나선 삼문의 아들 미투라가 가끔 그를 부축하였다.

데바는 가까워져 오는 소나마르크 와호마 호수를 바라보았다.

왜 칼을 품고 가야 하는가? 나는 중생이기 때문이다. 붓다가 되기 위한 중생. 그래서 이렇게 가는 것이다. 진실한 붓다의 모습을 보기 위해. 그가 표방하는 침묵을 처단해 버렸을 때 분명히 볼 수 있을 그 진리를 위해. 언젠가 문수도 붓다를 향해 칼을 들었었다.

이상과 일상 그리고 무상.

거기에 중생과 붓다의 차이가 있다. 중생은 일상과 이상이므로 분별하고, 붓다는 무상이므로 여여하다.

390   소설 금강경

문수는 그 길로 칼을 던지고 장엄당사라림으로 가버렸지만, 일
상이든, 이상이든, 무상이든 중생과 붓다를 구별하는 바로 그것.
그 상에 붓다 역시 걸리고 있다는 말이다. 그렇다면 붓다가 아니
다. 수부티 사형의 말에 의할 것 같으면 금강경의 요지가 그것이라
고 했다. 붓다이되 붓다임을 인식하지 않는 것.

 과연 붓다는 그 경지를 보여줄 것인가? 말이 아니라 그 무엇으
로.

 그럼 나는 어떠한가? 붓다 곁을 떠나 그동안 사람들로부터 존경
과 질시를 동시에 받아 온 게 사실이다. 또 그렇기에 남모르는 고
뇌도 있었다.

 한참을 가다 보니 누군가 마주 걸어오는 사람이 있었다. 가만히
보니 앙굴리마라였다. 처음엔 잘 못 알아보았는데 가까이 다가오
는 모습을 보니 앙굴리마라였다. 데바는 잠시 걸음을 멈추었다. 하
필이면 왜 이 인간을 여기서 먼저 만나게 되는지 모르겠다는 생각
이 문득 들었다. 원체 세속에서 포악했던 놈이라 붓다가 일부러 자
신이 오는 것을 알고는 그를 내보냈을지도 모른다는 생각이 뒤이
어 뇌리를 스쳤다.

 기억하기도 싫지만, 그는 붓다를 만나기 전까지만 해도 살인마
중의 살인마였다. 데바는 마의 모습을 하고 있던 앙굴리마라의 모
습을 지금도 기억하고 있었다. 그는 99명이나 되는 사람을 해치고

백 명째 제 어머니를 해치려다 불법을 만난 사람이었다. 마의 원흉이 아니고서 어찌 자기를 낳은 어미를 해치려 할 수 있겠는가. 그러나 그 어미를 해치기 직전에 그는 불법을 만났다. 그 역시 불성을 지닌 인간이었기 때문이다.

붓다가 앙굴리마라를 만난 것은 그의 나이 56세 때 사위 성 석이산중에서 여름 안거를 지낼 때였다. 그러니까 아난이 붓다의 시자가 된 지 다음 해였다.

어느 날 붓다가 탁발을 나갔는데 거리가 소란스러웠다. 평소 그를 따르던 마을 사람 한 명이 다가오더니 그를 이끌고 집 안으로 들어갔다.

-붓다시여, 오늘은 여기서 머무시고 탁발을 그만두시는 게 좋겠습니다.

붓다는 그에게 왜 그러느냐고 물었다.

-지금 거리에는 앙굴리마라라는 살인광이 돌아다니고 있습니다. 그는 벌써 99명이나 사람을 죽이고 백 명째 어미를 죽이겠다고 날뛰고 있습니다. 그는 사람 백 명을 죽여 그들의 손가락을 잘라 목걸이를 만들게 되면 악독한 힘을 얻게 된다고 믿고 있는 사람입니다.

-한심한 일이구려. 그럼 정부에서는 뭘 하고 있단 말이오?

-정부에서도 그를 잡으려 하지만 워낙 몸이 날쌔고 칼을 잘 써

서 도저히 잡을 수가 없다고 합니다.

-그래요?

-붓다시여 부디 여기 머무십시오.

-고맙소. 하지만 나는 가야 하오.

-안 됩니다. 붓다시여.

-그렇지 않소. 나는 이미 두려움을 버린 사람이오.

붓다는 그렇게 말하고 문을 나섰다. 거리엔 사람 그림자도 보이지 않았다. 저 멀리 썰렁한 들판엔 갈까마귀 떼만이 낮게 날고 있었다.

붓다는 태연히 바리때를 들고 걸었다. 가끔 그에게 신뢰감을 보여주던 사람들의 집 대문을 두드려 보았지만, 누구 하나 문을 열어주는 사람이 없었다.

다시 몇 집을 돌았을 즈음 자신의 앞을 막아서는 살인마의 시큰거리는 숨소리를 들었다. 시선을 들어보자 과연 손가락을 실에 꿰여 목걸이를 한 살인마가 자신의 앞을 가로막고 서 있었다. 그의 눈빛은 이미 사람의 눈빛이 아니었다. 시뻘건 동공에서 살기가 서기처럼 흘러나오고 있었다.

붓다는 그를 향해 다가가며 빙그레 웃었다.

-멈춰라!

앙굴리마라가 입술을 옆으로 비틀며 명령하듯 말했다.

붓다는 계속 그의 앞으로 걸어갔다.

-난 네놈에게 멈추라고 했다.

앙굴리마라가 칼을 겨누고 다시 소리쳤다.

그제야 붓다가 그를 향해 입을 열었다.

-난 이미 멈추었다. 멈추지 않은 것은 네가 아니냐?

-무엇이라고?

앙굴리마라가 가까이 다가온 붓다의 앞을 가로막으며 눈을 치떴다. 두 사람의 시선이 한동안 뒤엉키었다. 한 사람의 눈은 살기로 가득한 눈이었고 한 사람의 눈빛은 평온이 흘러넘치는 밤하늘의 별빛 같은 눈이었다.

그 눈빛에 화가 더 오른 앙굴리마라가 소리쳤다.

-너는 무엇 하는 놈이냐?

-나는 수행승이니라.

-수행승인 줄 알았지만 너는 내가 무섭지 않으냐?

-내가 왜 그대를 무서워해야 하는가?

-나는 많은 사람을 죽였다. 네놈 하나 더 죽이는 건 아무것도 아니다. 나는 내 어미를 죽여 백 개의 손가락을 채우려 했지만 이제 너를 죽여 그 손가락을 채워야겠다.

-그렇다면 나를 죽여다오. 나를 죽일 수만 있다면 그대는 어미를 죽이지 않아도 될 것이 아닌가.

앙굴리마라가 흠칫 놀라며 뒤로 물러났다. 수많은 사람을 죽여 보았지만, 자신을 스스로 죽여 달라던 사람을 본 적이 없었다.

-그 말이 진심인가?

앙굴리마라는 좀 겁먹은 음성으로 말했다.

-내가 왜 거짓말을 하겠는가. 칼을 가진 이는 그대가 아닌가.

-그럼 좋다. 내 너를 죽여 백 개의 손가락을 채워야겠다.

칼을 들고 달려들던 앙굴리마라는 동요 없이 자신을 지켜보고 있는 붓다의 눈빛에 질려 머뭇거렸다. 그때까지도 그는 그런 눈빛을 본 적이 없었다. 그가 칼을 들고 다가들면 경악과 공포에 떨던 여느 때의 눈빛이 아니었다. 그저 별빛처럼 맑고 평온한 눈빛이 거기 있었다.

앙굴리마라는 부들부들 떨다가 허물어졌다.

붓다가 가까이 다가가자 그는 붓다의 손길을 거칠게 뿌리치고 고함을 내지르며 앞으로 달려 나갔다.

붓다는 그때 알고 있었다. 앙굴리마라 속에 잠재한 불성(佛性)의 씨앗이 깨어나고 있다는 것을.

예상했던 대로 앙굴리마라는 다음 날 그에게 찾아왔다. 그는 붓다에게 다가와 붓다의 발에 엎드려 입 맞추고 자신도 제도 될 수 있겠느냐고 물었다.

-앙굴리마라, 늦지 않았다. 악행을 버리고 선행을 짓겠다면 결

코 늦는 법이 없다.

붓다가 그에게 말했다.

-저는 용서받을 수 없는 몸입니다.

-앙굴리마라여, 나는 네가 올 줄 알고 있었다. 그 발심으로 너는 이제 새 길을 열 수가 있다. 걸어온 악의 길을 버리고 새 길을 걷겠다면 내가 너를 보호해 주마.

앙굴리마라는 살인마답지 않게 눈물을 흘렸다. 그리고는 자신이 살인마가 될 수밖에 없었던 사연을 털어놓았다.

그는 한때 코살라국의 수도 삿바티에서 학식이 높은 바라문이었다. 그는 덕이 높은 스승 밑에서 수학하고 있었다. 그는 오백 명이나 되는 제자 가운데서도 용모가 준수하고 힘이 센 사람이었다. 그런데 그에게 마음을 빼앗긴 스승의 아내가 남편이 없는 틈을 타 그를 농락하려 들었다.

그는 유혹을 단호히 뿌리쳤다. 이에 앙심을 품은 스승의 아내는 일부러 자기 옷을 찢고 남편이 돌아오자 앙굴리마라가 강제로 능욕했다고 거짓말을 해 버렸다.

화가 난 스승은 앙굴리마라를 벌주려고 했지만, 워낙 앙굴리마라가 힘이 세고 무예가 뛰어났으므로 더 잔인한 방법으로 복수하기로 했다. 그는 앙굴리마라에게 칼을 주며 이 칼로 정확히 백 명을 죽이고 그들의 엄지손가락을 잘라 끈으로 꿰어서 목에 걸고 다니면 수행이 완성될 것이라고 했다.

그는 그 말을 듣고 깜짝 놀랐다. 그러나 스승의 명령은 절대적이었다.

그는 다음 날부터 삿밧티 거리를 나아가 보이는 대로 사람들을 죽여 손가락을 잘라 목걸이를 만들었다. 사람들은 그가 나타나면 몸을 숨겼는데 그때부터 그를 가리켜 엄지손가락(앙굴리)을 베어 목걸이(마라)를 만드는 악마라고 해서 앙굴리마라라고 불렀다.

모든 것을 듣고 난 붓다는 우바리를 불러 그에게 계를 주게 하고 머리를 깎아주었다. 아난이 그의 법복과 바루를 내주었다. 그의 수행은 제자들이 돌아가면서 맡았다.

그러던 어느 날, 탁발을 나갔던 앙굴리마라가 헐레벌떡 뛰어들었다.

-왜 그러느냐?

붓다가 수각(水閣)에서 손을 씻고 있다가 그를 발견하고 물었다.

-붓다시여, 탁발을 나가 우연히 어느 집 앞을 지나치는데 비명이 들리지 않겠습니까.

-그래서?

-다가가 보았더니 안에서 이상한 소리가 흘러나왔습니다.

-이상한 소리라니?

-지나가는 수행승이라도 들어와 도와준다면 순산을 할 수 있을

터인데…. 아마도 여인은 어린애를 낳고 있었던가 봅니다.

-그런데?

-저는 그 말을 듣고 황급히 그곳으로부터 달아났습니다. 왜냐면 저는 아직 제 몸에 숨어 있는 마(魔)의 기운을 모두 제거하지 못했음을 알기 때문입니다.

붓다는 그때 머리를 내저었다.

-아니다. 잘못 알았다. 지금 곧장 그리로 가거라. 그리고 그 여인을 구하거라.

-아닙니다. 붓다시여, 저는 그만한 덕이 없습니다.

-내 말하나니 전생에는 세상을 달리하였고 금생은 전생과 같지 아니하다. 이는 곧 망령된 말이 아니니라. 너는 이미 지난 날의 앙굴리마라가 아니다. 그러므로 덕 속에 있는 것이다. 마계(魔界)를 돌이켜 너는 불계(佛界)에 있으므로 어서 빨리 그리로 가거라.

앙굴리마라는 그 길로 그 집으로 가 그녀의 출산을 도왔다. 지난 날의 살인마가 생명의 파수꾼이 된 것이다.

잠시 생각에 잠겨 있던 데바는 앞에 와 합장하며 허리를 숙이는 앙굴리마라를 쳐다보았다.

-아니 데바 님이 어쩐 일이십니까?

앙굴리마라는 자신이 올 줄 알고 마중을 나온 것 같은데 시침을 뚝 떼고 그렇게 말하였다.

-자네가 어쩐 일인가? 붓다께서 이곳에 오신 것은 알고 있었지만 동행한 도반이 시자 아난이 아니고 그대였던가?

-아닙니다. 붓다께서 정사를 비운 지가 오래 되어 찾아온 것입니다.

-그런가?

-그렇습니다. 어서 오르시지요. 붓다께서 퍽 반가워하실 것입니다.

예전과는 달리 이제 의심의 그늘조차 벗어버리고 반갑게 맞이하는 그를 보면서 데바는 문득 머릿속에 불계와 마계라는 두 글자를 떠올렸다. 어째서 불계와 마계는 둘이 아닐까 하는 생각이었다. 아무리 생각해 봐도 불계와 마계는 극과 극이요 두 세계가 하나가 될 수는 없다. 그런데 마음 가운데 있는 것이라는 걸 생각해 보면 그것이 하나일 수밖에 없다는 생각이 들기는 한다. 하기야 인간은 언제나 붓다도 될 수 있고 마귀도 될 수 있다. 불성과 마성을 동시에 지닌 것이 인간이기 때문이다. 그렇다면 문제가 무엇인가.

걸음이란 글자가 머릿속에 떠올랐다. 그렇구나 하는 생각이 들었다. 걸음. 그래 걸음. 수행승에게 있어 제 일 중요한 것이 어쩌면 그것일지 모른다. 걸음. 그 걸음에 의하여 모든 것이 좌우될 것이기 때문이다. 불성을 위해 위로 올라가면 천상이 눈앞이고, 마귀에게 홀려 아래로 내려가면 지옥이 눈앞일 터이다. 인간은 대부분이 즐거움을 신체적 물질적인 것에 둔다. 그렇기에 마귀는 어디에나 있기 마련이다.

지금 붓다를 받들고 있는 대중들은 자신을 마로 생각하고 있을 테지만 마란 갖가지 표상으로 다가오는 것이다. 그게 마의 본질이다. 하지만 그들은 알아야 할 것이다. 모름지기 모든 사물의 진실한 상을 제외하고는 모든 게 마라고. 그러니 마계는 불계요 불계가 곧 마계인 것이라고.

하지만 그 엄청난 경지를 어리석은 중생이 어떻게 이해할 수 있을 것인가. 불계 가운데서 마계를 일으키고 보리 가운데서 번뇌를 일으키니 이를 어이할 것인가. 모름지기 그것을 타파하기 위해서는 모든 것을 불법의 힘으로 잘 사유하여야 하겠지만 나부터가 이러고 있으니.

하지만 오늘로써 모든 것은 끝날 것이었다.

-힘들어 보이십니다.

수목 사이로 보이는 사원의 추녀 끝을 바라보다 말고 미투라가 말했다.

잠시 생각에 잠겨 있던 데바는 가쁜 숨을 몰아쉬며 손차양하고 앞을 바라보았다.

소나마르크 와호마 호숫가에 지어진 임시 법회당의 모습이 확실히 드러날 때 아난이 그들을 발견하고 뛰어나왔다.

-아니 데바 님!

속가의 동생 아난이었다. 그런데도 정말 정이 없는 놈이었다. 형 소리를 한 번도 하지 않는 범생이었다.

걸음을 멈춘 데바가 숨을 몰아쉬며 아난을 바라보았다.

-이곳에 붓다께서 머무시고 계시다길래 이렇게 왔느니라.

참으로 뜻밖이라는 표정을 지으면서도 아난은 또 무슨 짓을 하려고 왔는가 하고 그의 동태를 살폈다. 이내 대중들이 몰려나왔다. 붓다께서 어려운 걸음을 하셨으니 주위에서 몰려든 사람들 같았다. 분명히 그들이 법회를 열고 붓다의 설법을 청했을 것이었다. 그들도 데바의 이력을 아는지 외도가 어떻게 이 신성한 곳에 발을 들여놓을 수 있느냐고 고함을 질렀다. 어떤 이는 그와 눈이 마주치기가 무섭게 몽둥이로 내쫓으라고도 하였다.

데바는 아랑곳하지 않았다.

이때 사자좌에 앉아 있던 붓다가 그들을 불렀다.

-아난아, 데바가 온 모양인데 이리 데리고 오너라.

대중들이 그제야 길을 비켰다. 말없이 그들을 둘러보며 미소 짓고 있던 데바는 아난이 이끄는 대로 붓다 앞으로 나아갔다.

참으로 큰 법회였다. 얼른 보아도 2천의 비구들이 모여 있는 것 같았다.

그의 출현으로 인해 법회는 잠시 중단되었고 붓다 앞으로 간 데바가 그를 향해 인사를 올렸다.

-그동안 안녕하셨습니까?

붓다가 미소 지며 그의 인사를 받았다. 붓다를 막상 보자 더 늙었다는 생각이 들었다. 곱슬머리가 완전히 백발이었고 이마에 골 깊은 주름이 잡혔다.

-데바야, 어쩐 일이냐? 참으로 뜻밖이구나.

-붓다시여, 모처럼 이곳에 오셨다기에 이렇게 왔습니다.

붓다가 그를 가만히 내려다보다가 머리를 끄덕였다.

-데바야, 보아하니 너의 안색이 왜 그러하냐?

무슨 소리냐는 듯이 데바가 붓다를 쳐다보았다.

-아직도 나에 대한 불신을 버리지 못하고 있는 것이냐?

-붓다시여, 무슨 말씀이십니까?

-아니 되겠다. 우선 쉬도록 하여라. 아난아, 데바를 향실로 데려가거라.

데바가 머리를 내저었다.

-아닙니다. 붓다시여.

무슨 소리냐는 얼굴로 붓다가 그를 쳐다보았다.

-저는 쉬기 위해 여기 온 것이 아닙니다.

그렇게 말하고 데바는 주위를 둘러보았다. 하나 같이 대중의 눈

길이 자신을 지켜보고 있었다. 우물쭈물하다가는 모든 것이 수포
가 될지도 모른다는 생각이 들었다. 데바는 모질게 마음을 다잡았
다.

바로 몰아쳐 들어가자.

-저는 오로지….

데바는 무슨 말을 하려다가 입술을 다물었다.

붓다가 무슨 말이냐는 얼굴로 그를 지켜보았다.

잠시 후에야 데바는 결심을 굳히고 붓다를 쳐다보았다.

-오로지 제가 여기 온 것은….

데바가 용기가 나지 않아 다시 말을 끊자 붓다가 그의 말을 되뇌
었다.

-여기 온 것은?

-바로 그대를 응징하기 위해서 온 것입니다.

모질게 말을 뱉어 놓고 데바는 부르르 떨었다.

응징이라는 말에 붓다의 미간이 푸르르 떨렸다.

뒤이어 여기저기서 소요가 일었다.

그 소요를 잠재우듯 붓다의 음성이 이내 잇달았다.

-네가 방금 응징이라고 했느냐?

-그러합니다. 붓다시여.

붓다가 잠시 눈을 감았다 떴다. 그리고는 두어 번 머리를 내저으

며 입을 열었다.

-참으로 불행한 일이구나. 아직도 나에 대한 미련을 버리지 못하고 있었다니.

-그렇습니다. 붓다시여.

-그래 나에 대한 그 미련을 끊기 위해 그리고 이 교단을 위해 나를 응징해야 하겠다는 말이냐?

-그러합니다. 붓다시여. 붓다의 법이 위없이 높다고 하나 그것이 수행내용에 있어 적합하지 않다면 그게 다 무슨 소용이겠습니까.

이제 물러설 수 없는 지경까지 왔다는 생각에 데바는 주먹을 쥐고 말을 내뱉었다.

그의 말에도 붓다는 전혀 흔들리지 않았다.

-그래 내 교단이 어떻게 변했으면 너는 좋겠느냐?

-붓다시여, 분명히 말하건대 중생은 구제하는 것이 아닙니다. 저 피안으로 안내하는 것입니다. 좋은 곳으로의 안내, 우리에게는 그런 소명밖에 없는 것입니다. 그것이 곧 나의 소명이기도 합니다.

거기까지 말하고 데바는 숨을 몰아쉬었다.

그래. 맞다. 더 찔러 들어가야 한다. 누가 감히 누구를 제도할 수 있으며 구원할 수 있겠는가. 인간은 그렇게 평등한 것이다. 서로의 인격을 존중해야 하며 보살은 그들을 밝은 곳으로 안내하는 사람들이다. 이곳을 돌아보라. 이곳의 모든 이들은 저잣거리의 헐벗은 중생들에게 빵을 거둬 먹으며 생활하고 있지 않은가. 붓다가 진정한 진자(眞者)였다면 저 저자거리에서 그들의 정신을 살찌우고 그들의 빵을 함께 준비했을 것이다. 정신을 채워주는 대가로 헐벗고 굶주린 손아귀에서 한 조각의 빵을 시주받지 않을 것이다. 그렇기에 제도 대상은 바로 민중이며 권력층이나 부유층이 중심이 될 수는 없다. 그러므로 망설일 이유가 없다.

-붓다시여. 붓다의 교단을 돌아보십시오. 중생구제라는 이름으로 극소수를 제외하면 모두가 부유층이요 귀족 출신입니다. 도대체 몇 명이나 그대는 없는 자를 제도하셨습니까?

그렇다. 붓다는 민중의 여망이 절대적 평등에 있다는 것을 알고 있었을 것이다. 하지만 무소유(無所有), 불살생(不殺生)을 최고 덕목으로 하는 정신 수양에 치우치는 바람에 민중과 화합하는 계기를 놓쳐 버렸다. 희로애락의 현장에서 동반자로 사는 삶 자체를 창출하지 못했다. 한마디로 민중의 절실한 요구와 그 해결 방안을 찾지 못했으며 그러므로 동참의식을 창출하지 못했다. 그리고 또 하나, 붓다는 걸식(乞食)과 선정(禪定)을 최고의 덕목으로 삼는 바람에 민중과의 거리는 더욱더 멀어져 버렸다. 왜냐면 그들은 생산을 담당하고 있었고 교단 형성도 자연히 그들 위주로 된 것이 아니라 출가 위주로 되었다는 말이다. 여기를 둘러보라. 여기에 뛰어난 인간들 외에 진실로 혜택을 받아야 할 고난에 찬 민중이 몇 명이나 모여들어 있는가. 그러므로 붓다는 여기에 있을 것이 아니라 저 저자거리에서 민중과 함께 있어야 했다. 승단이 따로 있는 게 아니라 저 저잣거리가 붓다의 수도장이며 민중이 곧 승단이라는 것을 먼저 깨달아야 했다. 붓다는 이곳에 승단을 형성해 들어앉아 시주 물을 거둬들임으로써 그들의 주린 배를 더욱더 줄이게 하고 있었다.

그래. 그 점을 지적해야 한다.

데바는 눈을 치뜨고 입술에 침을 궁글여 발랐다.

그런 데바를 향해 붓다가 눈을 떴다. 그를 내려다보는 붓다의 얼굴엔 어떤 동요의 빛도 없었다. 그저 평온한 얼굴이었다.

그 얼굴을 보며 데바는 입을 열었다.

—누군가 붓다에게 와 이렇게 물었던 적이 있었음을 저는 기억합니다. '수행자여, 나는 내 스스로 밭을 갈고 씨를 뿌리고 식량을 얻고 있습니다. 당신도 스스로 갈고 씨를 뿌려 식량을 얻으십시오.'

그때 붓다는 이렇게 대답했다.

—나도 밭을 갈고 씨를 뿌리고 양식을 얻습니다. 내가 뿌리는 씨앗은 믿음이요 밭을 가는 쟁기는 지혜(智慧)입니다. 몸과 입과 생각이 짓는 악업을 제어하는 것은 내 밭에 있는 풀을 제거하는 것이며 정진은 내가 부리는 소인 것입니다. 그대가 대지를 갈아 옥답을 만들 듯 나는 인간의 미망을 갈아 그들에게 깨달음의 꽃을 피우게

합니다.

생각해 보면 무서운 말이었다. 이처럼 합리적이고 자기적인 대답이 어디 있겠는가. 문제는 붓다가 그들을 제도한다는 핑계로 그들이 바치는 옷을 받아 걸치고, 그들이 짜온 우유를 받아 마시고, 그들이 지어준 정사에서 안락한 생활을 하며 얼마나 그들을 제도했느냐 하는 것이다. 진정한 수행승이라면 먼저 스스로 밭을 갈아 가난한 이들을 공양해야 한다. 그들의 옷이 되어주고 그들의 지붕이 되어주어야 한다. 그러기 위해선 먼저 철저한 수행규칙이 우선되어야 한다. 만약 내게 교단을 맡긴다면 새로운 수행규칙을 마련해 중생의 이익을 위해 노력할 것이다. 그런 다음 인간이 인간임을 가르쳐야 할 것이다. 이 우주의 실상을 가르치기보다는 주어진 현실을 깨치게 해야 할 것이다. 현실적 밥이 될 수 없는 허황한 말장난이 무슨 소용이겠는가. 수없는 설법이 무슨 소용이 있겠는가. 그것은 사념체의 도구밖에 되지 않는다. 터무니없는 정보로 인해 옳다 그르다의 세계로 빠져드는 오류를 심어주기만 할 뿐. 오로지 무심의 선정이 있을 뿐이다. 붓다가 그래왔듯이 한순간 몰록 깨쳐서 이 우주와 하나가 되는 것이다. 그렇게 하기 위해서는 지금의 수행규칙으로서는 어림없는 일이다.

데바의 말을 듣고 난 붓다가 고개를 끄덕였다.

-너의 말이 무슨 말인지 알겠구나. 그럼 무슨 대안이라도 있다

는 것이냐?

데바는 준비해간 자신의 수행규칙을 꺼내 붓다에게 제시했다.

첫째, 비구는 평생토록 산림에 거주해야 하며 마을에 거주해서
는 안 된다.

둘째, 비구는 산야에서 나는 채식으로 식생활을 해결해야 하며
신도들의 초대에 응해서도 안 된다.

셋째 비구는 법의를 상납받아서도 안 되며 남들이 버린 주운 누
더기나 분소의 만을 걸쳐야 한다.

넷째, 비구는 가옥을 가져서는 절대 안 되며 언제나 자연과 하나
가 되어 노천이나 나무 밑 묘지에서만 생활해야 한다.

다섯째, 비구는 비폭력적이어야 하며, 우유나 육즙이나 생물을
잡아 먹어서는 안 된다.

데바의 수행규칙을 본 붓다가 빙그레 웃으며 물었다.

-데바여, 이것이 네가 제창하는 고행의 내용이냐?

-그렇습니다.

대답을 들으며 붓다가 고개를 내저었다.

-그러나 나는 이미 네가 제시하는 모든 것을 지키고 있느니라.

아니 데바가 상상할 수 없는 세월을 붓다는 살아가고 있었다. 데

바는 시줏물만을 걷어 먹는 자라고 하지만 시줏물을 걷어 먹으면서 민중이 뛰어넘어야 할 세계, 즉 깨달음, 완전한 인간, 완성의 길 그러한 실상을 그들의 것으로 하기 위해 노력하고 있었다. 그것을 저버릴 때 가르침은 민중을 저버린 관념론에 떨어질 것이기 때문이었다. 민중의 생활적 바탕 위에, 그 실상 위에 무엇이 불타고 있는가. 바로 육바라밀이다. 그 육바라밀을 완성하려 여래는 여기 있는 것이다. 그러므로 오늘날까지 한 번도 여래 아닌 다른 이를 개체(個體)라고 생각하면서 걸식해 본 적이 없었다. 모두를 구하겠다는 일념으로 먹을 것을 구했으며, 저기 깨침의 씨앗인 불성(佛性)이 있다고 생각하며 걸식을 했다. 한 번도 자신을 위해 먹어본 적이 없으며 오로지 미혹한 중생을 위해 먹었다. 한 번도 수행을 위해 먹어 본 적이 없으며, 한 번도 살기 위해 먹어본 적이 없었다. 그러므로 신도들의 공양을 받아들임으로써 그들의 비원을 대승의 수레에 실었던 것이다.

붓다의 말을 듣고 난 데바가 무엄하게 웃었다.

-붓다시여, 저는 지금도 붓다께서 지키고 있는 다섯 가지 고행원칙을 알고 기억하고 있습니다.

그렇게 말한 후 데바는 다섯 가지 고행원칙을 들먹였다.

첫째, 비구는 원에 따라 산림에 머물러도 좋고 마을에 머물러도 좋다. 둘째, 비구는 원에 따라 걸식해도 좋고 청식을 해도 좋다. 셋째, 비구는 원에 따라 분소의를 입어도 좋고 거사의를 입어도 좋다. 넷째, 비구는 8개월 동안 나무 밑에서 좌와해야 한다. 다섯째, 비구는 스스로를 위해 죽이는 소리를 듣거나 죽이는 것을 보거나 그런 의심이 가지 않는다면 먹어도 좋다.

그렇게 말한 후 데바는 말을 이었다.

-붓다시여, 지금 말씀하시는 것을 들어보면 이 다섯 가지의 고행원칙을 지키고 계신다는 말씀 같은데 그럼 왕족들이 출가하며 바치는 시줏물을 어떻게 설명하실 수 있을는지요.

-네가 출가할 때도 많은 보시가 있었음을 나는 알고 있다. 그러나 그것이 바로 세상을 위한 것이었다. 이미 없는 이들의 양식이 되었으며 나의 곳간은 비어 있느니라. 내 너에게 묻겠다. 지금의 내 마음의 모습을 말해 보아라.

데바의 얼굴에 다시 조소가 흘렀다.

-저의 눈에는 곳간이 가득 차 보이는군요.

-아직도 멀었다. 너의 마음이 번뇌로 가득 차 있으니 여래의 마음도 그렇게 보이는 것이다. 나는 마음을 채워 본 적이 없으므로 여여하다. 가득 차지도 않으며 비어 있지도 않다. 이 이치를 알겠느냐?

데바의 얼굴에 가증스러운 미소가 흘렀다.

-역시 말장난이 심하시군요.

데바에게 있어서 그의 말은 자기 변명에 불과한 것이었다.

-붓다의 중도 사상, 멋지군요. 여전히 합리적인 냄새가 짙어 보이지만…. 붓다시여, 그만두십시오. 어떠한 말도 변명밖에는 되지 않을 것입니다.

-네 의도를 알겠구나. 그러므로 깨달음과 깨침을 확실히 하고 싶다?

-그렇습니다. 붓다시여.

-옳다. 나의 가르침은 깨달음을 위한 것이다.

-맞습니다. 알음알이이지요. 그것은 지혜(知慧)이지 지혜(智惠)는 아닙니다.

붓다가 눈을 감았다.

지혜와 지혜라? 그렇다. 지혜(知慧)는 알음알이를 통해 앞서 닦아나가는 것이다. 지혜(智惠)는 명상을 통해 모든 것을 비워나가는 것이다. 알음알이를 채워나가는 것이 깨달음이며 비워나가는 것이 몰록 깨침이다. 지금 그는 그것을 지적하고 있다.

-작금에 소승들이 깨달음을 지혜의 개념으로 깨침과 깨달음 모두를 아울러 쓰고 있지요. 하지만 그 속성은 모르기에 그렇다고 생각합니다.

-모른다?

붓다가 되뇌었다.

-엄밀히 깨달음은 지적 소산입니다.

붓다가 다시 고개를 끄덕였다.

그렇다. 이해와 논리의 차원이라고 해야 맞다. 그는 묻고 있는 것이다. '붓다의 경지가 이해와 논리의 차원입니까?' 오로지 체험으로써 근원적 자유를 직시한다고 언젠가 말한 적이 있으니까. 그랬다. 그렇게 말했다. 앎으로 인한 깨달음은 깨침의 단계로 가는 사다리가 될 수밖에 없다고 말했다. 깨침은 깨달음을 버림으로써 획득될 수 있는 직관의 세계라고 했다.

-붓다시여, 수부티 사형의 말을 들어보니 금강경에서 그 골자를 설하셨더군요. 집착을 버려라. 머무르는 바 없는 마음을 내라. 그게 다 무슨 말씀입니까? 집착을 가지는 단계가 앎의 단계다 그 말 아닙니까?

그렇다. 깨닫고 머무르는 바 없는 단계가 붓다의 세계다. 붓다도 없고, 중생도 없고, 가르치는 자도 없고, 가르침을 받는 중생도 없다 그렇게 가르쳤다. 그런데 지금 붓다께서는 알음알이를 통해 중생을 제도하고 있다 그렇게 질타하고 있는 것이다.

그를 쭉 지켜보고는 있었지만 이 정도의 발전일까 싶어 붓다는 데바의 안으로 들어가 보았다.

교단을 뛰쳐나가 방황하는 모습이 보였다. 신통을 여는 모습도 보였다. 수행이 마음대로 이루어지지 않자 통곡하는 모습이 시선을 끌었다.

-나의 크기는 낙수 한 방울보다도 작다. 안다는 것으로만 꽉 차 깨치고 들어올 구멍이 없다. 나를 깨치려는 이가 수레를 일으켜도 겨자씨 하나 자랄만 한 틈이 없으니 그의 법이 어디에 존재하겠는가.

붓다가 그렇게 그의 안을 들여다보고 있는데 붓다의 심중을 눈치챈 데바가 갑자기 소리쳤다.

-그렇다면 패배지요. 패배!

-패배?

붓다가 조용히 되뇌었다.

-그렇지 않습니까? 붓다께서는 늘 가르쳤지요. 자신이 깨쳤다고 생각한다면 그자는 붓다가 아니다. 그런데 왜 중생들에게 자신이 깨쳤다고 하시고 가르치시는 것입니까? 그래서 패배했다고 하는 것입니다. 깨쳤지만 그 깨침을 중생들에게 전해야 하겠다고 생각한 것이 바로 패배의 요인이지요.

그렇구나. 그의 말은 분명하다. 왜냐면 깨달음(漸)과 깨침(頓)은 분명히 다르다. 그 사실을 방금도 천명했다. 그 사실을 알고 있으면서도 그저 중생이 불쌍해 자신의 깨침을 전해야겠다고 생각했다면 그때 깨침은 깨달음이 되어 버린다. 그래서 여래를 패배했다고 하는 것이다. 깨침은 언설로는 표현할 수 없는 미묘한 세계라는 것이다. 그런데도 여래는 깨침의 내용을 설파했다. 그때부터 중생들은 깨달음에 의해 깨침의 기회를 놓쳐 버리고 말았다는 말이었다.

붓다는 온화한 눈으로 데바를 내려다보았다.

-그러니 깨달음과 깨침의 내용을 확실히 하라?

-그렇습니다. 보십시오. 붓다의 제자들은 붓다의 가르침에 의지하여 앵무새처럼 말이나 종알거리는 소승교도가 되어가고 있습니다. 붓다께서는 깨쳤는데 그들은 깨달으려 하고 있었다는 사실. 이 사실을 우리는 어떻게 받아들여야 하겠습니까?

그렇다. 생각해 보면 여래를 깨치게 한 것은 선지자들의 설법이 아니었다. 그런 알음알이를 던져 버리고 오로지 선정을 통해서 굴레에서 벗어났다. 그렇다면 여래는 그들에게 선정의 자리만을 제공하면 되었을 것이다. 그런데 결코 설명할 수 없는 세계, 그 불가사의한 미묘한 세계를 중생을 구한다는 이름으로 온갖 비유와 감언이설을 통해 설파해 왔다. 그리고는 진리는 언어도단이라고 한다. 진리는 말이나 문자로 표현할 수 없다고 한다. 이랬다 저랬다 그래서 여래를 의심하는 무리가 생겨나는 것이다. 그들은 붓다가 어쩌면 깨치지 못한 것일지도 모른다고 생각한다. 그들은 이렇게 말한다. 육 년 동안의 고행을 포기하고 세상과 타협할 때부터 이미 위선의 가면을 쓰기 시작했다고, 그렇기에 이 교단 또한 그것의 산물이라고.

-다시 반문합니다. 이 교단은 오로지 깨침을 위해 어떤 교단도 흉내 낼 수 없는 고행을 거치고 있습니까?

모르면 알려 하고 알면 병이 되는 것이 깨달음의 속성이다. 깨달음이 모여 번뇌가 되고 번뇌가 모여 마구니가 된다. 마구니에서 벗어나는 길이란 깨달음을 모두 비우고 깨침의 세계로 나아가는 길밖에 없다.

그런데 붓다라는 이가 알음알이의 터전에 앉아 입으로만 집착하지 말라고 한다면 모순이다. 그 바람에 대중은 하나 같이 지혜 종자로 되어 버렸는데 붓다는 가르치려고만 하고 있다. 그럼 붓다가 아니다. 마구니다. 그 바람에 나 역시 구원이 들어올 구멍조차 없어져 버렸지 않았는가.

-다시 묻습니다. 지금 이 교단은 어떤 고행을 거쳐 참된 사문을 구성하고 있습니까?

그렇다. 붓다는 지금도 말하고 있다. 고행은 진정한 깨달음의 근본이 아니다 하고. 그렇기에 그 말에 현혹된 게으른 중생들이 붓다를 따르고 있고 지금도 모여들고 있는 것이다. 그렇다면 붓다는 참으로 인간세계를 구하려고 이 교단을 형성한 것이 아니다. 묘한 변설로 자신의 명성을 높이려고 이 세상에 온 것이다.

더욱더 무례해지는 데바의 물음에 붓다는 조용히 눈을 감았다 떴다.

-데바여, 오해하지 말길 바란다. 여래는 여래가 아님을 이미 천명했다. 너희들이 여래라고 하는 그 존재도 알음알이고. 문제는 그 두 법 또한 여래의 법이라는 사실이다. 여래의 깨침을 향한 수행내용을 펴지 않고 오로지 깨달음을 향한 수행내용을 주장하고 있는 바람에 네가 일찍이 여래 곁을 떠나간 것을 여래는 알고 있다. 그러나 여래가 지금 펴고 있는 이 법도 방편임을 너는 알아야 할 것이다.

-방편?

-그렇다. 데바여, 어린아이에게 어른의 법을 가르칠 수는 없는 것이 아니냐. 너희들을 깨치게 하려면 깨달음이라는 과정이 필요했다. 그래서 여래는 근기에 맞게 대기설법을 펼쳐 왔던 것이다.

그랬다. 못 배운 자에게는 비를 주어 마음을 쓸게 했고 알아듣는 이에게는 알음알이를, 우주를 관할 수 있는 이에게는 선정의 이법을 주었다. 데바도 마찬가지다. 그 가르침을 받았던 그는 이제 이렇게 왔다. 여래와의 터무니없는 논쟁을 꿈꾸며. 그가 진실로 깨달았다면 그런 티끌만 한 자심도 있을 턱이 없다. 그런데 그렇게 꿈꾸며 온 것이다. 그가 설령 논쟁을 초월한 논쟁을 중생을 위해 꿈꾸고 있다 하더라도 그 자체가 아직도 완전한 깨달음에 이르지 못했다는 증거가 아니고 무엇인가.

붓다의 심중을 눈치챈 데바가 머리를 내저었다.

-붓다시여, 나는 나의 길로 갈 것입니다. 결코 변설이 없는 곳으로. 설법이 없는 곳으로. 선과 악, 그로부터의 가치판단, 그로 인한 터무니없는 신들의 관여, 그로 인한 응징, 인간만큼도 인간을 용서하지 않는 신으로부터 자유로워질 것입니다.

데바는 그렇게 말하고 주먹을 쥐었다.

그래 나는 그렇게 살 것이다. 앞서간 이들의 지혜를 나의 육성으로 변질시키지도 않을 것이며, 또한 그것이 진실인 양 유포시키지도 않을 것이다. 천상도 지옥도 복종도 경배도 없는 오로지 선정만이 있는 그 세계로 나아갈 것이다. 몰록 깨침만이 있는 자리 그 자리를 나를 따르는 중생들에게 가르쳐줄 것이다. 머릿속에 터무니없이 들어앉은 수많은 정보를 지워낼 것이며 오로지 무심 그 위에서 우리들의 신을 세울 것이다. 그것은 진실한 인간이다.

데바의 심중을 들여다본 붓다가 입을 열었다.

-무슨 말인지 알겠구나. 오래 기다렸느니라. 언젠가 네가 깨쳐오리라 믿었기에.

그러나 아직도 금강화가 필 때가 멀었음을 알겠다. 세상에서 가장 아름답고 독성이 강한 것이 꽃무릇이라고 했던가? 평생 잎과 꽃이 만나지 못하니 상사(相思)가 분명하다. 깨달음에 붙잡히면 깨침을 만나지 못하고, 깨침에 붙잡히면 수레를 일으켜도 허사인 법. 내가 너를 깨치기 위해 수레를 일으켜도 나아가려는 자를 위한다고 이름할 얼마간의 법도 이미 존재하지 않으니 이를 어이할 것인가.

　-그렇습니다. 그래서 이렇게 왔습니다. 이제 너도 없고 나도 없는 세계를 열기 위해.

　-이제 네가 이 교단을 맡아야 하겠다 그 말이냐?

　-그러합니다.

　-그러려면 너의 정신은 구경의 경지에 가 있어야 할 것이다.

　-그것은 제가 할 말인 것 같습니다. 다시 말씀드리겠습니다. 이 교단을 바로 잡을 것입니다. 다시 경고합니다. 깨침의 모양을 말해서는 안 됩니다. 그것은 깨침을 막는 깨달음 즉 알음알이이기 때문입니다. 깨침의 모양을 말해줄 때 이미 그것은 사구(死句)입니다. 깨침으로 가는 길만 가르치면 됩니다. 그리고 스스로 깨치게 해야 합니다. 열매의 맛을 설명할 것이 아니라 스스로 맛보게 해야 합니다. 그러므로 깨침은 체험이지 관념이 아닙니다. 앎이 관념입니다. 관념의 노리개가 되게 해서는 안 됩니다. 그런데 붓다께서는 끊임없이 깨침을 노래하고 있습니다. 가르치고 있습니다. 그러므로 중생의 깨침을 알음알이 깨달음에게 팔아먹고 있는 것입니다. 그 증명이 깨침의 표방입니다. 깨침을 표방한다는 것은 아직도 완전한 깨침에 다가가지 못했다는 소치요 그 증거인 것입니다. 제가 다시 단언하지요. 붓다의 가르침은 깨침을 위한 것이 아닙니다. 이제 때

가 되었습니다. 가르침이 없는 교단을 만들 것입니다. 깨침의 교단을 만들 것입니다. 생각해 보십시요 붓다께서 깨달으실 때 교단이 있어 깨쳤습니까?

듣고 있던 붓다가 고개를 주억거렸다.

깨달음은 점차요, 깨침은 몰록 정신을 여는 장치라는 너의 믿음이 참으로 가상하다. 그렇다. 가르침이 교단이다. 교단이 가르침의 온상이다. 그런데 왜 여래는 깨침의 세계를 지향하지 않고 깨달음의 세계를 지향하고 있는 것이냐. 그런 지적이 나올 만하다.

붓다가 시선을 들어 데바를 눈부시게 바라보는데 데바는 이제 마지막이라는 듯 말에 힘을 주었다.

-그렇습니다. 붓다께서는 알음알이를 통해 자신의 추종자가 필요했던 것입니다. 그러니 날로 교단이 융성하고 신도 수가 늘어나는 것이 아닙니까.

-그러나 오로지 선정만이 깨침의 세계를 열 수 있다는 믿음은 대단히 잘못된 것이다.

-잘못되었다고요?

-너는 어떠하냐? 진정으로 깨쳤고 오늘날까지 중생교화와 번뇌 끊은 작업을 함께 해 왔느냐?

-그래서 명확한 하나의 선을 긋기 위해 온 것입니다.

-역시 깨침과 깨달음이라는 두 개의 선?

-그렇습니다.

그는 그렇게 대답하고 불끈 주먹을 다시 쥐엇다.

그렇다. 붓다는 본래의 정신인 깨침의 세계를 버린 지 오래라고 생각했기 때문에 나는 온 것이다. 그렇지 않은가. 그렇지 않다면 깨침의 세계를 깨달음의 세계로 역설하지는 않을 것이다. 그것은 어느새 자신의 본래 정신이었던 그대 자신이 스스로 진리를 깨달으라고 하는 참다운 인간 형성의 길을 버리고 교단의 권위를 위해 사상의 범주를 만들고 있다는 말이다. 제자들을 그에 의존하게 한다는 사실. 그 결과 지금의 교단은 어떻게 되었는가? 붓다는 입만 열면 자신의 말을 금언처럼 여기게 하고 그것을 지침 삼아 점차 닦아나감으로써 지혜종도를 만들어 나가고 있다.

데바의 심중을 역시 읽은 붓다가 스르르 또 눈을 감았다. 그리고 생각하였다.

그래. 그렇다고 하자. 그러나 세상은 본래 그대로다. 데바야, 너는 말했다. 여래의 제자들이 여래의 말을 금언처럼 지키고 그것을 형식적, 표면적으로 해석하고 있으므로 오히려 견성에 방해받고 있다고. 옳은 말이다. 여래 역시 제자들이 여래의 말에 사로잡히지 않고 입체적으로 융통성 있게 그리하여 여래의 본래 정신을 이어 받아 주기를 지금도 간절히 원하고 있다. 이론적 학문적으로 받아들이기보다는 그것이 실천으로 이어 나가 주기를 말이다. 데바야,

잘 생각해 보아라. 여래가 어찌 미혹의 세계에 있는 것도 그 중간에 있는 것도 아니겠느냐. 아니면서 어찌 중생을 교화할 수 있겠느냐?

-붓다시여, 어떤 말이든 하십시오. 침묵하시겠다면 이제 나는 여래의 개오를 증명해 보일 것입니다.

생각에 잠겨 있던 붓다가 눈을 떴다.

-그렇구나. 너는 여래의 침묵을 이해하려 하고 있구나. 그렇다면 너의 뜻대로 그 침묵의 목을 쳐야 할 것이다. 이제 때가 온 것 같구나. 그 목을 쳐라. 그러면 볼 수 있으리니 진리의 참모습을. 그러나 여기 분명한 것이 하나 있다.

그게 무엇이냐는 듯이 데바가 시선을 들었다.

-무방(無方)!

붓다의 한마디에 데바가 꿈틀 놀라며 뒤로 물러섰다.

-여래는 본시 모양이 없는 법이다. 그 세계를 향한 걸음. 그 걸음은 한 발짝으로 시작한다. 너는 나의 법을 어떻게 알았느냐? 그것이 지(知) 즉 앎 즉 점차였다. 알음알이 없이 깨침에 이를 수 있을 것 같으냐? 어림없는 수작이다. 그러므로 이 교단이 존재한다. 이 교단이 깨달음이다. 그리하여 깨침의 언덕으로 간다. 이것이 여래의 대기설법이다. 여래는 한 번도 그 틀에서 벗어난 적이 없었으며 그렇게 살아가고 있다. 여래의 해탈은 깨달음을 종(宗)으로 삼고

깨침을 붓다로 삼는다. 네가 깨달음을 종으로 삼지 않고 깨침을 얻을 수 있을 것 같으냐?

-궤변이요 독선입니다.

데바가 부들부들 떨다가 소리쳤다.

-섣부른 그림쟁이가 제 생각을 화폭으로 옮겨가려고 한다. 거기 깨달음이 있다. 그리하여 깨침의 세계로 나아간다. 그것이 무방의 세계다. 거기 소승을 넘어선 대승이 있다. 너는 나의 가르침이 획일적이고 독선적이라고 하지만 그 참뜻이 거기 있다.

-이미 원칙은 정해져 있습니다. 붓다가 신이 아닌 이상 가장 인간적인 모습으로 내게 존재해야 한다는 것. 깨달은 자와 깨닫지 못한 자. 붓다의 사유, 붓다의 언행, 그것이 터무니없는 내 환상이 되어서는 안 된다는 것.

-그러나 무방을 고양하려면 어떤 방법도 있을 리 없다.

-그렇습니다. 나는 붓다의 침묵에 칼질함으로써 최종적인 해답을 얻을 수 있다고 생각합니다.

-그러나 어떻게 극복하고 그로부터 자유와 독립을 얻을 수 있을 것인가? 어떻게 행위로서 행위의 불완전성을 제거하고 자유와 독립을 얻어낼 수 있을 것인가?

-이제 나의 행위만이 깨달은 자의 표현, 즉 무방의 경지가 될 것입니다.

붓다의 심중을 간파한 데바가 소리치자 붓다가 안쓰럽다는 듯이 쳐다보다가 말을 이었다.

-거기에는 분명 해탈도 없고 절어 빠진 합리주의의 세계도 없어야 하리라, 논리의 단절이 가져다주는 실제적인 자유만이 존재해야 하리라.

-무슨 말입니까?

붓다는 대답하지 않았다. 그는 생각하고 있었다.

그렇지 않고 너를 이루고 있는 비실제적인 것으로부터 어떻게 탈출할 수 있을 것인가. 탈출이 가능하지 않다. 인공성이 개입될 수 없는 무위자연의 세계가 그 세계이다. 문제는 그 과정을 통해 무방의 경지를 얻을 수 있느냐 하는 것이다. 그렇다. 이제라도 늦지 않았다. 진리의 본체를 보려면 여래를 죽여야 하리라.

비로소 붓다가 생각을 굳히고 미소를 머금었다.

-그렇구나. 이제 때가 되었구나. 마지막으로 주의해야 할 것은 1각이다. 여래를 죽이려면 그 1각마저도 뛰어넘어야 한다.

데바가 다시 꿈틀 놀라며 물러섰다.

1각. 1각이 무엇인가?

차이다. 스님과 아라한의 차이. 아라한과 보살의 차이. 보살과 붓다의 차이. 거기에는 1각의 차이가 있다. 유불여불의 경지. 대승의 지극한 경계는 다만 붓다와 붓다만이 안다. 다른 이는 보거나 알거나 하지 못한다. 유소단자(有所斷者)다. 자신이 여래 다음에 가는 지위에 닿았다 할지라도 아직 미세(微細)한 무명(無明)의 번뇌와 습기(習氣)가 남아 있어 끊어야 할 1각(覺)이 남아 있다면 붓다의 마음 한쪽도 짚어볼 수 없다. 그것은 내가 붓다가 아니기 때문이다. 붓다가 아닌데 어찌 붓다의 마음을 읽어낼 수 있으며 붓다를 죽일 수 있는가. 붓다와의 인연을 보고자 한다면 붓다의 경지에 들지 않으면 안 된다. 바꾸어 말하면 붓다는 중생의 모든 것을 헤아릴 수 있어도 중생은 붓다와의 인연도 헤아릴 수 없다. 다시 말을 바꾸어 보면 아무리 대승의 덕이 높다고 할지라도 붓다의 본상은 그릴 수가 없다는 말이다. 그렇다면 깨달음의 세계, 즉 정보를 무시하고 오로지 선정을 통해 몰록 깨침을 얻기 위해 신심을 다한다고 하더라도 마지막 1각이 남아 있다면 이는 붓다가 아니라는 말이 된다.

그렇다면 그것이 바로 붓다의 미묘한 법문이었다는 말인가?

이런!

잠시 미로 속에서 헤매는 느낌이 데바를 사로잡았다. 하지만 이대로 물러설 수는 없는 일이었다. 자신이 완전한 깨침에 다가가지 못한 것은 인정하더라도 자신의 신념에는 변화가 있을 수 없었다.

-문제는 지금 내가 보는 현상이라고 생각합니다. 여여한 몸을 그대로 보아내는 경지. 그 경지 속에 내가 있느냐 아니면 관념과

변제로 나를 보느냐 하는 것일 것입니다.

　-너는 방금 깨침의 핵심을 말했다. 그러나 수행이란 어린아이가 어른이 되는 것이며 햇살에 사물의 존재가 드러나는 것이다. 알음알이를 거부하고 오로지 선정을 통해 무시 이래의 습기를 제거하고 통찰과 나눔이 둘이 아닌 근원적인 자유를 직시할 수만 있다면 얼마나 좋겠느냐. 발이 움직이기 전에 이르고, 혀가 움직이기 전에 말이 된다면 말이다. 그럴 수는 없는 것이다. 그래서 여래는 여기에 있다. 여래의 제자들이 나를 없애는 것이 아니라 본래 내가 없음을 가르치고 있는 것이다.

　-그러나 저는 제 길을 갈 것입니다. 제 길을 가는 이상 더 이상 그대의 수행 태도를 묵인하지 않을 것입니다. 그대의 말씀을 금언처럼 지키는 허망한 인간들을 더 이상 보고 있지 않을 것이며, 교단 통제를 위해 계율을 지키며 붓다의 말씀을 형식적 표면적으로 해석하고 있는 자들을 용서치 않을 것입니다.

　그렇게 말하고 데바는 눈을 한 번 지그시 감았다 떴다. 씹어 무는 입가에 오닥진 안간힘이 묻어났다. 이내 그는 몸을 움직였다. 그는 몸을 부들부들 떨며 허리춤에서 단도를 빼 들었다. 그리고는 천천히 붓다를 향해 다가들었다. 대중들이 비명을 질렀다.

　붓다는 데바가 달려드는데도 움직이지 않았다. 그는 일체의 흔들림도 없이 그대로 앉아 있었다.

이윽고 칼이 붓다의 얼굴에 닿는 순간 대중들은 보았다. 붓다의 얼굴이 서서히 데바의 얼굴로 변해 가고 있다는 것을.

칼을 들고 달려들던 데바가 멈칫했다.

그때 천상으로부터 적병자가 천의를 휘날리며 내려왔다. 붓다를 모시고 이곳으로 온 소녀가 하늘 갑옷을 입고 있었다. 그녀의 손에 칼이 들려 있었다.

-멈춰라.

데바가 칼을 들고 그녀를 바라보았다.

-데바, 네가 보지 못한 1분의 법이 바로 여기 있다.

-요망한 것.

데바가 그녀를 향해 달려들었다. 그녀가 단숨에 데바를 제압할 것 같았으나 데바의 신통술도 일정한 경지에 가 있었다.

데바는 커다란 흑룡이 되어 한순간에 그녀를 감아 안았다.

그러자 지켜보고 있던 못가라나가 나섰다. 천상을 엎어 버릴 수도 있는 신통술을 그는 지니고 있었다. 그는 황룡으로 몸을 바꾸어 흑룡을 향해 나아갔다.

데바의 신통이 못가라나를 이길 수는 없었다. 데바의 몸이 구덩이 속으로 빨려 들어가자 붓다가 손을 뻗쳐 그를 재빨리 건져 올렸다.

다시 제 몸으로 돌아온 못가라나가 소리쳤다.

-붓다시여, 왜 그러십니까?

붓다는 말없이 아난을 시켜 죽어가는 데바를 향실로 옮기게 하였다. 그리고는 그를 손수 치료해 준 다음 모든 대중에게 이렇게 일렀다.

-세상에는 두 길이 있다. 선과 악이 그렇고 음과 양이 그렇다. 모든 것에는 극과 극이 있기 마련이다. 불법 또한 깨침에 이르는 두 개의 길이 있다. 한길은 여래의 설법을 통해 깨달은 후에도 끊임없이 자기의 수행을 강조하는 사상이며, 한길은 깨침과 수행이 하나(頓)가 되는 선의 예지이다. 데바는 자신의 예지대로 그 길을 갔을 뿐이다.

그리고 붓다는 다시 이렇게 말하였다.

-여래가 여래가 되지 못하고 나로 지낼 적에 그 생에도 묘법연화를 구하기에 게으르지 아니하였다. 보리를 발원하고 구하는 마음이 퇴전하지 아니하여 나는 국왕의 자리를 태자에게 물려주고, 북을 쳐서 명령을 사방에 알렸다. 누구든지 나에게 대승법을 설하여 주는 이가 있으면 마땅히 종신토록 받들어 모시고 시중하리라. 그때 한 선인이 와서 만일 나의 뜻을 어기지 않으면 마땅히 설하여 주리라고 했다. 나는 선인을 따라가 온갖 시중을 들었다. ...1천 년이 지나도록 윤회를 거듭하며 법을 위하여 받들어 섬기기를 지성으로 하여 조금도 부족함이 없었다.

붓다는 계속해서 말을 이었다.

-그때의 왕은 바로 여래의 몸이요, 선인은 지금의 데바이니라. 그 데바 선지식이 나로 하여금 붓다 되게 하였으니 여래가 등정각을 이루어 중생을 널리 제도하게 하였음도, 모두 데바 선지식 덕분이니라. 여러 사부대중에게 이르나니. 데바는 한량없는 겁이 지난 뒤에 마땅히 성불하리니, 이름은 천왕(天王)여래, 은공…. 조어장부, 천인사, 그 세계의 이름은 천도(天道)라 하리라. 이때, 천왕불은 20중 겁을 세상에 머물러 중생들을 위하여 묘한 법을 설하리니. …중생이 아라한과를 얻고 벽지불을 깨달으며, 불가사의한 중생이 보리심을 내어 물러가지 않는 자리에 이르리라.

붓다의 말이 끝나자 주위는 쥐 죽은 듯 고요하였다. 대중들은 하나같이 자신을 죽이려고 온 데바를 그렇게까지 두둔하는 이유를 모르겠다는 표정들이었고 그래도 데바의 큰 뜻을 이해한 무리는 속으로 긍정하는 눈치들이었다.

그래서인지 데바가 몸을 추스르고 일어나자 장차 붓다가 되어 교단을 이끌어나갈지도 모른다는 생각에 따르는 비구들이 많았다.

데바가 떠나 버리고 나자 붓다는 매우 상심하였다.

붓다는 저녁노을 속에 가만히 앉아 데바의 쓸쓸한 모습을 가끔 떠올리곤 하였는데 데바를 그리는 붓다의 마음을 대중들은 읽을 수가 있었다. 그가 사라져 버린 벌판 너머로 눈을 붙박은 채 읊조리던 붓다의 시 한 수.

    ……

무시(無始) 이래의 무명근원(無明根源)을 단(斷)하려는 너의 신심
이 아름답다구나. 데바여. 평등혜를 실천하려는 너의 서원이 언젠
가 하늘에 닿을 날이 있을 것이다. 그때까지 평등혜(平等慧)의 보
도를 잘 간직하도록 하여라. 여래의 깨달음을 베개 삼아, 여래의
깨침을 다리 삼아 진리의 풍광으로 들어가노라면 언젠가는 네 마
음속에서 여래를 지울 날이 있으리라. 내가 나임을 알지 못하고 내
가 너임을 알지 못할 때 그때 금강화는 피어나리.

어느 날 붓다는 열반이 가까워져 옴을 알았다. 붓다는 아난을 위
시한 교단의 장로들을 데리고 입멸 지인 쿠시나가라로 떠났다.

| 2 |

붓다가 열반에 들고 난 뒤 데바는 일체 바깥출입을 삼가고 토굴
에 들어앉아 선정에만 잠겨 있었다. 그러다 그가 일어선 것은 어느
날이었다. 그는 우기를 이용하여 왕사성 칠엽굴로 향하였는데 그
때 그는 알고 있었다. 붓다의 제자들이 최초의 결집을 준비하고 있

다는 것을.

그가 칠엽굴로 갔을 때 붓다의 제자 대가섭 등 오백 비구들이 모여 있었다. 생각했던 대로 그를 반기는 진보 세력과 붓다의 수제자들로 이루어진 보수세력 간에 틈바구니가 벌어졌다.

보수세력과 진보 세력 간의 대립이 아니라 진정한 붓다의 참뜻을 추구하는데 최초 결집의 본뜻이 있다는 걸 알고 있었기에 칠엽굴로 찾아간 것이었지만 보수세력 중에 그런 그를 이해하고 받아주는 사람은 없었다. 그들 역시 깨달음과 깨침 사이에서 방황하고 있었다. 붓다는 분명히 대답하고 있었지만, 조금이라도 의심한다면 다시 생각해 보지 않을 수 없는 문제였다.

돌아온 데바는 그 후 진취적이지 못한 그들의 작태를 개탄하면서 외도소승열반론(外道小乘涅槃論)이라는 저작을 남겼다. 이 저작은 암송으로 구전되어 퍼져나갔는데 그들로부터 소외되어 버린 자의 넋두리가 아니었다. 그들 소승을 외도로 간주하여 논파하는 대승적 논조의 내용이었다. 그러자 상좌부 사람들은 자신들을 향해 보수적이며 붓다의 참뜻을 알지 못하는 권위주의의 집단일 뿐이라고 비판하는 그를 향해 그대야말로 마음대로 붓다의 가르침을 이탈시켜 잘 못 전하고 있는 비불설의 외도라며 반발하고 나섰다. 불전에 소승과 대승이 대립적으로 나타나게 된 것은 바로 이때부터였다.

그는 결코 붓다를 유일무이(唯一無二)의 역사적 붓다로 보는 소승들을 용납하지 않았다. 그는 자리(自利)를 위해 실천을 멀리하지 않았다. 그에게서의 실천은 이타적인 각타의 길인 고행이요 그렇기에 그는 그 고행 주의를 버리지 않았다. 그리고 결코 걸식하지도 않았다. 그는 스스로 제자들과 함께 밭을 갈아 음식물을 취했으며 생물의 우유도 마시지 않았다. 그는 제자들에게 결코 우상을 가지거나 자신을 초월하려고 애쓰지 말라고 가르쳤다. 그는 조화를 가르쳤다. 그는 붓다가 초인적인 인간이 아님을 가르쳤다. 깨침이 어떤 초인적인 것에 있는 것이 아니라 참된 인간 즉 자기완성에 있다고 가르쳤다. 그렇기에 마음속의 붓다를 보라고 가르쳤다. 그는 다시 소승의 무리가 모여 붓다의 말씀을 기록하려는 움직임이 있다고 하자 알음알이의 종자들이라며 그들을 무시해 버렸다.

그는 알고 있었다. 교리 탐구와 사상적 투쟁으로 인해 불교 본연의 자세에서 멀어져 언젠가는 논리적인 불교, 계율만을 존중하는 형식주의로 변모해 가리라는 것을. 학설적인 이론에만 집착함으로써 숙업전환과 자기완성을 위한 실천의 길로 나아가지 않음으로 인해 붓다, 본연의 뜻은 망각될 것이고 법은 땅에 떨어지고 말리라는 것을. 이론과 설법이 아무리 훌륭하다 해도 실천이 우선되지 않는다면 그것은 빈 수레요 깨어진 유리 조각과 같다는 것을. 오로지 진리를 위해서는 새로운 실천의 개혁이 거기 있어야 할 것이었다.

그것이 곧 대승의 시발점이었다.

그렇기에 그는 붓다로부터 시작한 소승과 대승불교의 그 혁명적 사상이 제자들에 의해 소승으로 기울어져 감을 아쉬워하며 이런 말을 남겼다.

-붓다의 천금 같은 말씀이라도 그 알음알이에 걸리면 독각의 길을 걷게 된다. 그 알음알이로 자신을 각타케 할 수는 없는 것. 그렇게 자기 이익에만 매달려 이타의 이상이 결여된 자를 보거든 자리뿐 아니라 이타에 이르는 길을 가르쳐 주어라. 그들에게 크고 넓은 아량을 베풀어라. 근기가 낮아서 소승이 아니고 근기가 수승하여 대승이 아니다. 모든 것이 다 붓다의 뜻이요 가르침인 것을.

그는 죽을 때까지 알음알이를 무시하고 선정으로 일관하였다. 각의 본성을 묻는 자에게 그는 깨달음을 단번에 베어내고 깨침을 벼락처럼 얻는 것이라고 가르쳤다. 그는 죽기 얼마 전에 그 나라의 왕이 가져다 모셔 놓은 불사리탑을 부수어 버렸다. 비로소 붓다의 그림자마저도 지워 버림으로써 굴레에서 벗어난 것이다.

그가 죽고 난 뒤 제자들은 그의 유업을 기려 그가 가르친 대로 결코 그 어떤 우상도 가지지 않았다. 그의 시신은 다비 되어 그대로 산에 뿌려졌다.

그다음 해 봄에 그의 재가 뿌려진 곳에서 꽃들이 피어났다. 핏빛처럼 붉은 꽃이었는데 어느 해부터인가 그곳에 바루라라는 한 노파가 찾아와 움막을 짓고 살았다. 비록 그녀는 늙었지만, 꽃만큼이나 아름다운 모습이었다. 노파는 그곳에서 꽃들과 더불어 살다가 꽃 무더기 사이에 묻혀 죽었다. 산짐승들이 와 시신을 뜯어먹었는데 바이샤칼의 보름달이 떠오르던 어느 해였다.

끝

자서

금강경을 깊이 들여다보면 일불 사상이 만들어낸 것이 아님을 알 수 있다. 왜냐면 우리 모두 붓다가 되자는데 목적이 있기 때문이다. 그렇다고 초기 불교의 산물이 아니라고는 말하지 못한다. 그 당시에는 문자가 없었고 암송으로 붓다의 말씀이 전해지던 세월이었다. 나중 붓다의 말씀이 문자화되었을 때는 그만큼 세월이 흐른 뒤였다. 대승불교가 팽배하던 시절이었다. 자연히 붓다의 말씀에 보살 사상이 녹아들 수밖에 없었다. 그러므로 반야심경만 봐도 관세음보살이 나온다. 세상에서 가장 아름다운 경전 금강경도 마찬가지다.

오늘에 와 이 문제를 거론한다는 자체가 불교 역사를 깊이 들여다보지 않은 소치라고 볼 수밖에 없다. 왜냐면 불교 역사의 앞뒤를 살펴보면 알 수가 있기 때문이다. 이 문제는 그러하다는 증언적 차원이지 불조 생존시 보살의 개념이 없었다는 증거는 아니다. 오히려 불조 생존 시 보살의 개념이 존재했다는 증거적 자료는 차고 넘친다. 데바를 통해 그 당시를 되돌아보며 의미를 짚어보는 까닭도 여기에 있다.

금강경에 이런 구절이 있다.
내가 붓다임을 알 때 아상(我相)에 떨어지고, 붓다임을 모를 때 무지에 떨어진다.
무슨 말인가?
붓다임을 알 때 아상에 떨어지고 모를 때 무지에 떨어진다?
아무리 생각해도 이해가 되지 않는 말이다. 이것은 분명한 모순이다. 어떻게 내가 붓다임을 모르고 중생을 제도할 수 있으며, 붓다임을 자각할 때 아상에 떨어진다는 말인가.

그러나 여기에 불교의 큰 풍광이 있다. 붓다가 붓다임을 모르기에 제도한 자도 제도 된 자도 없다는 사실. 세상에 이보다 더 큰 법이 어디 있겠는가.

금강경을 소설화하겠다고 결심하면서 맨처음 떠오른 이가 데바였다. 그는 악한 비구의 상징적 인물이다. 그런데 왜 내가 그를 떠올렸느냐 하면 악비적 시선이 아니고서는 금강경의 세계를 제대로 보아낼 수 없다는 판단에서였다. 일찍이 나는 천상일녀와의 상사적 관계를 알고 있었다. 바로 금강경의 요지가 그것을 말하고 있었다.

그래서인지 데바는 언제나 말하고 있었다.

'나의 시선으로 금강경을 보지 못한다면 너희들은 길 잃은 소경이나 마찬가지다. 금강경은 아름답고 강하고 장엄하지만, 그 본 뜻을 상사(想思)에 두지 않는다면 붓다가 설한 금강의 세계가 무슨 소용이겠는가. 상사의 영(靈)에 방울을 달아도 무지한 자에게는 보일 리 없는 것이다.

상사의 영에 방울을 달아도 보고 듣지 못한다면 지해종도(知解宗徒)다. 금강경은 그런 무리를 쳐없애고 벼락같은 깨침을 주고 있다. 지해가 아닌 지혜(智慧)의 세계.

물론 큰 법에 다가가려면 여러 방법이 있을 수 있다. 착실히 불교를 공부하여 깨달음의 세계로 나아갈 수도 있고, 내게 들어온 지적 정보를 지움으로써 깨침의 세계로 나아갈 수도 있다.

지혜의 개념으로 깨침과 깨달음 모두를 깨달음으로 아울러 쓰고 있는데 깨달음이란 말의 속성을 따지고 보면 '모른다는 것을 알게 된다는 뜻'이 깊다. 그러므로 엄밀히 깨달음은 지적 소산이다. 이해와 논리의 차원이라고 해야 맞다. 붓다의 경지는 이해와 논리의 차원이 아니다. 사고나 논리, 추리 등 지적 정보를 머릿속에

서 비워 냄으로써 얻어낼 수 있는 경지이기 때문이다. 어떠한 사
상의 범주에 의존하지 않는다. 오직 체험으로써 근원적 자유를
직시한다. 그렇기에 앎으로 인한 깨달음은 깨침의 단계로 가는
사다리가 될 수밖에 없다. 반면에 깨침은 깨달음을 버림으로써
획득될 수 있는 직관의 세계다.

그 골자를 노래한 것이 금강경이다. '집착을 버리고 머무르는 바
없는 마음을 내라'는 것이 〈금강경〉의 요지다. 집착을 가지는 단
계가 앎의 단계다. 그것을 깨닫고 머무르는 바 없는 단계가 붓다
의 세계다. 독성이 강한 꽃무릇이 금강화가 되어 피었을 때 붓다
도 없고 중생도 없다. 가르치는 자도 없고 가르침을 받는 자도 없
다. 그러므로 무상(無相)이다. 금강경은 그 길을 가르친다.

그 세계를 그려내기 위해 오랫동안 금강경에 매달렸다. 패종 중
의 패종에게서 붓다가 보아낼 수 있는 것. 그것이 금강의 세계라
고 생각했다.

독기가 가득한 꽃무릇이 어떻게 금강의 세계를 얻어낼 것인가?

이 밤도, 보살은 수레를 일으키지만 나아가려는 자를 위한다고
이름할 얼마간의 법도 존재하지 않는다(無有少法名爲發趣菩薩乘
者)는 붓다의 말씀을 되씹어 본다. 법의 진실한 모습에, 그 금강
의 모습에 합장한다.

백금남

소설
금강경
백금남 장편소설

2판 인쇄 : 2024년 5월 20일

발행인 : 박종순
발행처 : 도서출판 피플워치
제 작 : 향지북스
편집인 : 김원우
총 괄 : 박종미
디자인 : 최정근 김수빈

  ISBN : 979-11-984047-0-1
서울시 종로구 인사동 11길 16 대형빌딩 2층
TEL. 02) 352-3861